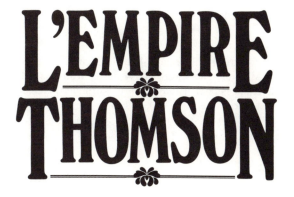

Couverture

- Maquette:
  GAÉTAN FORCILLO

Maquette intérieure

- Conception graphique:
  JEAN-GUY FOURNIER

Équipe de révision
Daniel Ariey-Jouglard, Jean Bernier, Michelle Corbeil, René Dionne,
Louis Forest, Monique Herbeuval, Hervé Juste, Jean-Pierre Leroux,
Odette Lord, Linda Nantel, Paule Noyart, Normand Paiement,
Jacqueline Vandycke

DISTRIBUTEURS EXCLUSIFS:

- Pour le Canada:
  AGENCE DE DISTRIBUTION POPULAIRE INC.*
  955, rue Amherst, Montréal H2L 3K4 (tél.: 514-523-1182)
  *Filiale de Sogides Ltée
- Pour la France et l'Afrique:
  INTER-FORUM
  13, rue de la Glacière, 75013 Paris (tél.: 570-1180)
- Pour la Belgique et autres pays:
  S. A. VANDER
  Avenue des Volontaires, 321, 1150 Bruxelles (tél.: (32-2) 762.98.04)

Susan Goldenberg

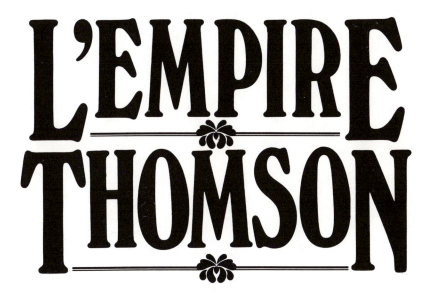

L'EMPIRE THOMSON

**Traduit de l'américain
par
Gérard Cuggia**

LES ÉDITIONS DE L'HOMME *

CANADA: 955, rue Amherst, Montréal H2L 3K4

*Division de Sogides Ltée

Données de catalogage avant publication (Canada)

Goldenberg, Susan, 1944-

   L'empire Thomson : l'histoire de l'unique milliardaire canadien

   Traduction de : The Thomson empire.

2-7619-0494-X

   1. Thomson, Roy, 1894-1976. 2. Thomson (Famille).
3. Journalistes - Canada - Biographies. I. Titre.

PN4913.T45G6513 1985   070.'924   C85-094058-3

Les extraits de *After I Was Sixty* de Roy Thomson sont reproduits
avec l'autorisation de la société Hamish Hamilton Limited, Londres,
Angleterre.

Ce livre a été publié en anglais sous le titre:
The Thomson Empire
(ISBN original: 0-458-98210-5)
chez Methuen Publications

Bibliothèque nationale du Québec
Dépôt légal — 2e trimestre 1985

ISBN 2-7619-0494-X

À mes parents

REMERCIEMENTS

Je tiens à remercier tous ceux qui m'ont gracieusement accordé des entrevues et ont accepté de répondre à mes questions lors de la préparation de cet ouvrage, qu'ils soient ou non employés des sociétés de l'empire Thomson au Canada, au Royaume-Uni ou aux États-Unis.

S.G. (juin 1984)

I
L'empire

1
L'empire

En 1966, alors qu'il commençait à peine à mettre en place les premières pièces d'un casse-tête qui allait devenir l'une des plus grandes fortunes familiales du monde, Roy Thomson était convaincu qu'il serait un jour à la tête d'un véritable empire financier. C'est pour cela qu'il accepta l'offre des responsables du projet *Toronto-Dominion Centre*, le premier projet urbain en son genre dans le centre de la Ville-reine, qui lui proposèrent de déménager dans l'un des futurs édifices le siège social de la filiale chapeautant les activités canadiennes de l'empire. Roy Thomson, alors anobli et portant le titre de Lord Thomson of Fleet (il habitait d'ailleurs Londres), accepta l'offre non sans poser toutefois certaines conditions. La première de celles-ci fut facilement acceptée par les promoteurs : Roy souhaitait que l'une des trois tours à bureaux du complexe porte son nom. La deuxième condition était plus difficile à remplir et dérouta les responsables du projet : Roy voulait qu'à la porte de l'édifice où devaient se trouver ses bureaux flotte le drapeau de chacune des nations dans lesquelles les sociétés lui appartenant avaient des filiales.

À partir de là, les promoteurs du projet décidèrent qu'en fin de compte les bureaux de la société Thomson n'occuperaient qu'une petite partie de l'espace disponible et qu'il n'y avait aucune raison pour que l'on se plie aux exigences du magnat de la presse. Pour sa part, Roy commença à lorgner un peu plus au nord, en face de l'hôtel de ville de Toronto, là où l'on venait de compléter les fondations d'un nouvel édifice, au coin des rues Queen et Bay ; cette fois, il n'y avait pas d'objection à ce que l'édifice porte le nom de Thomson. Il devait toutefois faire des concessions puisque le bâtiment devait donner immédiatement sur la rue, de sorte qu'il était impossible d'installer la moindre hampe.

L'empire Thomson a eu cinquante ans en 1984. Depuis l'achat du premier journal par Roy Thomson, le *Daily Press* de Timmins, en Ontario, l'empire avait grandi à coup d'acquisitions. Aujourd'hui, l'actif de toutes les sociétés qui le forment atteint 10 milliards de dollars et leurs activités portent sur quatre continents (l'Europe, l'Amérique du Nord, l'Afrique et l'Océanie) et dans quatorze pays : le Canada, les États-Unis, l'Angleterre, l'Écosse, le pays de Galles, l'Irlande, la France, l'Allemagne, la Hollande, le Danemark, la Norvège, l'Australie, l'Afrique du Sud et le Nigeria. Si l'on réunissait l'ensemble des revenus de toutes les sociétés de l'empire, on atteindrait le montant de huit milliards de dollars, ce qui en ferait sur ce plan la cinquième société canadienne. [1]

L'empire Thomson est donc comparable à plusieurs géants américains, dont General Foods, Xerox et PepsiCo, et dépasse d'autres sociétés comme Coca-Cola, Johnson & Johnson, Gulf & Western Industries et General Mills. Les revenus de toutes les sociétés de l'empire sont équivalents à ceux de la General Electric Company dans tout le Royaume-Uni et dépassent de un à trois milliards de dollars ceux d'autres sociétés britanniques comme British Steel, British Airways et Marks & Spencer.

Voilà qui fait de Kenneth Thomson, qui a pris la tête de l'empire à la mort de son père en 1976, le seul milliardaire canadien. Sa fortune personnelle est si importante qu'elle est comparable à celle de l'homme le plus riche des États-Unis, Gordon Getty (fils du défunt Jean-Paul Getty qui fut l'un des associés de Roy Thomson dans l'exploration pétrolière en mer du Nord), dont la fortune est évaluée à plus de deux milliards de dollars. L'avoir net de la famille Thomson est supérieur à celui de plusieurs familles riches américaines,

---

1. La plus grande société canadienne, quant aux ventes, est General Motors du Canada, dont les revenus ont atteint 13,8 milliards de dollars en 1983.

dont les Hearst, Cox et Newhouse, c'est-à-dire qu'il se situe entre un et deux milliards de dollars. Si l'on pouvait réunir tous les employés des sociétés appartenant à l'empire Thomson aux quatre coins du globe, on aurait plus de 100 000 personnes, chiffre qui ferait de l'empire, au Canada, le second employeur du pays après le Canadien Pacifique (qui compte 127 000 employés environ).

Lorsqu'on compare les sociétés de l'empire à quelques grandes sociétés américaines, on constate qu'au total elles comptent une fois et demie plus d'employés que Proctor and Gamble, et deux fois plus que des sociétés de la taille de Atlantic Richfield. Elles ont ensemble, par ailleurs, plus d'employés que les plus grandes sociétés britanniques, dont Marks & Spencer (deux fois), Cadbury-Schweppes (trois fois) et British Petroleum (cinq fois).

C'est avec les entreprises de presse que Roy Thomson a bâti son empire ; aujourd'hui encore, ce type de sociétés constitue le secteur le plus important des opérations de l'empire. Les Thomson sont ceux qui possèdent le plus grand nombre de quotidiens au Canada et se trouvent au deuxième rang aux États-Unis, après la société Gannett. L'empire est le plus important éditeur de journaux régionaux du Royaume-Uni (à l'extérieur de la ville de Londres). Il est propriétaire du plus important journal canadien, le *Globe and Mail* de Toronto, ainsi que des plus grands quotidiens d'Écosse et d'Irlande du Nord (le *Scotsman* et le *Belfast Telegraph*). Cela fait, au total, quelque 200 journaux. Si l'on convient qu'il faut 250 arbres pour imprimer l'édition quotidienne de chacun de ceux-ci, cela signifie qu'il faut sacrifier, chaque jour, 50 000 arbres pour les seuls publications de l'empire Thomson.

Les quotidiens ne représentent toutefois qu'une partie des intérêts des Thomson dans le domaine des télécommunications. Les filiales de l'empire en font le plus grand éditeur de revues en Australie et en Afrique du Sud, tandis qu'il se place au second rang sur ce plan au Royaume-Uni. Il possède, au total, plus de 140 revues. L'une de celles-ci, le *South African Industrial Week*, réalise un chiffre d'affaires mensuel de 143 000 dollars environ. En plus des quotidiens et des revues, l'empire Thomson possède quatorze maisons d'édition générale et professionnelle au Royaume-Uni, aux États-Unis, au Canada et en Australie. Ces dernières cinq années, ces sociétés ont acquis plus d'entreprises d'édition que toute autre dans l'industrie aux États-Unis, dépensant pour cela plus de 400 millions de dollars. Grâce à cette phase d'acquisition, l'empire Thomson se place au quatrième rang des éditeurs de revues aux États-Unis. Mieux encore, dans le domaine des télécommunications, il occupe la première place aux États-Unis parmi les éditeurs de revues.

Ces dernières années, plusieurs des sociétés qui composent l'empire Thomson se sont lancées dans les services d'information ; elles possèdent maintenant dix réseaux de télécommunications et banques de données au Royaume-Uni et aux États-Unis. L'une de ces sociétés, la Thomson & Thomson de Boston (qui, malgré la coïncidence du nom, n'avait à l'origine rien à voir avec la famille Thomson) traite plus de 50 000 demandes de recherche par année dans le domaine des droits réservés. Une autre, la Research Publications Incorporated du Connecticut, participe au plus grand projet de micro-édition jamais réalisé ; il s'agit d'une liste exhaustive de tous les textes publiés en anglais au XVIIIe siècle. On évalue à 10 millions le nombre total de fiches de cette banque de données qui aura demandé, une fois complétée, quinze ans de travail.

Mais l'empire Thomson n'est pas qu'un empire fondé sur les télécommunications. Ces dernières vingt années, ses sociétés ont acquis des intérêts dans le domaine des voyages, dans le secteur pétrolier et gazier, dans la vente au détail et dans l'immobilier. Au Royaume-Uni, Thomson Travel est la plus importante société de voyages organisés et occupe 20 p. 100 du marché. Elle possède d'ailleurs sa propre société d'aviation, la Britannia Airways, dont la flotte compte 33 avions, ce qui équivaut à la flotte de CP Air, seconde société du genre au Canada. La Thomson Travel a fait son apparition aux États-Unis il y a quatre ans, où elle occupe déjà la troisième place. Ce n'est que plus récemment qu'elle a tenté une percée au Canada.

L'empire Thomson a aussi d'importants intérêts dans le domaine pétrolier, en mer du Nord. Ses revenus dans ce secteur au cours des six dernières années ont rendu possible l'expansion des sociétés d'information de même que des filiales du domaine pétrolier ou du secteur des voyages au Canada et aux États-Unis. L'empire Thomson a acquis la Compagnie de la baie d'Hudson en 1979, devenant ainsi propriétaire de la plus vieille entreprise canadienne. Cette dernière est propriétaire de la plus importante chaîne de magasins de détail au pays, de même que des sociétés Simpsons Limited et Zellers Incorporated, que les dirigeants de la Compagnie de la baie d'Hudson avaient achetées peu de temps avant la prise de contrôle par la famille Thomson. Dans l'ensemble, cela représente 45 p. 100 du chiffre d'affaires des magasins de détail au Canada. En plus, la Compagnie de la baie d'Hudson est propriétaire de la société Markborough Properties Limited, important promoteur résidentiel et commercial en Amérique du Nord. L'un des plus grands projets de cette société à ce jour permet aujourd'hui de loger 28 000 personnes sur une superficie de plus de 1 200 hectares à Meadowvale, à l'ouest de Toronto.

L'empire Thomson se divise en cinq parties : la société Thomson Newspapers, dont le siège social est à Toronto et qui possède un grand nombre de quotidiens au Canada et aux États-Unis ; la Compagnie de la baie d'Hudson, qui dirige les opérations de ses filiales aux quatre coins du monde ; l'International Thomson Organisation Limited (I.T.O.L.), dont les bureaux sont à Toronto alors que le siège social est situé à Londres, et qui possède plusieurs grands quotidiens du Royaume-Uni et de plusieurs pays à travers le monde, des maisons d'édition, des services d'information, des services de voyage et des sociétés d'exploitation pétrolière et gazière ; la Scottish and York Insurance Limited, qui fait des affaires au Canada mais tente depuis peu de percer aux États-Unis ; la Dominion-Consolidated Truck Lines, dont les activités se limitent au Canada. La famille Thomson, dont Kenneth est la figure dominante sur le plan financier, dirige l'ensemble des opérations grâce à plusieurs sociétés de portefeuille : Woodbridge Company est propriétaire de la Compagnie de la baie d'Hudson et de Thomson Newspapers, Thomson Equitable Corporation possède l'I.T.O.L., la Standard St. Lawrence Company est propriétaire de la société Scottish and York Insurance Limited et la Dominion-Consolidated Holdings dirige les opérations de camionnage.

Si l'empire fut fondé il y a cinquante ans, ce n'est que depuis le début de la diversification de ses intérêts, il y a vingt ans, que son essor a pris des proportions gigantesques. En 1959, six ans après le déménagement de Roy Thomson au Royaume-Uni, la société qui devait donner naissance à l'I.T.O.L. avait un chiffre d'affaires de

30 millions de livres sterling[1]; en 1976, année du décès de Roy Thomson, les ventes atteignaient 285 millions de livres sterling. Si formidables qu'étaient ces gains, ils ont été dépassés depuis. En 1983, les ventes de l'I.T.O.L. atteignirent 1,5 milliard de livres sterling. Les revenus de la Thomson Newspapers, bien qu'ils ne soient pas aussi importants, ont malgré tout triplé depuis 1976.

Si les sociétés appartenant aux Thomson forment aujourd'hui un empire, c'est en partie dû à la chance et au hasard plutôt qu'au dessein d'un homme. Roy Thomson s'est lancé en affaires en vendant des appareils radiophoniques puis en achetant un poste de radio du nord de l'Ontario. Il fit l'acquisition d'un quotidien de Timmins parce que les bureaux de ce dernier étaient situés dans le même édifice que ceux du poste de radio. De façon bien caractéristique — on parlera plus tard d'habitude —, Roy a investi dans le secteur de la presse sans rien connaître de l'industrie, sans autre justification que celle de vouloir gagner de l'argent. Cette façon de faire, où l'on achète presque sur un coup de tête, le mettait souvent dans des situations difficiles alors qu'il devenait propriétaire de sociétés en piètre situation financière, de celles dont un investisseur le moindrement avisé n'aurait pas voulu. Pourtant, à long terme — dix ans ou plus —, plusieurs de ces investissements rapportèrent gros. Ce fut le cas entre autres pour les sociétés de voyages du Royaume-Uni et, bien que les résultats soient à peine comparables, avec les maisons d'édition. Le hasard a donc joué un grand rôle dans la diversification de l'empire Thomson. L'idée d'acheter des sociétés d'assurances ou de camionnage vient, par exemple, d'un ami de longue date de Roy Thomson, qui était aussi comptable : Sidney Chapman. Quant au pétrole de la mer du Nord, il intéressa l'homme d'affaires parce que trois compagnies américaines cherchaient un partenaire britannique pour obtenir plus facilement des permis d'exploration de la part du gouvernement anglais.

On peut dire d'une certaine façon que l'empire Thomson a bouclé la boucle. Il prit racine au Canada, s'étendit rapidement aux États-Unis au cours des années 50, puis passa au Royaume-Uni quelques années plus tard lors de l'achat de sociétés de voyages, de maisons

---

1. La livre sterling fluctue beaucoup par rapport aux dollars canadien et américain. En moyenne, sa valeur se situe autour de 1,50 $.

d'édition, de sociétés pétrolières, etc ; cela, c'était après 1960. Finalement, après 1970 et dans les années 80, sous la direction de Kenneth Thomson, les sociétés de l'empire ont accru leur part d'affaires en Amérique du Nord avec l'achat de huit journaux canadiens d'importance, dont le *Globe and Mail*, et l'achat de la Compagnie de la baie d'Hudson ; à la même époque, plusieurs quotidiens américains passaient sous la coupe des Thomson. C'est aussi Kenneth qui est responsable de l'achat du joyau de la couronne, qui remonte à 1981 : le *Times* de Londres et sa filiale, le *Sunday Times*. Les Thomson n'en sont pas restés longtemps propriétaires, Kenneth ayant décidé de les vendre à la suite des pertes financières importantes qu'ils lui occasionnèrent et à cause des nombreux conflits de travail qui ont entravé la bonne marche des opérations.

En même temps qu'il est revenu aux sources, l'empire repose de plus en plus sur les médias d'information. Cette fois cependant, il s'agit de services d'informations électroniques et de revues spécialisées plutôt que de quotidiens, encore qu'on n'abandonne pas pour autant le secteur des journaux (les sociétés de l'empire acquièrent chaque année quatre quotidiens en moyenne). L'idée de mettre sur pied un service d'informations est largement justifiée par les études économiques qui montrent que le taux de croissance de ce secteur des télécommunications est de 75 p. 100 par an. En plus, il est prouvé que la marge de bénéfices atteint les 35 p. 100, ce qui ne manque naturellement pas d'attirer les investisseurs.

L'empire Thomson est passablement hétéroclite et, en son sein, les contradictions ne manquent pas. Ce n'est là rien de nouveau. Les directeurs de l'empire, qui procèdent à des achats d'entreprises à coups de millions de dollars, obligent les administrateurs des quotidiens qui leur appartiennent à inclure dans leurs budgets jusqu'aux crayons et aux attache-feuilles pendant qu'on doit limiter le plus possible le matériel qu'on fournit aux journalistes. La plupart des journaux de petites villes appartenant aux Thomson sont bien mal cotés par la gent journalistique car on reproche l'âpreté du contrôle budgétaire, la piètre qualité de l'information et l'antisyndicalisme affiché de la plupart des patrons. Néanmoins, personne ne peut prétendre que la qualité des articles du *Times* ou du *Sunday Times* ait baissé sous la direction des Thomson, pas plus que celle du *Globe and Mail*. De toute façon, les conditions de travail qui prévalent aux bureaux de tous les quotidiens qui appartiennent à l'empire Thomson ne diffèrent en rien de celles qu'on connaît dans les autres journaux de taille comparable, dont beaucoup sont d'ailleurs la propriété de la société Gannett.

Il y a d'autres paradoxes aussi. Si les journaux de l'empire représentent des monopoles dans la plupart des villes où ils se trouvent, les autres entreprises des sociétés filiales n'échappent pas à la concurrence. Dans le domaine des voyages, dans celui de l'édition de même que dans l'industrie pétrolière, la rivalité prévaut, ce qui n'a pas empêché les dirigeants de l'empire de s'y lancer sans hésitation. Il y a des contradictions au niveau de la direction aussi. Les administrateurs de premier rang, de qui on exige beaucoup et à qui on laisse une grande liberté d'action, sont pourtant limités par les exigences des grands patrons, la règle voulant que la marge de bénéfices de toutes les sociétés soit d'au moins 20 p. 100, ce qui est, dans la plupart des cas, beaucoup plus élevé que la moyenne de l'industrie. La majorité des employés des différentes sociétés de l'empire n'ont jamais rencontré Kenneth Thomson. Bien que celui-ci fasse des efforts pour s'approcher du commun des travailleurs, l'empire est si vaste qu'il lui faudrait des années pour rencontrer tout le monde. Dans un tel contexte, les administrateurs des filiales restent leurs propres patrons, oubliant parfois que c'est Kenneth qui tient les rênes tant la grande direction semble distante.

Non seulement Kenneth Thomson est-il le seul maître après Dieu, mais il est certain qu'il y aura toujours un empire Thomson. Roy Thomson n'a pas suivi l'exemple de William Randolph Hearst, qui décida de mettre fin à l'emprise de sa famille en nommant onze personnes — de celles qui s'entendaient le moins — à la direction de ses affaires. Les cinq fils Hearst étaient battus en nombre par les six fiduciaires qui géraient les affaires de William Hearst ; alors que les enfants détenaient les titres, ces derniers avaient le pouvoir. Selon Roy Thomson, ce n'était pas une solution valable. Celui-ci voulait être sûr que Kenneth, puis David, son petit-fils, et même le fils de ce dernier seraient un jour à la tête de l'empire qu'il fonda. Déjà, David Thomson est prêt à prendre la relève de son père. Les plus perspicaces auront deviné à son nom seul — David Kenneth Roy — que l'idée d'une dynastie plane dans l'air depuis quelques années. À l'inverse de bien des empires financiers qui ont dû leur perte à l'attachement de leur fondateur pour la famille au détriment de la raison d'affaires, l'empire Thomson s'impose comme une exception de taille au moment où l'on célèbre son cinquantième anniversaire.

II
La naissance
de l'empire

2

Les deux natures
de Roy Thomson

Les rédacteurs du *Times* de Londres se flattent d'offrir à leurs lecteurs un vaste choix de formules pour la chronique nécrologique ; il y en aurait quelques 6 000 différentes. Le 4 août 1976, Sir Denis Hamilton, rédacteur en chef et directeur de la société Times Newspapers Limited, se vit confier la responsabilité de choisir le texte qui devait annoncer le décès de son patron, Roy Thomson.

Cet homme de 82 ans, fils de coiffeur, ayant abandonné l'école mais devenu millionnaire, mourut le 4 août d'une infection pulmonaire doublée d'une attaque de coeur. Hamilton avait à la fois de l'admiration et de l'affection pour son patron. Le décès de cet homme richissime, propriétaire du prestigieux quotidien *Times* et de sa filiale, le *Sunday Times*, d'un nombre étonnant d'autres quotidiens au Canada et aux États-Unis, de plusieurs maisons d'édition, de sociétés de voyages, d'assurances, de camionnage et d'intérêts pétroliers, fit la manchette des journaux partout dans le monde. Roy Thomson avait mérité une place parmi les grands financiers à 50 ans, après plusieurs faux départs et avec un retard de 25 ans sur l'échéancier qu'il s'était lui-même fixé. Il acheta le *Sunday Times* alors qu'il avait 68 ans, le *Times* à 73 ans et accrut sa fortune grâce au pétrole de la mer du Nord à l'âge de 79 ans.

Ce sont sa détermination et sa confiance en lui qui permirent à Roy Thomson de relever tous les défis et de tenir le coup malgré toutes les embûches du monde de la haute finance. Il avait cependant le bonheur de pouvoir compter sur les membres de sa famille, son épouse et ses enfants, qui ont toujours cru en lui. Leur confiance était parfaitement justifiée parce que le moindre échec était pour Roy l'occasion d'accéder à quelque chose de meilleur. Il connut plusieurs mauvaises expériences au début de sa carrière, à l'époque où il décida d'avoir sa propre ferme ou lorsqu'il se lança dans la vente de pièces d'automobiles, mais il finit par devenir un magnat de la presse internationale. Il faillit dans sa tentative d'obtenir un siège à la Chambre des communes d'Ottawa, mais devint membre de la Chambre des lords britannique en 1964.

Sa détermination et son magnétisme lui ont permis de vaincre l'adversité et de surmonter les épreuves, lui qui semblait, au départ, jouer perdant. Ce que l'on remarquait surtout chez lui, c'était ses lunettes, aussi épaisses qu'un fond de bouteille. Il avait la vue si faible qu'il ne pouvait pas lire à plus de quelques centimètres et qu'il lui était impossible de conduire une automobile. Les premières années, il se faisait conduire par son épouse. « Elle était si petite, raconte Robert Marshall qui connut Roy Thomson à l'époque des premières entreprises de North Bay (Ontario), qu'elle avait peine à voir au-dessus du volant. » Roy mesurait 1,80 mètre ; c'était un gaillard costaud. Il a suivi pas moins d'une quarantaine de régimes amaigrissants dans sa vie, sans réussir à descendre sous les 90 kilos. Cette manie des régimes embêtait particulièrement les couturiers de la maison Savile Row, car Roy pouvait flotter dans un complet ajusté après un régime de quelques jours. Il ne fumait pas ni ne buvait, peut-être parce que les mauvaises expériences de son père, qui était alcoolique, l'avaient marqué. Chaque fois qu'on lui offrait à boire, il s'en tenait au jus d'orange.

Les photos que l'on a de lui montrent un homme toujours détendu et heureux de vivre, plus souriant au fur et à mesure que croissait sa fortune et que son succès lui permettait de côtoyer les grands de ce monde. C'est ainsi qu'il rencontra le Premier ministre chinois, Chou En-lai, et le président soviétique Nikita Khrouchtchev. (Jusqu'à sa mort, il porta sur lui une photographie datant de 1972 où il est en compagnie de Chou En-lai.) Pourtant, le portrait le plus connu de Roy Thomson, qui date de la période la plus excitante et heureuse de sa vie et qui fut réalisé par le peintre britannique Sir William Coldstream après une cinquantaine de séances de poses, nous montre un homme sérieux, droit, sans sourire. Le peintre a cherché à montrer la détermination du personnage, qui se lit sur son visage carré et dans ses yeux bleu pâle.

On peut considérer qu'il y eut deux Roy Thomson. Il y avait d'abord le jeune Thomson, qui fit fortune au Canada en imposant des coupures budgétaires draconiennes aux directeurs des journaux dont il était propriétaire, affirmant que ces sociétés n'existaient que parce qu'elles présentaient d'intéressantes possibilités sur le plan financier sans aucun égard pour le contenu de l'information véhiculée chaque jour. Il dit en effet : « Les articles d'un journal servent avant tout à séparer les annonces publicitaires. » Ce Roy Thomson était connu pour la sévérité des mesures d'économie qu'il imposait, lui qui demandait aux journalistes d'utiliser du papier brouillon pour prendre des notes lors des entrevues et qui se refusait à fournir plus d'un crayon à la fois à ses employés.

Il y a aussi les gens de Timmins, en Ontario, qui en veulent à Roy d'avoir négligé la communauté, alors que c'est un peu grâce à elle qu'il parvint à bâtir son empire. Leo Del Villano, qui fut 11 fois maire de Timmins du début des années 50 à la fin des années 70, raconte qu'il demanda plusieurs fois à Roy Thomson de « faire sa part » pour la ville. Il n'a jamais reçu la moindre réponse. « Lorsqu'il vint à Timmins dans les années 60, je lui demandai pourquoi il ne m'avait jamais répondu et il m'a dit que s'il en était ainsi, cela signifiait qu'il n'avait pas l'intention de faire quoi que ce soit. » Cependant, si Roy semblait ne pas avoir d'attachement particulier à Timmins, il fit cadeau de 250 000 $ pour l'érection d'un Y.M.C.A. à North Bay, et d'une autre somme de 110 000 $ pour la construction d'une piscine dans la même ville, où il vivait avant de déménager à Timmins. Cela se passait en 1967, année du centenaire du Canada, alors que les festivités battaient leur plein dans cette ville du nord de l'Ontario.

Il y eut par après le Roy Thomson vieillissant, celui qui commença une nouvelle vie à l'âge de 59 ans, plus riche quant au prestige et sur le plan financier. À l'âge où la plupart des gens commencent à songer à la retraite, Roy se lançait dans les grandes affaires, achetant le *Times* et le *Sunday Times*, reconnus parmis les grands quotidiens du monde. À cette même époque, il tenta sa chance dans d'autres entreprises, délaissant quelque peu les médias de communication pour investir dans le secteur pétrolier et gazier aussi bien que dans les voyages. Alors qu'au Canada les gens des secteurs de l'information et de la presse écrite critiquaient ouvertement Roy Thomson parce qu'il considérait les journaux comme n'importe quelle autre entreprise, c'est-à-dire qu'il jugeait que leur existence ne se justifiait que parce qu'ils pouvaient accroître les revenus de leurs propriétaires, Roy Thomson gagnait en prestige au Royaume-Uni en acquérant le *Times* et sa filiale. C'est grâce à cette transaction qu'il devint Lord Thomson of Fleet, qu'il put investir dans le secteur du pétrole et du gaz après avoir été choisi pour participer à un cartel majoritairement américain surtout parce que les journaux qui étaient sa propriété lui permettaient d'occuper une place influente au sein de la communauté britannique. Nul doute que Roy put, comme on s'y attendait, obtenir sans difficulté les autorisations nécessaires pour l'exploitation pétrolière en mer du Nord.

Roy Thomson ne reprochait rien aux journalistes qui dépensaient des milliers de livres sterling pour obtenir des nouvelles « exclusives », comme ce fut le cas en 1966 lors de l'affaire Francis Chichester, alors qu'on paya 2 000 £ pour obtenir les droits sur l'expédition que devait mener le navigateur d'Angleterre jusqu'en Australie. Roy Thomson accepta de perdre un million de livres sterling en 1962 pour que le *Sunday Times* soit le premier journal du Royaume-Uni à publier un supplément en couleurs ; il investit par ailleurs personnellement plusieurs millions de dollars dans le quotidien *Times*, qui n'a pourtant jamais rapporté les bénéfices attendus, malgré que les Thomson en aient gardé la propriété pendant neuf ans. D'une certaine façon, la propriété du *Times* était pour Roy Thomson l'équivalent de ce que sont les yachts, les chevaux de course ou les collections d'automobiles anciennes pour d'autres millionnaires. À Londres, les administrateurs des sociétés de l'empire appréciaient les politiques budgétaires du grand patron : « Il a révolutionné la presse de tout le Royaume-Uni, car aucun journal n'établissait vraiment de budget avant Roy Thomson, précise Sir Denis ; avec lui, tout le monde fut bien obligé d'y voir. Il transportait toujours une véritable collection de livres comptables et parvenait à mémoriser dans le détail les moindres chiffres de chacun des services de ses journaux. »

Roy Thomson, le Canadien comme le lord britannique, affirmait qu'il n'avait jamais imposé de politique éditoriale comme l'avaient fait Lord Beaverbrook ou Henry Luce. Mais ses détracteurs prétendent qu'il aurait mieux valu que les éditoriaux des journaux nord-américains appartenant aux Thomson aient été un peu plus engagés ; on lui a aussi reproché de ne pas être intervenu lorsque plusieurs directeurs de quotidiens du sud des États-Unis ont affiché leurs positions ségrégationnistes. À l'inverse, en ce qui concerne le *Times* et le *Sunday Times*, réputés pour leurs éditoriaux, on était bien heureux que le nouveau propriétaire rompe avec la longue tradition britannique selon laquelle les magnats de la presse ont le pouvoir de manipuler l'opinion publique.

« Les gens nous accusaient de mentir pour soigner notre image lorsque que nous prétendions que Roy nous donnait carte blanche, de dire Sir Denis ; mais jamais il ne nous a imposé quoi que ce soit au sujet du contenu des journaux. Je ne veux pas dire qu'il n'avait pas ses propres idées, alors qu'en fait on sait qu'il était d'accord avec le rétablissement de la peine de mort et la réduction des dépenses militaires. L'avantage que sa venue a présenté pour nous tient à ce qu'il est rapidement devenu un homme populaire, un membre de la haute société. Comme je suis convaincu qu'un informateur vaut bien qu'on l'écoute, surtout quand on ne peut pas obtenir d'information directe, j'étais toujours intéressé d'entendre ce que le Premier ministre ou un archevêque avait confié à Roy. »

La différence entre l'opinion qu'ont les critiques nord-américains de Roy Thomson et celles des commentateurs britanniques est remarquable et Sir Denis n'a pu l'ignorer, même s'il cherche à redorer l'image de son patron : « Je regrette qu'à Toronto on considère Roy comme un « homme ordinaire ». Chaque fois que je m'adresse à des industriels de Toronto, je finis par leur dire qu'ils sont jaloux de mon patron, ce qui leur rabat chaque fois le caquet. Car peu de temps après son arrivée à Londres, Roy fut aimé de tous, respecté pour ses succès financiers et considéré partout comme l'un des grands de la société.

« Tous les quotidiens que Roy a achetés au Royaume-Uni sont plus importants que ceux qu'il possède au Canada. Dans ce cas, quelle conclusion doit-on tirer du jugement que portent les critiques à Moose Jaw ? »

Il est certain que Sir Denis n'est pas impartial quand il parle de Roy Thomson, et il ne prétend pas l'être non plus. Le texte publié dans le *Times* à l'occasion du décès du milliardaire était plutôt flatteur. Sir Denis, comme Alastair Dunnett, tout au long de l'article de deux pages du *Sunday Times* consacré à l'éditeur et ex-directeur du *Scotsman*, salue en son ami et employeur un homme extraordinaire. Pour sa part, Dunnett écrivit : « Rien ne peut nous faire oublier la grande générosité de coeur de cet homme sorti des masses et anobli par de grandes vertus : courage, intégrité et loyauté. » L'article de Hamilton, publié dans le *Times*, était aussi flatteur : « Il n'avait pas de fausse fierté, aucun complexe de supériorité. À l'inverse de nombreux magnats qui ont marqué l'histoire de Fleet Street, il ne s'est jamais permis d'imposer ses vues, de chercher à contrôler une équipe éditoriale ou administrative, ou d'exiger qu'on le considère comme 'le Patron'. »

En Amérique du Nord toutefois, où les opinions étaient plus partagées au sujet de Roy Thomson, plusieurs administrateurs de l'empire étaient inquiets quant à ce qu'on allait publier sur leur patron. Le *Times* et le *Sunday Times* saluaient en lui une figure légendaire ; il en fut ainsi dans la plupart des journaux nord-américains. Dans plusieurs cas, bien que Roy ait toujours cherché à protéger jusqu'à un certain point sa vie privée, on publia un compte rendu des grandes étapes de sa vie. Les directeurs du service qui chapeaute l'administration des quotidiens américains de l'empire Thomson, à Chicago, ont reçu de nombreux appels de directeurs de journaux de tous les États-Unis qui demandaient de quelle façon ils devaient traiter le texte transmis par l'Associated Press concernant Roy Thomson dans les jours qui suivirent son décès. On leur recommanda d'éviter de faire le moindre commentaire à propos de l'avarice du grand patron et, surtout, de ne pas mentionner sa célèbre repartie, alors qu'il avait affirmé que le fait d'avoir obtenu l'autorisation d'établir une chaîne privée de télévision (la Scottish Television — S.T.V.) était « une bénédiction du gouvernement à qui veut imprimer sa propre monnaie ».

C'était la plus célèbre des remarques de Roy Thomson, mais pas la seule. Avec les années, il avait multiplié les commentaires, rappelant son amour pour l'argent, avec une franchise et un enthousiasme qui plaisaient au grand public. Voici, en quelques lignes, ce en quoi tenait selon lui la Vérité :

- « Si l'on me payait suffisamment, j'irais travailler en enfer. »

- « Je préfère lire des états financiers que de me plonger dans le meilleur des romans. »

- « Selon moi, la plus belle musique est celle d'une annonce publicitaire qui ne coûte que dix dollars. »

- Commentant la tenue d'un mannequin lors d'un défilé de mode, il dit : « Or, ma couleur préférée. »

- Lorsqu'il signa le livre d'honneur à l'occasion du centenaire de la Confédération, à North Bay, il dit : « Je signerais n'importe quoi, sauf un chèque. »

Beaucoup de gens fortunés ont la réputation d'être avares. Ils possèdent plusieurs maisons, un yacht, une écurie de course et des bijoux de prix mais récupèrent malgré tout les bouts de ficelle ou courent les ventes à rabais. En cela, Roy Thomson comptait parmi les champions. Il y avait le milliardaire qui possédait une villa en France, où il n'allait que très rarement, un appartement à Grosvenor Square, à Londres, et un véritable palais de style espagnol comportant quatre salles de réception, six chambres à coucher, quatre salles de bain, les appartements des domestiques et une piscine intérieure, le tout sur un terrain de neuf hectares à Buckinghamshire, en banlieue de Londres. Cette maison fut vendue huit mois après le décès de Roy, pour 250 000 £ (soit 425 000 $ canadiens environ) ; cela représentait un important bénéfice en comparaison des 15 000 £ que Thomson avait payé pour l'acquérir. Il faisait chaque jour le voyage entre la maison et la station de chemin de fer en Rolls-Royce, puis s'embarquait dans le train de banlieue pour Londres.

À part cela, Roy Thomson était si pingre qu'il envoya, par exemple, des cartes postales d'Italie à ses petits-enfants par courrier de surface parce que cela coûtait deux fois moins cher que par la poste aérienne. Il ne prenait jamais de billet de première classe lorsqu'il voyageait en avion (mais il se retrouvait immanquablement en première classe dès que le préposé aux billets le reconnaissait) ; il pesait ses bagages avant de quitter la maison afin de s'assurer qu'il n'aurait pas de supplément à payer, portait lui-même ses valises, même à 70 ans passés, prenait le petit déjeuner dans des cafétérias. Après avoir fait l'acquisition d'un quotidien aux États-Unis, il célébra l'événement en mangeant un hamburger chez McDonald. Naturellement, il ne refusait jamais une invitation lorsqu'il y avait un buffet.

Mémorable entre toutes est cette aventure, qui se passa en avril 1968, à l'hôtel Hilton de Paris. Roy Thomson était invité pour une semaine et tous ses frais, y compris le billet d'avion à partir de Londres, étaient payés ; Roy n'avait plus qu'une seule dépense à sa charge — le billet d'entrée à une soirée dont les bénifices devaient être versés à une oeuvre de charité. Au moment de la soirée, le personnel de l'hôtel avait été réduit parce que la plupart des clients assistaient à la réception. John Carter, journaliste au *Times*, aujourd'hui commentateur à la B.B.C., raconte : « Nous étions huit, tous journalistes, à nous être réunis à la cafétéria de l'hôtel pour prendre le repas qui nous était gratuitement offert ; c'est là que nous avons rencontré Roy Thomson, à notre grande surprise. Nous avons plaisanté ensemble jusqu'à ce qu'un journaliste du *Daily Mirror* dise qu'on racontait que Roy Thomson était si près de son argent qu'il s'arrêterait pour ramasser une pièce de un franc sur le trottoir. » La plupart des gens auraient pris cela pour une insulte, mais pas Roy qui vit là l'occasion de se faire un peu de publicité. Il posa donc pour la postérité, le photographe du *Daily Mirror* prenant une photo après avoir laissé tomber une pièce sur le trottoir ; sans se faire prier, Thomson se leva et alla la ramasser.

Comme il était convaincu que c'était jeter son argent par les fenêtres que d'acheter des billets de première classe pour le seul plaisir de se faire servir du champagne, Roy Thomson exigeait que les directeurs de ses entreprises voyagent en classe économique. Cette directive était rarement suivie. « Lorsque nous étions propriétaires de la S.T.V., Roy et moi faisions tous nos déplacements entre Glasgow et Londres en classe touriste », raconte James Coltart, directeur à la retraite de la Thomson Organisation. (Il est aujourd'hui à la tête de la Thomson Foundation, dont l'objectif principal consiste à former des journalistes en provenance de pays en voie de développement.) « Roy avait une bien mauvaise vue, poursuit-il, mais il disait bien reconnaître certaines personnes en première classe. C'était, selon lui, les caméramen de la Scottish Television qui avaient l'autorisation de voyager en première classe à la suite des concessions faites à leur syndicat. »

Si l'on se permet de rire de certains travers de Roy Thomson, on ne peut prendre à la légère l'attitude de l'homme d'affaires quant aux questions salariales. Au premier temps de l'empire Thomson, les employés auraient sûrement accepté de ne gagner que 15 $ par semaine et de ne jamais recevoir d'augmentation de salaire si le grand patron ne s'était pas toujours présenté au bureau avec des complets neufs à 200 $ pièce ou s'il n'avait pas changé d'automobile à volonté. Néanmoins, ces mêmes employés, obnubilés par l'attrait particulier qu'exerçait Roy sur tous ceux qui le côtoyaient, n'abandonnaient jamais leurs postes même s'ils subissaient une réduction de salaire. On raconte qu'un journaliste se présenta au bureau du patron pour demander une augmentation de salaire, expliquant que sans cela il serait incapable de rembourser l'argent qu'il lui avait avancé. Roy Thomson accepta d'annuler la dette de l'employé à son égard, mais refusa de lui accorder l'augmentation réclamée. Au lieu de cela, il décida de retenir chaque semaine un certain montant de la paie de l'employé jusqu'à ce qu'il récupère ainsi l'équivalent de la dette annulée. L'explication de Roy était si habile que le journaliste pensa sûrement que l'entente était à son avantage.

Quelques années plus tard, alors que Roy avait déjà des difficultés à superviser l'ensemble de ses entreprises, les salaires qu'il consentait aux journalistes des quotidiens nord-américains lui appartenant (certains journalistes qui avaient pourtant cinq ans d'expérience gagnaient 225 $ par semaine, c'est-à-dire la moitié moins que leurs confrères des journaux concurrents) furent la cause de nombreuses grèves.

Roy Thomson voulait devenir riche, rêve que caressent la plupart des gens. Mais il avait aussi une véritable obsession : il aimait le jeu complexe des affaires, la satisfaction de posséder plus et toujours plus non pas pour la puissance que cela apporte, mais simplement pour le plaisir de la chose. Un journaliste lui demanda un jour : « Pourquoi continuez-vous à acheter des quotidiens ? » La réponse de Thomson fut simple : « Pour gagner plus d'argent ! » Et quand on lui demandait pourquoi il voulait gagner plus d'argent, il répondait : « Pour acheter plus de quotidiens. »

Les autres magnats de la presse ont tous connu certaines expériences financières désastreuses. William Randolph Hearst dilapidait les bénifices provenant de ses journaux en se faisant construire un véritable château, à San Simeon, à quelque 400 mètres au-dessus du niveau de la mer, près de San Francisco. C'était un palais bien plus considérable que ce que Roy Thomson possédait à Buckinghamshire, avec sa centaine de chambres, ses deux piscines et ses deux bibliothèques (l'une pour Hearst, l'autre pour ses invités). Hearst dépensait tant d'argent pour la construction du palais de San Simeon qu'il envoyait parfois ses gens chercher des fonds aux bureaux d'administration de ses quotidiens !

Tandis que Hearst mettait ses sociétés au bord de la faillite pour satisfaire ses fantaisies, Roy Thomson préférait dépenser son argent pour acquérir de nouvelles sociétés. Il avait des goûts simples. Il dépensait sans frivolité et ignorait la philanthropie — sauf quand il était certain que cela lui rapporterait quelque chose — et ne dépensait rien pour l'art, ce en quoi son fils Kenneth lui ressemble peu. Il avait tout de même quelques pièces de collection en argent, des bijoux tous achetés pour sa propre satisfaction et non pour leur valeur. En fait, la seule vraie collection qu'ait jamais faite Roy Thomson représente aujourd'hui une bibliothèque complète de livres policiers en format de poche. Sur le plan artistique, ses goûts étaient tout aussi simples : au théâtre, c'est le vaudeville et le burlesque qui l'emportaient tandis que Doris Day était sa vedette préférée du grand écran.

S'il rencontrait des gens riches et célèbres, c'était toujours pendant les heures de bureau, mais jamais en privé. Roy ne donnait pas de banquets et refusait qu'on fasse salon chez lui, alors que Hearst ou Henry Luce (le fondateur de la revue *Times*) en avaient fait une habitude. Hearst se faisait un devoir de ne jamais réinviter quelqu'un qu'il avait trouvé peu intéressant ; Roy Thomson pour sa part, retenu en public et solitaire en privé, prenait ses repas seul.

Il gardait aussi sa famille à l'écart des journalistes. Clare, l'épouse de Henry Luce, ne restait pas dans l'ombre (elle obtint même le poste d'ambassadrice en Italie) ; la liaison qui dura trente ans entre l'actrice Marion Davies et William Hearst était connue de tous. Edna, l'épouse de Roy, restait en arrière-scène et mourut avant que son époux ne déménage en Angleterre. Ces derniers avaient tous deux un faible pour le bridge et pariaient aux courses de chevaux au point même que Roy dut finalement imposer de sévères restrictions financières à son épouse.

Au contraire des magnats de la haute finance comme les Rockefeller et les Ford, qui dépensaient une bonne partie de leur fortune pour créer des fondations philanthropiques, Roy Thomson ne ressentit jamais le besoin de faire la charité ; il n'avait pas de propension à aider son prochain et ne tenait pas particulièrement à corriger la réputation d'avare qu'on lui faisait. S'il y a effectivement une fondation Thomson, on doit son existence à James Coltart, le bras droit de Roy au Royaume-Uni et directeur de la société Thomson Organisation. Coltart, maintenant âgé de 80 ans, est toujours intéressé au développement du tiers monde. En 1963, il persuada son patron de créer une fondation pour parrainer la formation de journalistes en provenance de pays en voie de développement, de même que pour pourvoir à la formation de techniciens pour la télévision. Celui-ci présenta son projet au bon moment, car Roy faisait campagne pour gagner ses lettres de noblesse, ce qui fut chose faite un an plus tard.

La fondation Thomson a permis la formation de milliers de jeunes en l'espace de vingt ans. Le succès est cependant dû à la ténacité de Coltart et de son assistant, Don Rowlands, qui ont réalisé de véritables miracles compte tenu des budgets qui leur étaient accordés. Le bureau chef de la fondation est situé dans un édifice vétuste dans l'un des plus tristes quartiers de Londres. Roy a doté la fondation d'une somme de cinq millions de livres sterling, non pas en versant les fonds comme cela se fait habituellement, mais en émettant des actions pour ladite somme. À ce jour, la fondation a dépensé plus de six millions de livres sterling. Comme la plupart des sociétés du genre, elle vit des intérêts de son capital ; ces dernières années cependant, il a fallu gruger à même le capital pour survivre. Roy refusant de donner plus, les directeurs de la fondation durent imposer des frais aux candidats journalistes ou techniciens. Les montants devaient nécessairement être très bas afin de ne pas nuire à l'accessibilité aux projets de formation. De plus, ce furent souvent les gouvernements des pays d'origine des candidats qui devaient payer pour la formation des techniciens de télévision (des gouvernements qui, la plupart du temps, n'ont pas les moyens de régler la facture).

Roy Thomson n'a jamais aimé donner de l'argent, mais le moindre gain le rendait fou de joie. Il ne cachait pas son enthousiasme lorsqu'il faisait de bonnes affaires. Sir William Rees-Mogg, directeur du *Times*, raconte : « Il répondit un jour à un journaliste qui lui demandait ce qui le poussait à tant aimer la richesse qu'après avoir gagné son premier million de dollars, il prit conscience qu'il pouvait acheter tout ce qu'il voulait, pour lui comme pour sa famille, et qu'à partir de là il n'a plus cherché à gagner de l'argent pour accroître le niveau de vie des siens. Il aimait simplement brasser des affaires et en discuter, et ratait rarement son coup. Il était un peu comme un joueur de tennis qui va à Wimbledon non pas pour la gloire, mais pour le plaisir de jouer. Il donna un jour un dîner en l'honneur de Jean-Paul Getty, qui était son associé dans une affaire d'exploration pétrolière en mer du Nord ; ils avaient tous deux passé le cap des 80 ans et après le repas, dans son adresse aux convives, Roy Thomson dit : « Paul est plus riche que moi, mais j'ai six mois de moins que lui. »

Le hasard a voulu que les deux personnages les plus importants du monde journalistique britannique au XXᵉ siècle soient canadiens de naissance : William Maxwell Aitken, qui reçut le titre de Lord Beaverbrook, et Roy Thomson. Lord Beaverbrook, qui naquit en 1879, c'est-à-dire quinze ans avant Lord Thomson, mourut en 1964, deux semaines après la somptueuse réception donnée en son honneur par Roy Thomson, à Londres, à l'occasion de son quatre-vingt-cinquième anniversaire de naissance. Comme son ami, Lord Beaverbrook fit tous les métiers à l'adolescence mais était multimillionnaire à l'âge de 30 ans. Il fit fortune en créant la société Canada Cement par l'union de neuf cimenteries de l'est du Canada. À l'âge de 31 ans, Lord Beaverbrook quitta le Canada pour l'Angleterre, s'engagea en politique et acheta le *Daily Express* pour 42 000 £ ; le journal devait servir de tremplin politique aux amis de l'homme d'affaires. Il ajouta plus tard à son empire les journaux *Evening Standard* et *Sunday Express*.

À l'inverse de Roy Thomson, Lord Beaverbrook se servait de ses journaux à des fins politiques. Il prenait plaisir à humilier ou à congédier journalistes et directeurs. Il utilisait aussi les pages des quotidiens dont il était propriétaire pour défendre ses idées de libre entreprise au sein de l'empire britannique et pour nuire aux hommes publics qu'il détestait. Il n'avait que des journaux de second ordre, quotidiens sans envergure, à sensation et à ragots. Lord Beaverbrook finit par obtenir un poste de ministre. À l'époque de la Première Guerre mondiale, il était ministre de l'Information ; lors de la Seconde Guerre mondiale, il se retrouva ministre de la production d'aéronefs.

À l'époque où Roy Thomson édifiait son empire en multipliant les acquisitions de journaux, Lord Beaverbrook parlait de lui comme du « petit homme qui possède beaucoup de journaux ». Si ce dernier prit plus de temps à faire fortune, il a gagné ses titres de noblesse à l'instar de Lord Beaverbrook, car on ne peut douter qu'il fut influencé par l'homme d'affaires londonien.

Thomas Wilson, ancien directeur du *Oshawa Times* qui appartient aux Thomson, raconte que Roy Thomson lui fit la réponse suivante quand il lui demanda quel conseil il donnerait à un jeune qui veut devenir millionnaire : « Il répondit qu'il ne lui suggérerait pas de s'inscrire à une école d'administration ou d'acheter des actions. Il lui dirait tout simplement : « Chaque fois que tu reçois un billet de deux dollars, mets-en la moitié de côté et quand tu auras 50 ans, tu seras millionnaire. »

On a souvent demandé à Roy Thomson quel était le secret de sa fortune. La réponse était généralement plus sensée que ce qu'il avait dit à Wilson : « Travailler dur. On ne peut faire fortune seulement parce qu'on a envie d'être riche, répétait-il, il faut travailler tout le temps. Ça doit devenir une préoccupation de tous les instants. » Il n'en attendait d'ailleurs pas moins de ses employés : « Si l'on arrivait à l'aéroport de Heathrow à 7 h 30 du matin de retour des Indes ou du Nigeria, raconte James Coltart, Roy s'attendait à ce que nous soyons au bureau à 8 h 30 ! »

Les deux grandes périodes de la carrière de Roy Thomson — les premières années de bataille et d'insuccès au Canada et les 33 dernières années passées en Angleterre avec une immense fortune et la gloire de l'anoblissement — furent marquées par deux traits distincts de sa personnalité. Dans les années de gloire, il lui était plus facile d'être le Roy Thomson heureux, qui donnait facilement carte blanche à ses employés, alors qu'à l'époque où il fallait lutter pour survivre il devait avant tout pourvoir aux besoins de sa famille et respecter des budgets parfois très serrés, et voir de près à toutes ses affaires. Son héritage, l'empire qu'il a bâti, porte les marques laissées par ces deux volets de sa vie.

3
Les premières années

Le quartier où Roy Thomson a passé son enfance et celui, huppé, où son fils Kenneth habite aujourd'hui sont situés à proximité l'un de l'autre. Mais les quelques rues qui les séparent symbolisent tout le chemin parcouru par la famille Thomson depuis les humbles débuts.

Roy Herbert Thomson est né à Toronto le 5 juin 1894. Il était l'aîné d'une famille de deux garçons. Ses parents habitaient Mulock Avenue (qui se nomme aujourd'hui Monteith Street) à quelques pas des rues Yonge et Wellesley. La plupart des maisons sont aujourd'hui rénovées ; là, on est à moins de deux kilomètres de la résidence de Kenneth Thomson, dans le quartier Rosedale.

Roy Thomson abondonna ses études au Collège Jarvis à l'âge de 13 ans. Il suivit des cours en comptabilité dans une école d'administration et accepta un poste de concierge pour payer ses frais de scolarité. Dès l'âge de 14 ans, et jusqu'à 24 ans, il travailla dans une manufacture de cordages, d'abord comme teneur de livres et ensuite comme gérant. En 1916, il épousa Edna Irvine, l'une de ses voisines, jeune fille timide et jolie.

En 1919, alors qu'il avait deux filles et des responsabilités familiales accrues, il connut ses premiers déboires financiers. Il abondonna sa sécurité d'emploi pour s'installer dans une ferme en Saskatchewan. La raison de son choix était des plus simples : il avait été impressionné par une affiche montrant un fermier sur son tracteur au beau milieu d'immenses champs de blé. L'année suivante, il était de retour en Ontario, après avoir perdu la majeure partie des 15 000 $ qu'il avait investis.

Roy se lança ensuite dans la distribution de pièces automobiles. Là non plus, il ne connut pas le succès. Sidney Chapman, directeur des services financiers de Thomson Newspapers depuis 40 ans, raconte : « Roy proposa un jour à son beau-frère, Ed Bilton, qui était aussi son associé, de changer d'emploi avec lui. Roy devint donc vendeur et Ed s'occupa de la tenue de livres. Roy se débrouillait mieux que son beau-frère, mais il y eut la dépression et la plupart des garages et stations-service durent fermer leurs portes. Finalement, Roy et Ed firent faillite. Ce dernier a toujours prétendu que cela ne se serait pas produit s'il n'avait pas changé d'emploi avec Roy. »

À l'approche de ses 40 ans, âge où la plupart des gens sont établis, Roy semblait ne pas être encore fixé. Il se trouvait dans le nord de l'Ontario où il dirigeait une entreprise de vente d'appareils de radio et devait faire face à des obstacles presque insurmontables.

Au début des années 30, rares étaient les gens qui avaient suffisamment d'argent pour acheter des postes de radio et même s'ils en avaient eu les moyens, peu l'auraient fait parce les postes émetteurs étaient rares et la qualité des programmes n'avait rien d'intéressant. Roy prenait de l'âge et du ventre en même temps et il semblait qu'il était condamné à passer le reste de sa vie loin de Toronto, la ville aux mille possibilités. C'est alors qu'il s'intéressa au domaine de la presse écrite de façon bien indirecte, d'abord en acquérant un premier poste de radio.

En 1930, sept ans après la naissance de son dernier enfant, Kenneth, Roy obtint l'exclusivité pour la vente d'appareils de radio à North Bay, à 800 kilomètres au nord de Toronto. Il fallait quelqu'un comme lui, vendeur optimiste, persistant et exubérant pour accepter une telle charge compte tenu des difficultés à surmonter. S'il y avait la dépression d'une part et la piètre qualité des émissions radio d'autre part, il fallait aussi compter avec le seul relais existant à North Bay, qui était dans un état lamentable. Roy conclut que le seul moyen de vendre ses appareils était de posséder son propre poste émetteur à North Bay. C'est ainsi qu'il acquit la station

C.F.C.H. Il acheta un émetteur d'occasion qu'il paya 500 $, somme qu'il dut emprunter en totalité, puis dépensa 169 $ de plus pour se procurer les pièces de rechange nécessaires à la remise en état de l'appareil. Comme il n'avait que peu de moyens, Roy dut tout faire seul : il rédigeait les texte publicitaires, présentait les programmes, menait les entrevues et cela, sans cesser de vendre des appareils de radio.

Comme tous les directeurs de postes de radio, Roy engageait des jeunes qui manquaient d'expérience et qui étaient prêts à accepter les salaires les plus bas. Pour ceux qui s'intéressaient aux techniques de vente, il était l'exemple à suivre. En effet, « il eut l'idée de fêter Noël en juillet, choisissant de la musique de Noël le 25 juillet, raconte Bryan Manson, aujourd'hui vendeur chez C.F.C.H. (qui appartient maintenant à Télémédia) ; il prétendait que les cantiques étaient destinés à ceux qui allaient mourir dans des accidents d'automobile au Noël suivant. Les festivités se terminaient chaque année par l'arrivée du Père Noël et par la distribution de boissons gazeuses et de hot-dogs gratuits. Une année, le Père Noël arriva en carriole et une autre fois, il voyageait en canot à moteur. »

Non seulement Roy n'avait-il pas les moyens de payer des salaires, mais il avait en plus des difficultés à trouver de l'argent pour régler les factures courantes. Un bon nombre d'entre elles n'ont jamais été payées, même s'il a fait fortune depuis. Mac Cochrane, résident de Timmins, se souvient d'un chèque de 28 $ que Roy avait fait à son frère Ian, aujourd'hui décédé : « Mon frère avait aidé à mettre sur pied le poste de North Bay. Thomson n'avait pas d'argent à l'époque et le chèque traîna longtemps dans les poches de mon frère. »

S'il laissait bon nombre de dettes derrière lui, Roy ne dépensait pas beaucoup non plus pour ses besoins personnels. Il était certes bien habillé, mais sans extravagance malgré qu'il fût échevin à North Bay. Mort Fellman, journaliste à l'époque qui devint par la suite directeur du *North Bay Nugget*, se souvient : « J'étais le seul journaliste qui assistait aux réunions du conseil d'administration. Un jour, alors que j'étais assis derrière Roy Thomson, il se leva pour parler ; c'est alors que j'ai remarqué que ses pantalons étaient rapiécés. » Fellman précise que l'élection de Roy au poste d'échevin n'était nullement un quelconque indice de popularité puisque « être élu au conseil ne signifiait pas grand-chose, d'autant plus qu'il était difficile de trouver des candidats ». Il est bien possible que cela soit exact puisque Roy fut défait en 1932 alors qu'il se présenta au poste de maire.

Il y a des gens qui préfèrent ne pas risquer les quelques sous qu'ils ont mis de côté par crainte de tout perdre. D'autres, comme Roy Thomson, sont prêts à prendre tous les risques sachant que c'est le seul moyen de gagner de l'argent. Roy était convaincu que pour faire fortune, il fallait investir peu de son avoir propre et beaucoup de celui des banques ! Il prenait soin de rembourser tout l'argent emprunté aux institutions aux dépens, le plus souvent, des autres créanciers, sachant que c'était à cette condition qu'on lui consentirait de nouveaux prêts. Tout en menant ses campagnes politiques, Roy acheta deux autres postes de radio supplémentaires, avec des capitaux empruntés. Il s'agit du poste de Kirkland Lake, à 300 kilomètres au nord de North Bay, et de celui de Timmins, 100 kilomètres plus loin. Dans l'histoire de l'empire Thomson, le poste de Timmins occupe une place privilégiée parce que ses bureaux se trouvaient dans le même édifice que ceux du journal *Daily Press*, que Roy avait d'ailleurs acquis en empruntant une bonne partie de la somme. Il versa en effet 200 $ en argent pour acheter le quotidien et obtint les 6 000 $ manquants en signant 28 billets à ordre.

Roy avait acheté le *Daily Press* parce qu'il considérait que c'était un moyen comme un autre de vendre de la publicité ; cela n'est pas sans rappeler l'aventure d'un autre garçon pauvre qui devint un magnat de la presse : Adolph Ochs. Ce dernier travailla dès l'âge de 14 ans à laver des planchers au *Knoxville Chronicle* du Tennessee. Il devint propriétaire de l'un des plus grands jounaux du monde, le *New York Times* en 1896, alors qu'il n'avait que 38 ans (alors que Roy Thomson en avait 40 au moment où il fit l'acquisition du quotidien de Timmins). Il fallut cependant longtemps avant que Roy ne devienne propriétaire d'un journal d'envergure internationale, puisqu'il acheta le *Sunday Times* de Londres près de 30 ans plus tard. Le *New York Times* était une société qui accumulait déficits sur déficits lorsque Ochs en fit l'acquisition. Celui-ci était convaincu, à l'inverse de Roy Thomson, que c'était en soignant la qualité des textes éditoriaux qu'il tirerait le journal de sa piètre situation financière, et non en privilégiant la publicité. Si les deux approches s'équivalent, Ochs eut toutefois le bonheur de mériter ainsi une enviable réputation dans le domaine de la presse, ce qui manqua toujours à Roy Thomson. Si les directeurs des quotidiens américains appartenant aux sociétés de l'empire Thomson s'inquiétaient de ce que les journalistes de l'Associated Press allaient écrire à la mort de leur patron, les membres de la famille Ochs n'avaient rien à craindre de tel. Tout naturellement, les services de nouvelles de tous les coins du monde rendèrent un vibrant hommage au défunt en interrompant toutes les communications pendant deux minutes.

Quelle que fût l'ambition de Roy Thomson, qui voulait devenir riche à tout prix, il n'aurait sans doute jamais réussi s'il n'avait pas su s'entourer de gens hautement compétents. De tous ceux qui l'ont aidé au premier jour de son épopée financière, c'est Jack Kent Cooke, aujourd'hui multimillionnaire qui possède des intérêts dans le monde du sport et dans le domaine des communications, qui est le plus connu. Cet Américain ne travailla que quelques années avec Roy Thomson et joua bien plus le rôle de confident et d'ami que celui du spécialiste financier qu'il aurait dû être. Ce dernier rôle appartint plutôt à Sidney Chapman qui mit au point un système de contrôle financier serré qui permit à l'empire d'assurer sa survie.

Cooke était là dès le début. En 1936, alors qu'il avait 23 ans et qu'il travaillait pour le compte de la société Colgate-Palmolive, il décida de changer de carrière et fit une demande d'emploi au poste de radio de North Bay. Celui-ci offrit 25 $ par semaine au nouveau venu, ce qui représentait une substantielle baisse de salaire, et lui confia le poste de directeur à Stratford, en Ontario, où il avait acheté deux ans plus tôt le poste de radio local. Il y avait déjà un directeur en place, et Roy décida que c'était Cooke qui devait se débrouiller pour expliquer à son prédécesseur ce qui se passait. En fait, Thomson ne voulait pas se charger lui-même d'évincer l'ancien directeur parce que celui-ci était propriétaire de l'émetteur du poste de radio. Cooke fit si bien que deux mois plus tard, le directeur quitta son poste non sans avoir accepté de vendre l'émetteur pour la somme de 300 $.

Cooke et Thomson avaient beaucoup en commun. Cooke avait lui aussi commencé à travailler très jeune. Il était né à Hamilton, en Ontario ; très tôt, il vendit des encyclopédies et joua du saxophone dans un orchestre de second ordre pour gagner un peu d'argent. Les deux hommes aimaient également le métier de vendeur. Cooke avait le métier dans le sang, au point qu'il ne pouvait s'empêcher de donner des conseils aux vendeurs itinérants qui frappaient à sa porte. Ils travaillaient ensemble toute la journée puis se retrouvaient souvent le soir pour aller au théâtre, au vaudeville de préférence. Chez les Thomson, Cooke fut rapidement pris en aversion parce que Roy passait plus de temps avec lui qu'avec sa famille.

Cooke et Thomson avaient le même amour de l'argent. Ils ne dépensaient tous deux que le strict minimum. Ils s'habillaient bien, mais refusaient d'embaucher des employés surnuméraires même si c'était nécessaire. L'acteur Lorne Greene est l'un des rares à avoir été plus malin que Cooke, lui qui travailla au poste de radio C.K.E.Y. de Toronto à l'époque où Cooke en devint le directeur après avoir laissé Thomson. Il raconte : « J'ai demandé une augmentation importante, mais Cooke répondit que c'était beaucoup trop. Quatre mois plus tard, il me fit appeler pour me proposer, au lieu des quatre bulletins de nouvelles quotidiens d'une durée de cinq minutes chacun qu'on enregistrait alors, que l'on en réduise le nombre à deux, le premier durant quinze minutes et le second, cinq minutes. » Greene, même s'il n'était pas fort en arithmétique, fit remarquer à son patron que cela faisait 20 minutes au total et ne changeait rien à la situation. « J'ai donc demandé le même salaire que ce que j'avais réclamé la première fois et Jack me répondit là encore que c'était trop. Je lui ai donc dit que si son entreprise consistait à vendre du temps à ses auditeurs et non des nouvelles — ce qui était clair selon ses nouvelles propositions —, j'en faisais autant. (Il a semblé comprendre et accepta mes conditions.) Je crois bien avoir été le seul qui ait jamais réussi à faire plier Cooke sur une question monétaire. »

Comme Thomson, Cooke pouvait changer du tout au tout de personnalité s'il se sentait coincé. Plusieurs de ses anciens employés racontent qu'il avait un regard « de requin » et « des yeux de tueur qui se métamorphosaient dès qu'il esquissait un sourire ». Ses proches se souviennent de la façon dont il parlait de son frère Hal, qu'il considérait comme un raté, soulignant en public qu'il n'était même pas capable de garer convenablement sa Cadillac lorsqu'il allait la lui chercher. Mais il savait respecter la ténacité d'autrui. Greene raconte qu'il prévint un jour Cooke qu'il lui était impossible d'être au poste le samedi suivant parce qu'il y avait une réception chez lui, ajoutant qu'il souhaitait remplacer le jour de travail perdu par l'un des cinq jours de congé par mois auxquels il avait droit. Cooke, qui n'était pas d'accord, ne donna pas tout de suite sa réponse et fit en sorte de ne pouvoir être rejoint par Greene de toute la journée. Le lendemain, il avait oublié l'affaire et, tout sourire, permit à Greene de prendre congé le samedi suivant.

C'est le génie de Cooke qui permit à Thomson d'accroître de façon formidable le nombre des commanditaires des différents postes de radio. Quand Cooke en prit la direction, Thomson put se consacrer entièrement aux quotidiens. C'est aussi à Cooke que Thomson doit d'avoir acheté une véritable mine d'or, le poste de radio de Rouyn, au Québec. Il fut acquis pour la somme de 21 000 $, Thomson et Cooke payant 2 000 $ comptant. Toute l'astuce réside dans le fait que la ville de Rouyn est située au cœur d'une région riche en dépôts ferreux, qui empêchent la propagation des signaux hertziens. Dans un tel contexte, les postes de Rouyn étaient assurés de la fidélité des auditeurs de la ville ! Avec originalité et intelligence, Cooke établit une nouvelle programmation et, en moins d'un an, il aurait pu revendre le poste de radio quelque 100 000 $.

Thomson et Cooke s'entendaient si bien qu'ils décidèrent de s'associer en 1940. Il fut convenu que Thomson resterait propriétaire des deux tiers de l'avoir commun alors que Jack Cooke gardait le tiers restant. Ils firent ensuite l'acquisition d'un réseau de cinéma en plein air, qui fut revendu peu de temps après, et d'une revue canadienne de prestige, la *Canadian Liberty*, qu'ils finirent aussi par revendre. Puis, en 1945, leur relation se dégrada alors que Cooke fit l'acquisition du poste C.K.E.Y., une aventure bien plus importante que tout ce que Thomson avait tenté jusqu'alors. Pour cela, il dépensa toute sa part de bénifices provenant de la vente du poste de Rouyn, en 1944. Thomson refusa de se joindre à Cooke dans cette dernière entreprise. Le torchon brûla entre les deux hommes en 1949 lorsque Cooke obtint un contrat de 100 000 $ de Southam Press pour diriger le poste que possédait la société à Ottawa ; dans ce contrat, il était expressément stipulé que Thomson devait être écarté de l'affaire. Cooke accepta, alors qu'il était pourtant entendu qu'en tant qu'associé, il devait tout partager avec Thomson.

Avec le recul, quelles qu'aient été les conséquences des « infidélités » de Cooke, on constate que c'est le mieux qui ait pu arriver, Cooke n'étant pas homme à se satisfaire d'un second poste. Même s'il ne détenait que le tiers des intérêts de leur association, il aurait compliqué la vie de Roy s'il était resté avec lui, entrave à la bonne marche de ses affaires et cela, même après sa mort. En plus, Cooke aurait sans doute voulu accroître sa part des intérêts. Enfin, il s'intéressait plus aux postes de radio qu'à la presse écrite, laissant celle-ci à Roy. Après l'affaire du poste C.K.E.Y., Cooke acheta une équipe de base-ball, les *Maple Leafs* de Toronto, et une douzaine de revues. Il ne réussit pas cependant à mettre la main sur le *Globe and Mail*, qui appartient maintenant à Kenneth Thomson.

La séparation des deux hommes n'affecta en rien leur succès financier respectif. Cooke, ce qui n'était pas le cas de Thomson, gagna son premier million de dollars à l'âge de 30 ans en concentrant ses affaires dans le domaine de la radio. On évalue sa fortune actuelle à plus de 600 millions de dollars. C'est moins que ce que possède Kenneth Thomson, mais suffisant toutefois pour faire de lui l'une des 400 personnes les plus riches des États-Unis.

En 1960, Cooke déménagea aux États-Unis. Le président Dwight Eisenhower intervint personnellement pour que le Congrès vote une loi spéciale permettant à Cooke de devenir citoyen américain en quelques heures. Celui-ci investit des sommes importantes dans le secteur de la câblodistribution et dans l'immobilier, fit construire le somptueux Forum de Los Angeles au coût de 16,5 millions de dollars, acheta les *Lakers* (basket-ball) et les *Kings* (hockey), deux équipes de Los Angeles, et un immense ranch en Californie. Le tout fut revendu pour la somme de 67,5 millions de dollars en 1979, dont 50 millions de dollars furent versés à l'épouse du millionnaire, âgée de 41 ans, en guise de compensation pour son divorce. Cooke déménagea alors en Virginie où il vit aujourd'hui sur une terre de 20 hectares. Il est propriétaire des *Redskins* de Washington, équipe de football qui a gagné le Super Bowl en 1983. En 1980, il se remariait devant le juge Sirica, célèbre pour le rôle qu'il a joué lors du procès de l'affaire du Watergate.

Cooke et Thomson se sont revus plusieurs fois après leur séparation. Cooke organisa un dîner en l'honneur de Roy Thomson au Forum de Los Angeles et on a vu les deux hommes sur film en 1966 alors que l'Office national du film du Canada réalisait un documentaire sur Roy Thomson.

Cooke, qui est un beau parleur, a été un appui important pour Roy Thomson, qui avait un besoin pressant des revenus provenant de la vente de temps d'antenne aux commanditaires. Ce qui est curieux, c'est que ses revenus se sont accrus après le départ de Cooke, au lieu de baisser. C'est Sidney Chapman qui mérite le crédit de ce coup de force. C'est lui qui tint la barre des services comptables alors que faisait rage la tempête économique. Thomson avait tellement confiance en lui qu'il lui laissa l'entière responsabilité des sociétés du nord de l'Ontario à la fin de 1940.

Chapman est aussi énergique et vif d'esprit à l'âge de 74 ans qu'il l'était lorsqu'il entra au service de Thomson, alors qu'il avait 30 ans. C'est un homme agréable, si fin conteur qu'il est difficile de croire que ce personnage affable, aux pommettes roses, aux manières douces était un négociateur dur, plus impitoyable que Roy Thomson quand il s'agissait de parler des salaires, qui n'hésitait pas à fermer boutique parce que les employés avaient réussi à se syndiquer ou qui imposait une politique budgétaire extrêmement sévère dans les bureaux des quotidiens de l'empire Thomson. (Il fallait en effet compter le moindre crayon en inventaire !)

Chapman était réaliste avant tout et savait voir loin dans l'avenir. C'est sans doute pour cela qu'il n'a pas hésité à laisser un emploi sans avenir de commis aux écritures aux laiteries Silverwood pour se joindre à Roy Thomson à l'époque où celui-ci n'avait pas encore accumulé bien des succès. « Je n'avais aucune part des actions de la Silverwood, raconte Chapman. Les patrons étaient aussi jeunes que nous. J'étais plus intéressé à m'engager dans quelque chose qui avait de l'avenir et à y investir mes propres deniers. » Deux jours après que Chapman eut fêté ses cinq ans de service chez Silverwood, il apprit que Roy Thomson était à la recherche d'un responsable des services financiers. À l'époque, Roy, Jack Kent Cooke et une secrétaire se partageaient une pièce dans l'édifice Victory, tout juste derrière les bureaux actuels de la société Thomson Newspapers. « Roy était si occupé au téléphone qu'il trouva à peine le temps de me parler. Je gagnais 40 $ par semaine et Roy accepta de me donner 45 $. » C'était déjà remarquable, Roy étant homme à convaincre les nouveaux employés d'accepter une baisse de salaire plutôt qu'une augmentation.

Peu de temps après, Chapman insista pour acheter 10 000 $ d'actions de la société. « Roy promit qu'on discuterait de cela après un mois de travail. Le moment venu, il me demanda si j'avais assez d'argent et trancha d'un net « l'affaire est close » quand j'avouai que je n'avais pas les fonds nécessaires. Mais j'étais décidé à acquérir ma part d'actions. Je me suis rendu à la succursale de la banque de Nouvelle-Écosse, à Timmins, et j'ai contracté un emprunt de 10 000 $. J'offrais mon assurance-groupe en garantie colatérale. » Chapman dut attendre plus de 20 ans avant que son investissement lui rapporte : « Je n'ai touché aucun dividende pendant 22 ans, mais lorsque la société est devenue publique, la valeur des actions s'est multipliée par trente. »

Le fait que Roy Thomson pliait aux demandes de Chapman était tout à fait inusité. Pourtant, l'homme d'affaires faisait preuve d'intelligence parce que Chapman avait maintes fois prouvé son habileté sur le plan financier. Il multipliait chaque jour les prouesses au point de vue comptable alors que la jeune entreprise était chancelante. S'il avait une facture de 5 000 $ à payer, Chapman offrait 500 $ comptant et le reste en billets à ordre de 100 $. « J'appelais ça mes *blue notes* parce que je les faisais un peu à la légère ; en effet, chaque fois qu'on m'en retournait une, je cherchais à la renégocier. Quand Roy répétait qu'il ne fallait jamais faire de pas en arrière, j'acquiesçais en répondant que s'il n'appliquait pas lui-même sa devise, il était certain de tomber dans un trou ! »

À partir du moment où l'entreprise de Thomson s'avéra bien établie, il fut facile d'obtenir des fonds des institutions financières. Mais les premières années, alors que les créanciers étaient nombreux, Roy eut du mal à se faire aimer des banquiers. Au début, il était client de la Banque de Nouvelle-Écosse, mais il dut changer d'institution en 1946 à cause d'une dispute concernant l'achat de nouveaux quotidiens à Guelph et Chatham, en Ontario. Il voulait emprunter 800 000 $ pour deux ans alors qu'il venait tout juste de dépenser la même somme pour acheter des journaux à Sarnia, Woodstock, Galt et Welland. « Les gens de la Banque de Nouvelle-Écosse trouvaient que nous allions trop vite, raconte Chapman. C'est pourquoi nous nous sommes adressés à la Banque Royale et je vous assure que depuis, on s'en mord les doigts à la Banque de Nouvelle-Écosse ! Peu de temps après ce changement, nous avons émis notre premier million de dollars d'actions pour rembourser la Banque Royale. »

L'habileté de Chapman ne se limitait pas aux questions comptables. Il avait un don inné pour les économies. C'est lui qui eut l'idée d'établir une société filiale spécialisée pour l'approvisionnement et les achats ; ce fut la Replacement Sales Limited. Selon lui, c'était le moyen de réaliser des économies substantielles en utilisant le pouvoir d'achat réuni de tous les quotidiens appartenant à l'empire. En achetant de grosses quantités, la nouvelle société permit à Chapman d'atteindre les objectifs qu'il s'était fixés.

C'est Chapman et non Roy Thomson qui est responsable de l'achat de sociétés de camionnage et d'assurances. La Dominion-Consolidated Truck Lines, qui a un chiffre d'affaires de 60 millions de dollars par année, est l'une des cinq plus grandes sociétés du genre au Canada, et la première dans le domaine du transport des automobiles. Si elle fait partie de l'empire Thomson, c'est parce que Chapman avait l'habitude de déjeuner à la cafétéria du magasin Kresge, firme réputée pour ses bas prix, qui possédait une succursale à Timmins dans les années 40. « Je m'assoyais toujours à côté d'un camionneur du nom de Barney Quinn qui me demanda un jour mon opinion sur une transaction qu'il s'apprêtait à faire. Il voulait acheter une flotte de camions Ford d'une veuve de Windsor, en Ontario. Les camions étaient rouillés et il savait qu'il fallait changer tous les pneus ; par ailleurs, les affaires étaient ralenties à cause de la guerre. Malgré cela, je m'attendais à ce qu'il y ait une véritable renaissance du transport routier et je décidai de jouer le tout pour le tout avec Quinn. Je ne connaissais rien à ce genre d'entreprise, je n'avais pas d'argent, j'étais trop occupé et, par-dessus tout, je détestais Quinn. Je lui ai donc dit que je lui faisais entièrement confiance et que je voulais lancer ma propre entreprise, comme il l'avait fait de son côté ; pourtant, j'acceptai qu'il détienne 51 p. 100 des actions de notre entreprise commune. Nous avons versé 125 000 $ à la veuve de Windsor et Quinn fut, tel que convenu, actionnaire majoritaire. Roy et moi détenions la balance des actions (mais Roy en avait quand même deux fois plus que moi). Il ne nous fallut que deux ans pour rembourser l'emprunt de 125 000 $. À cette même époque, j'ai appris qu'un autre camionneur ontarien, Bob McAnally, prenait sa retraite et avait décidé de vendre sa société. Je l'ai rencontré et nous avons négocié de 8 heures du matin jusqu'aux petites heures de la nuit. Pendant tout ce temps, McAnally ne retira pas son chapeau. Il ne cessait de fumer sa pipe et répétait qu'il ne voulait rien savoir de mon offre de 230 000 $. Finalement, pour le mettre au pied du mur, je lui dis que je devais partir, mais qu'avant cela je voulais une réponse définitive. Il a dit oui. En fin de compte, McCallum Transport d'Oshawa, l'une des plus grandes sociétés en son genre au Canada et qui possède 500 remorques, fut acquise pour la somme de 425 000 $. Nous avons aussi acheté sept autres sociétés plus petites et nous les avons réunies sous le nom de Dominion-Consolidated. » Quinn décida qu'il se limiterait à la société originale de Windsor et échangea ses actions de la Dominion-Consolidated contre celles que Thomson et Chapman détenaient dans son entreprise.

C'est aussi Chapman qui est responsable de l'acquisition de la société Scottish and York Insurance, dont le nom vient du régiment auquel appartenait Thomson. L'idée vient naturellement de sa passion pour la consolidation de sociétés et sa manie de constamment chercher à réduire les dépenses. « La totalité de nos sociétés de presse avaient, au total, pas moins de 150 polices d'assurances différentes et je me suis rendu compte que nous avions intérêt à devenir nos propres agents, d'autant plus que la firme avec laquelle nous traitions avait commis quelques bourdes monumentales. Avec l'autorisation de Roy, Kenneth Doyle — qui travaillait pour une société de courtage en assurances — et moi avons acheté plusieurs petites agences. » Comme Chapman et Doyle détenaient chacun 15 p. 100 des intérêts de la nouvelle société, ils souhaitaient que l'entreprise prenne rapidement de l'expansion. Roy, pour sa part, préférait investir ses fonds dans la presse écrite. C'est l'une des raisons pour lesquelles, en 1961, Chapman et Doyle décidèrent de faire de la Scottish and York Insurance une société publique, espérant ainsi accroître leur capacité d'emprunt et favoriser sa croissance. Elle fut donc la première société contrôlée par les Thomson à offrir ses actions au grand public. En effet, ce n'est qu'en 1965 que la Thomson Newspapers émit ses premières actions.

En 1975, Chapman abandonna son poste de vice-président des services des finances de la société Thomson Newpapers. Il conserva cependant celui de premier vice-président de la Woodbridge Company, comme celui de directeur de la Thomson Newspapers jusqu'en 1982. Malgré cela, il ne coupa jamais totalement les ponts avec l'empire Thomson. Non seulement siège-t-il toujours au conseil d'administration de plusieurs filiales, comme le voulait Roy Thomson, mais il reste l'un des directeurs de la Scottish and York Insurance.

Si Chapman multipliait les tentatives de diversification, les journaux restaient au coeur des préoccupations du grand patron de l'empire Thomson. À force d'acquérir des quotidiens, Roy trouva toutes sortes de moyens pour éviter que les propriétaires des sociétés cibles ne se doutent de l'intérêt qu'il portait à leurs entreprises. Le gros du travail était confié à Thomas Wilson, qui jouait un peu le rôle d'un agent secret. « On me demandait de voyager en train plutôt qu'en automobile afin d'éviter qu'on puisse relever le numéro de mes plaques d'immatriculation. Chaque fois, je n'avais pas le choix de l'hôtel et je devais toujours rencontrer les éditeurs chez eux de sorte que les employés n'aient jamais le moindre doute quant à ce qui se tramait entre nous. Une fois, cependant, j'ai failli tout faire rater. C'était à Cornwall. Comme la gare était à bonne distance de l'hôtel qu'on m'avait désigné, j'ai hélé un taxi. Le chauffeur m'a reconnu ; il était originaire d'Oshawa. Afin de ne pas vendre la mèche, je lui indiquai un tout autre hôtel et fis le reste du trajet à pied. »

Thomson demandait à ses vendeurs de bien indiquer à leurs clients tous les « bénifices » qu'il y avait à tirer des encarts publicitaires des quotidiens. « Notre politique était de convaincre le client qu'il faisait un investissement en achetant de la publicité dans nos pages car il pouvait ainsi rejoindre un vaste public », explique Ronald Hedley qui travailla pour le compte de plusieurs sociétés de l'empire Thomson entre 1936 et 1948 avant de déménager aux États-Unis, où il devint directeur d'un quotidien dans la région de Détroit. « Nous nous occupions même de la rédaction des textes publicitaires et de la mise en page. »

Les sociétés de presse de l'empire produisaient aussi de temps à autre des éditions spéciales, pour souligner l'ouverture de nouveaux magasins ou l'inauguration de nouvelles lignes de chemin de fer ; dans ces cas-là, les vendeurs travaillaient longtemps à l'avance à la préparation de l'événement. Ronald Hedley raconte : « L'un de nos plus grands succès fut obtenu à l'occasion de l'inauguration du tronçon de chemin de fer reliant le Témiscamingue au réseau de la société Northern Ontario Railroad, ce qui devait permettre d'atteindre les rives de la baie d'Hudson à partir de l'ouest du Québec. Les trois journaux qui étaient la propriété de Thomson dans la zone concernée, c'est-à-dire à North Bay, Timmins et Kirkland Lake, firent ensemble une édition spéciale remplie de publicité payée par les sociétés ayant pris part à la construction du chemin de fer. Ce qui a fait le secret de notre réussite, c'est que nous avons finalement convaincu le directeur général de la société de chemin de fer de nous aider ; il a lui-même écrit à ses fournisseurs. Bien entendu, ceux-ci pouvaient difficilement refuser leur collaboration.

« Nous avons aussi réussi un bon coup en publiant un supplément de 100 pages dans le *Herald* de Vancouver (maintenant disparu) lorsque le gouvernement de la Colombie britannique inaugura la section nord du chemin de fer provincial. Les autres journaux de la province, le *Sun* et le *Province*, ne publièrent qu'un supplément de 24 pages. Nous avons réussi à les battre de vitesse en vendant l'idée d'une édition spéciale au ministre des Transports qui nous fournit une bonne quantité de lettres à en-tête du gouvernement que nous avons utilisées pour solliciter les fournisseurs de la société des chemins de fer ; nous avons naturellement essuyé peu de refus ! Nous recherchions les projets de ce genre parce que c'est avec les idées que nous vendons de la publicité. »

Avec les années 40 se termine la première époque de l'empire Thomson. Roy prit conscience que la pierre d'achoppement de son empire était en fait l'ensemble des sociétés de presse (il en possédait déjà huit). C'est en 1949 qu'il fit une première tentative pour déborder les limites de l'Ontario alors qu'il acquit, à Moose Jaw en Saskatchewan, le *Times-Herald*. Cette même année eut son importance sur le plan personnel car Roy mit fin à son association avec celui qui l'épaulait depuis les premiers jours, Jack Kent Cooke. À ce moment-là, il se retrouvait seul à la barre.

4

En route
vers les sommets

Il y eut d'importants changements au début des années 50 pour Roy Thomson. La décennie commença bien ; il vivait avec sa famille dans une vaste résidence, dans le quartier ouest de Toronto. C'est alors que commença la série noire.

Son épouse mourut du cancer en 1951 et, l'année suivante, Roy fut défait comme candidat conservateur aux élections fédérales. Malgré les difficultés financières qu'il connaissait, il ne pouvait s'empêcher d'acheter tout ce qu'il trouvait à vendre, pour autant que cela lui permît d'accroître son chiffre d'affaires. C'est ainsi qu'il fit quelques mauvaises transactions.

La première du nombre fut celle des ensembles pour mises en plis Toni, produits aux États-Unis. Roy loua une usine à Toronto pour préparer les ensembles mais il fit son entrée dans le marché au moment où les choses étaient au plus mal. Il fallut, peu de temps après, fermer les portes de l'usine et entreposer toute la marchandise non vendue. À la première inspection, on apprit que l'inventaire avait été dilapidé, les chauffeurs de camion ayant récupéré la majeure partie du stock pour en faire cadeau à leurs épouses.

À quelque temps de là, Roy acheta une société qui avait fait faillite, la Modern Planned Kitchens de Neustadt, près de Kitchener. La société fabriquait des placards de cuisine, des tables à café, des boîtiers de télévision et des ensembles de chambre à coucher. C'était la seule manufacture de la ville et Thomson décida de la faire rénover. L'aventure resta sans suite. La manufacture ferma ses portes parce que les employés tentèrent de se syndiquer, ce qui aurait mis la direction en mauvaise posture face à ses concurrents du Québec, dont les employés n'étaient pas syndiqués.

Parmi les entreprises malheureuses de Thomson, il y eut un brevet pour la fabrication de crème à partir d'huile végétale et un réseau de distribution de cirage. La première société fit faillite lorsque les producteurs de crème convainquirent les détaillants de placer des affiches en vitrine annonçant qu'ils n'utilisaient que de la crème véritable. Quant à l'affaire du cirage à chaussures, elle prit fin lorsque Roy mit le seul vendeur de la société à la porte ; quand il lui demanda de nommer au moins une personne qu'il avait rencontrée, celui-ci n'eut rien à dire !

Reste cependant une société de l'empire Thomson qui en fait toujours partie et dont l'acquisition remonte à cette période troublée ; il s'agit de Veri Best Products Limited de Hamilton, en Ontario. On pouvait y fabriquer neuf cornets de crème glacée à la fois, mais Roy insista pour qu'on arrête la production, parce qu'il jugeait que la qualité du produit n'était pas satisfaisante. La société se lança alors dans la fabrication de contenants en carton. Aujourd'hui, la Veri Best Products Limited perd de l'argent et même si les directeurs de l'empire Thomson sont réputés pour leur sens des réalités, ils ont décidé, par sentimentalité sans doute, de conserver la société pour laquelle on a d'ailleurs construit tout récemment un nouvelle édifice.

Les insuccès du début des années 50 ne durèrent pas longtemps. C'est à cette même période que commença l'expansion en dehors des frontières canadiennes, d'abord aux États-Unis puis, par la suite, au Royaume-Uni. Même si Roy Thomson cherchait tous les moyens d'accroître son entreprise, l'expansion outre-frontière fut bien plus due au hasard et à la chance qu'à une stratégie soigneusement établie. Le premier journal indépendant qui passa aux mains de l'empire, l'*Independant* de Saint Petersburg, en Floride, fut acheté parce que Roy avait accosté au port de la ville alors qu'il était en excursion de plaisance sur un bateau dont il fut quelque temps propriétaire. L'achat du journal devait lui permettre de considérer le bateau comme une dépense de la nouvelle société, et du même coup de faire une entrée dans le marché américain.

À partir de 1950, Thomson songeait à étendre ses intérêts au-delà des frontières canadiennes ; l'exploitation des différentes sociétés de presse allait en effet bon train grâce à l'équipe Galt, formée d'un groupe d'employés qui étaient tous passés au service du journal de Galt, en Ontario. St. Clair McCabe était considéré comme le chef d'équipe après s'être imposé grâce à son expérience dans le domaine de la publicité ; c'est lui qui avait réussi à faire du journal de Galt le premier quotidien en importance au sein de l'empire Thomson. Plutôt renfermé avec les étrangers, McCabe faisait des merveilles quand il s'agissait de motiver les employés et il savait avoir les bonnes idées au bon moment. Il bénéficiait de l'aide de Ed Mannion, qui eut l'idée de mettre sur pied des stages d'entraînement et de réaliser un manuel pour faciliter la mise en page, l'illustration et la réalisation des éditions spéciales à l'intention des vendeurs. Le programme de formation s'étendait sur 12 semaines et fut le premier du genre au Canada. Il se terminait par un examen et l'on décernait des diplômes à ceux qui le passaient avec succès. On l'utilise encore de nos jours dans toutes les sociétés de presse appartenant à Thomson, et même chez les concurrents, dont le *Toronto Star* entre autres.

Mannion rappelle que Roy Thomson ne possédait que 12 journaux canadiens en 1953, année ou il fit ses premiers investissements au Royaume-Uni. Selon lui, c'est à McCabe que revient tout le crédit de l'expansion de l'entreprise en Amérique du Nord ; ce n'est pas pour rien que ce dernier fut nommé vice-président des sociétés de presse. « Mac était un excellent négociateur qui savait mettre les gens à l'aise ; il était très patient et serait parvenu à convaincre quiconque de vendre même s'il n'en avait pas la moindre intention. »

McCabe est aujourd'hui président de Thomson Newspapers Incorporated, filiale américaine de la société mère. Pourtant, il est en réalité à la retraite et laisse les rênes du pouvoir au vice-président de l'exécutif, Frank Miles. En 1981, McCabe épousa Margaret Hamilton après avoir divorcé de sa première épouse. Celle-ci était une de ses anciennes collègues et travailla plus de 30 ans avec lui. Ils s'étaient connus au journal de Galt. Margaret Hamilton n'avait jamais été mariée.

Même si elle parvint au poste de première vice-présidente au sein de la filiale qui gère les sociétés de presse, Margaret Hamilton ne fit pas une carrière autrement remarquable. Elle avait toutefois, par son poste, une grande autorité sur les membres des services de la publicité, de la distribution, des nouvelles et de la production tant au Canada qu'aux États-Unis. Mannion explique : « Elle était très efficace, réglait tout dans les moindres détails et tenait parfaitement son rôle de bras droit de McCabe. » Personne n'a jamais douté de sa ténacité, mais on répétait qu'elle n'était « qu'une femme ». Elle aimait les grands chapeaux et décorait son bureau de pièces de collection et de fines figurines de Dresde. Elle est par ailleurs la seule femme qui ait jamais siégé au conseil d'administration d'une société de l'empire Thomson. Pourtant, certaines de ces sociétés comptent des femmes éditeurs, des femmes directrices, des superviseures de production et des directrices des services de publicité.

Née à Galt même, elle obtint un poste au *Galt Evening Reporter* en 1949, alors qu'elle venait de terminer ses études secondaires. Là, elle s'occupait de tenue de livres et d'administration. Malgré cela, il lui arrivait d'écrire des textes publicitaires ou de faire des reportages, ou encore de livrer des journaux à des fermiers de la région. Elle fut la première femme à occuper le poste de directrice administrative dans un journal canadien. Elle n'était pas la première de sa famille à occuper un tel poste, car son frère, qui fut plus tard éditeur du journal *Reporter*, fut aussi directeur administratif. Elle passa au siège social comme assistante à la direction, devint directrice en 1972 et première vice-présidente en 1975.

Elle établit plusieurs premières pour les femmes dans le monde des affaires au Canada. Elle fut la seule femme du comité consultatif de sept membres auprès du gouvernement fédéral chargé d'étudier la place de la femme dans l'industrie. Elle fut aussi la seule femme à siéger au conseil de la chambre de commerce du Toronto métro-politain.

Avec McCabe, Hamilton et Mannion, puis son fils Kenneth à la direction — il était alors président —, Roy Thomson avait toute la liberté voulue pour voir à l'expansion de son entreprise outre-Atlantique. Il s'intéressait particulièrement au Royaume-Uni parce qu'il n'y avait plus assez de journaux à vendre au Canada pour satisfaire sa soif d'acquisition. En 1953, il lança un hebdomadaire destiné aux Canadiens vivant au Royaume-Uni, le *Canadian Review*. C'était un moyen comme un autre de prendre pied sur le terrain. Mais l'engagement réel de Roy Thomson au Royaume-Uni relève plutôt de la chance. Il rencontra lors d'un dîner, en 1950, un directeur du journal national écossais, le *Scotsman*. À cette époque, Roy avait l'habitude de demander aux directeurs de journaux qu'il rencontrait s'ils étaient prêts à lui vendre leur société. Il demanda donc au directeur en question de penser à lui si jamais il y avait des actions du *Scotsman* à vendre. Directeurs et administrateurs du journal avaient quelque mépris pour l'homme qu'ils considéraient comme un propriétaire de journaux secondaires, en colonie de surcroît. Mais en 1953, alors que le *Scotsman* connaissait de sérieuses difficultés financières, on s'adressa à Thomson, auquel on était prêt à céder la totalité des actions puisqu'on ne pouvait trouver d'autre acheteur sérieux. Comme il allait le faire plus tard pour le *Sunday Times* et le *Times*, Roy Thomson échangea ses dollars contre une véritable institution nationale.

Mis à part la qualité de son équipe éditoriale, le *Scotsman*, fondé en 1817, est connu pour avoir sa propre marque de whisky. («Voici une bouteille et un ami sincère», lit-on sur l'étiquette.) L'acteur Sean Connery y avait travaillé comme mécanicien. Lorsque Thomson fit l'acquisition du *Scotsman*, il n'acheta pas seulement un journal, mais une véritable institution écossaise. L'édifice dans lequel sont installés les bureaux de la société ressemble à un château. Les trois premiers étages se trouvent sur Market Street et les quatorze suivants, dont l'entrée principale de l'édifice, sur High Street près du célèbre Royal Mile d'Édimbourg où se trouvent le Holyroodhouse Palace, résidence de la reine Marie d'Écosse, et l'église John Knox. Dans le hall d'entrée se trouve un magnifique escalier de marbre au ciel couvert de feuilles d'or. Sur le palier, les fenêtres portent les écussons des villes d'Édimbourg, de Glasgow et d'Aberdeen. Dans la salle de conférence du quatrième étage, qu'on appelle Walnut Hall parce qu'on y trouve des sculptures sur noyer d'Écosse, les murs sont décorés de portraits des directeurs qui se sont succédé depuis la création du journal. Le bureau de Roy Thomson est si vaste que le directeur actuel a décidé de le séparer en deux parties au moyen d'un rideau, faisant de l'autre moitié une salle de conférence. Une fois devenu propriétaire, Roy ne chercha jamais à modifier ou à influencer l'orientation de l'équipe éditoriale. Sa seule intervention consiste à avoir demandé que les annonces publicitaires publiées en première page, ce qui est une tradition dans la presse de tout le Royaume-Uni, soient placées à l'intérieur du journal, comme cela se fait en Amérique du Nord. Aujourd'hui, le *Scotsman* publie toujours une annonce publicitaire en page frontispice, de format relativement réduit cependant et placée en principe dans le coin inférieur droit.

Parmi les acquisitions faites par Roy Thomson, celles qui n'étaient pas accidentelles étaient souvent les entreprises qui semblaient les plus farfelues. Mais l'audace de l'homme d'affaires rapporta gros. En 1957, à l'époque où l'on considérait que ceux qui investissaient dans le secteur de la télévision jetaient leur argent par les fenêtres, Thomson obtint le droit d'exploitation pour une chaîne commerciale en Écosse. Il était convaincu que, malgré les premiers incuccès de la télévision commerciale en Grande-Bretagne, ce nouveau mode de communication allait devenir populaire, comme cela avait été le cas en Amérique du Nord. Il ne se trompait pas. Les 40 000 £ en actions que possédaient Thomson et sa société gagnaient si rapidement de la valeur qu'en moins de deux ans il fut en mesure d'acquérir l'empire Kemsley, le plus grand groupe de journaux du Royaume-Uni. Parmi ceux-ci, on retrouvait le *Sunday Times* et 22 autres journaux, quotidiens ou hebdomadaires. Pour le tout, Thomson paya 31,5 millions de dollars canadiens. Pourtant, quelques années plus tôt, Kemsley avait eu peu d'égards pour Thomson, gonflant artificiellement le prix d'un journal d'Aberdeen que l'homme d'affaires canadien offrait de lui acheter en 1952, au point que la transaction tomba à l'eau. Mais à la fin des années 50, Kemsley, comme les anciens propriétaires du *Scotsman*, était plus intéressé par l'argent de Thomson que par son expérience. Pour sa part, ce dernier était prêt à oublier l'insulte que lui avait faite Kemsley si cela lui permettait d'être propriétaire du *Sunday Times*, car il devinait toute la gloire qu'il pouvait en retirer. Cela allait aussi faciliter la campagne qu'il s'apprêtait à entamer pour gagner quelque titre de noblesse.

Roy Thomson n'aurait jamais été capable d'offrir le prix demandé par Kemsley s'il n'avait pas eu l'aide de Henry Grunfeld, de la firme S.G. Warburg. Grunfeld dut réaliser des miracles et faire preuve d'originalité pour permettre à son client de prendre le contrôle des journaux de l'empire Kemsley. Selon son plan, Kemsley acheta la société Scottish Television de Thomson, payant cette dernière en actions de sorte que Roy puisse d'abord garder le contrôle de son entreprise, et ensuite prendre celui de l'empire Kemsley. Du même coup, sa capacité d'emprunt deviendrait si grande qu'il pourrait à volonté acheter l'empire de Lord Kemsley. C'était la seule façon plausible de réaliser le projet, car la S.T.V. n'avait pas les moyens financiers requis pour acheter l'ensemble des journaux appartenant à Kemsley.

Il fallait les 30 ans d'expérience de Grunfeld pour mener à bien une telle affaire. Né en Allemagne, il passa en Angleterre en 1934 et s'est joint à une firme de courtage fondée par Siegmund Warburg, descendant d'une des plus illustres familles de banquiers de Hambourg. Grunfeld finit par devenir directeur de la société Warburg, qui était réputée à l'époque pour recruter ceux que l'*Institutional Investor* appelle « des moins que rien dans le monde de la finance internationale » et utilisait des méthodes bien peu orthodoxes. Cela a peu changé car ceux qui postulent un poste dans cette firme doivent subir un examen graphologique et passer une entrevue dans laquelle on s'intéresse plus à leurs intérêts qu'à leur expérience des affaires. Les directeurs prétendent en effet que tous les postulants doivent nécessairement avoir certaines connaissances dans le domaine des affaires, puisqu'ils se sont intéressés au poste offert, et jugent qu'il est plus important encore de connaître les intérêts de chacun, en dehors des préoccupations propres au travail.

Les employés de la firme Warburg affirment que Grunfeld « attache une importance particulière aux détails, aime se prendre pour un professeur et a une mémoire photographique. Il accepte les erreurs lorsque les gens reconnaissent leurs torts. » C'était l'une des qualités que Grunfeld admirait chez Roy Thomson. « Thomson était l'une des rares personnes qui occupait un poste important et acceptait malgré cela d'écouter et même parfois de changer d'avis, dit Grunfeld. Il n'y a que les gens qui ont une force de caractère remarquable qui savent revenir sur leurs décisions. »

En comparaison avec les habitudes aristocratiques de Lord Kemsley, l'attitude de Roy Thomson avait de quoi dérouter. Lord Kemsley vivait sur une terre de 80 hectares dans une résidence comportant

36 chambres à coucher; il se faisait porter les dépêches sur un plateau d'argent. Pour ses employés, il était un personnage de légende. Selon John Carter, qui travailla au *Times*, « lorsqu'il arrivait au bureau, on vidait le hall d'entrée et on lui réservait l'ascenseur. Il était imbu de sa personne. Trois jours après la vente des journaux de Kemsley, on a vu arriver le nouveau propriétaire, qui s'est assis sur le coin d'un bureau, s'est présenté comme étant Roy Thomson et nous a demandé nos noms. Il n'y avait pas chez lui ce besoin de sentir un fossé entre le patron et les employés. »

À peine était-il propriétaire du *Sunday Times*, que Roy se mit à la recherche d'un autre journal de la capitale avec lequel il serait possible de partager les frais d'exploitation, l'équipement nécessaire à la publication d'un hebdomadaire étant le même que celui qu'il faut pour produire un quotidien. Naturellement, c'est le *Times* qui était la cible désignée, sans doute à cause de la réputation dont il jouissait sur le plan international. Roy Thomson savait aussi que le journal connaissait une période financière difficile, ce qui ne pouvait que pousser la famille Astor, riche propriétaire du quotidien, à songer à s'en débarrasser. Une fois encore, il allait pouvoir accroître son prestige grâce à son argent. Peu de temps après le changement de propriétaire, qui eut finalement lieu en 1967, le *Times* et le *Sunday Times* fusionnèrent sous le nom de Times Newspapers Limited. Le *Times* étant le journal le plus influent d'Angleterre, Roy devint le premier éditeur du pays, mais aussi celui qui devait relever les plus grands défis, la situation financière des deux journaux étant catastrophique. Les pertes s'ajoutaient aux pertes et la situation tourna à la catastrophe à cause de nombreuses grèves, si bien que Kenneth, déçu, les vendit en 1981 au Roy Thomson de sa génération : Rupert Murdoch.

En Angleterre, les propriétaires de journaux et les éditeurs sont un jour ou l'autre anoblis et Roy Thomson n'échappa pas à la règle. En 1964, il devint Lord Thomson of Fleet, of Northbridge d'Édimbourg, ce qui l'obligeait à abandonner sa citoyenneté canadienne. Néanmoins, cela ne changea rien à sa personnnalité et il restait aussi grégaire qu'il l'avait été quand il vivait outre-Atlantique.

Alors que la plupart des magnats refusent de répondre aux questions concernant leur fortune, Roy donnait aux visiteurs du *Times* tous les détails, sans jamais se faire prier. «Si un étranger lui demandait, dans l'ascenseur, comment allaient les affaires, il plongeait la main dans sa serviette et en retirait les états financiers de la semaine, invitant parfois le curieux à son bureau pour lui donner plus de détails encore, raconte Denis Hamilton. Pendant longtemps, il répondit lui-même au téléphone, jusqu'à ce que la quantité d'appels devienne franchement trop importante. »

Toutefois, si Roy n'appréciait pas la flatterie au même titre que Ochs, le propriétaire du *New York Times*, et même s'il n'a jamais été snob, il prenait un malin plaisir à raconter l'histoire de sa réussite, qu'il reprenait dans la plupart de ses discours ou au cours de soirées mondaines et qu'il ne manqua pas de traiter dans les deux ouvrages qu'il écrivit. Le premier, qui est une biographie et porte le titre de *Roy Thomson of Fleet Street*, fut publié en 1965 chez Collins (parce que, par tradition, les éditeurs publient rarement leurs propres oeuvres). Roy s'intéressait particulièrement à la vente de son livre. George Rainbird raconte ce qui suit : « La veille du jour où je devais rencontrer Roy alors que je postulais un poste au journal, j'ai eu l'idée de m'adresser à la maison Collins pour connaître le nombre de copies qui avaient été vendues du livre de Roy Thomson. On précisa qu'on en avait distribué quelque 20 000 copies. Le lendemain, au début de l'entrevue, je m'arrangeais pour aborder le sujet et, répétant le chiffre qu'on m'avait donné, félicitai l'auteur. Roy Thomson me corrigea, précisant que le nombre exact était de 21 863 la veille au soir ; il notait les statistiques quotidiennes ! »

Une dizaine d'années plus tard, alors qu'il trouvait que Roy Thomson prenait de l'âge, Denis Hamilton parvint à le convaincre d'écrire un compte rendu de la somme d'expériences qu'il avait vécues depuis son arrivée au Royaume-Uni. Roy se mit à la tâche, sans l'aide de personne. Cette fois, le livre fut publié par une société de l'empire Thomson, mais cela ne s'est pas fait sans qu'il y ait de l'opposition. La société Michael Joseph qui est, de toutes les maisons d'édition de l'empire Thomson, celle qui connaît le plus de succès, refusa de publier l'autobiographie et ce fut la Hamish Hamilton Limited, une autre société de l'empire, qui s'occupa de l'affaire.

Au contraire de bien des gens, l'ascension sociale n'a pas tourné la tête à Roy Thomson. Il n'a jamais perdu son habitude de s'adresser avec la même déférence à qui que ce soit, peu importe son rang. Il n'a pas oublié non plus toutes les histoires de vendeurs qu'il prenait plaisir à raconter. « Roy n'aimait pas les gens qui commencent leur phrase par le mot « franchement », dit Sidney Chapman, parce qu'il prétendait que ceux qui étaient vraiment francs n'avaient pas besoin de le préciser à tout bout de champ. »

Roy Thomson ne manqua sûrement pas de franchise en 1974 lorsqu'il répondit sans détour, au cours d'une entrevue accordée à la télévision britannique, à la question suivante : « Quel a été votre rôle à la Chambre des lords ? » « Bien petit. Je ne peux pas abandonner mes affaires pour assister aux réunions et je déteste parler pour ne rien dire. Si je dois faire un discours, que ce soit au moins pour dire quelque chose ! »

S'il passait pour quelqu'un de dur et d'exigeant, Roy Thomson se faisait un devoir d'entretenir de bonnes relations avec tous les membres de son équipe, comme ceux de la haute société britannique, ce qui le fit aimer de ses concitoyens. Selon Edmund Fisher, ex-administrateur au sein de l'empire Thomson en Grande-Bretagne, l'une des premières choses que Roy lui dit en 1970, lorsqu'il le rencontra pour la première fois, tenait à ceci : « La personne la plus importante dans une compagnie est celle qui répond au téléphone, parce que c'est elle qui établit le premier contact avec le public. » Roy s'efforçait aussi de ne jamais oublier le nom des gens qu'il rencontrait. « À l'occasion de son soixante-quinzième anniversaire de naissance, raconte J.H.B. Monroe, on donna une réception pour 500 convives, dont la princesse Margaret. Cela eut lieu à l'hôtel Dorchester de Londres et Roy salua tous les convives par leur nom, quand ce n'était pas par leur prénom. » (J.H.B. Monroe travaillait en compagnie de Thomson au *Scotsman*, au service de la comptabilité.)

Les employés des sociétés Thomson, comme les membres des différents syndicats, connaissaient le patron sous le nom de « Lord T » ou « Oncle Roy ». Trevor Davies, ex-administrateur de Thomson Travel et aujourd'hui directeur du bureau londonien de l'American Express, raconte que « Roy Thomson montrait un certain paternalisme à l'égard les femmes, lui qui attachait une importance particulière aux moindres détails d'une réception pour mieux plaire à ses invités ».

Partout où il allait, Roy faisait preuve de la même gentillesse. « Il n'avait aucune famille en Angleterre, précise Davies qui l'accompagnait souvent en voyage d'affaires, et lorsqu'il se déplaçait, il logeait aux hôtels Thomson. Il retirait son veston, saluait les gens, leur demandait de l'appeler Roy, tapait amicalement sur l'épaule des gens et ne se gênait pas pour complimenter le chef quand un repas lui plaisait. Il était profondément humain. Son avarice, son intérêt pour les affaires et les faramineux profits qu'il réalisait, rien de tout cela ne paraissait dans son attitude. »

Quand il traitait des affaires, Roy Thomson perdait rarement son sang-froid. Il est une fois cependant où les directeurs du *Sunday Times* craignirent la tempête ; c'était en 1968. Ils avaient payé 100 000 £ pour faire l'acquisition de ce qu'on croyait être le journal de Mussolini, et qui s'avéra en réalité être un faux. C'est Gordon Brunton, l'adjoint de Roy, qui devait lui faire part de la mauvaise nouvelle. Ce matin-là, Roy était de mauvaise humeur parce qu'il avait dû attendre après son chauffeur alors que celui-ci jouait aux cartes avec l'un des ses confrères. Il salua Brunton en lui faisant des remontrances sur la gestion du personnel. Au bout de dix minutes, Brunton se décida à aborder la question des 100 000 £. Roy lui posa quelques questions puis finit par dire : « Vous savez, s'il nous arrive de gagner, il y a des fois où il faut accepter de perdre. » Là-dessus, il revint sur la question du chauffeur.

Personne n'a perdu son emploi pour avoir donné crédit à une histoire qui n'en valait pas la peine. Cependant, Roy n'hésitait pas à mettre les gens à la porte s'ils « ne faisaient pas leur part ». « Il était convaincu que c'était pure bêtise que de tenter de faire passer un cochon dans un trou de souris », dit Monroe. Quelle qu'ait été la réputation de Roy aux yeux du public, ça n'enlevait rien au fait qu'il avait une attitude très terre à terre.

Lorsqu'il fit l'acquisition du *Scotsman*, le journal était en si mauvaise posture financière que son avenir était incertain. La première décision que prit Roy fut d'éliminer 300 emplois au cours des 15 premiers mois. Selon Chapman, ce n'est pas l'ancienneté qui déterminait lesquels des employés devaient rester, mais plutôt leur habileté et leur capacité à « sauver le journal ». Au cours des six premiers mois, il y eut un va-et-vient constant au niveau du personnel et ceux qui montraient la moindre faiblesse étaient mis à la porte avec quelques mois de salaire en guise de compensation.

En plus, lorsque les employés se voyaient offrir des postes plus rémunérateurs ailleurs, Roy n'essayait pas de les garder à son service en leur offrant promotions ou augmentations de salaire. Il les encourageait plutôt à voler de leurs propres ailes. « J'ai travaillé pour Thomson pendant sept ans, alors que j'étais l'assistant de Gordon Brunton, raconte Robert Smith qui est aujourd'hui président de Talcorp Limited de Toronto ; comme j'avais au préalable travaillé pour la firme d'avocats associée à Thomson, j'avais toutes les difficultés du monde à me décider. Je ne savais pas comment annoncer à Roy Thomson que j'allais quitter la maison. Pourtant, le jour où je l'ai fait, il me félicita et dit que mon départ pour le Canada était un bon choix. Je ne savais s'il fallait que je me réjouisse ou que je regrette mon geste. » Mais Smith ne quittait pas l'équipe Thomson pour de bon. En effet, la famille Thomson est le principal actionnaire de Talcorp Limited, société qui s'occupe de recherche dans le domaine pétrolier et gazier au Canada, et qui fabrique des produits chimiques et des encres.

Comme Roy Thomson avait bénéficié de l'aide de Sidney Chapman pour diversifier ses intérêts au Canada, il eut le bonheur de compter parmi son équipe au Royaume-Uni des gens capables de lui suggérer d'intéressants investissements dans des domaines autres que celui de la presse. Si les années 50 ont été marquées par l'achat de plusieurs quotidiens, la décennie qui suivit fut celle des sociétés d'édition et de voyages.

Depuis 1961, date à laquelle il se joignit à l'équipe britannique de l'empire Thomson alors qu'il avait 40 ans, l'architecte de la diversification était Gordon Brunton. C'était un homme charmant, extrêmement intelligent qui était impitoyable pour ceux qui ne pliaient pas à ses exigences. Cette intransigeance était cependant bien cachée sous un sourire engageant, une attitude plaisante, détendue, au point que c'est toujours Brunton qu'on déléguait lorsqu'il n'y avait pas moyen de convaincre le propriétaire d'une société de vendre son entreprise aux Thomson. L'un de ceux-ci continue à prétendre que la plus grande erreur de sa carrière fut d'accepter de rencontrer Brunton.

Brunton était à l'aise dans son rôle au sein de l'empire Thomson. On avait l'impression qu'il était là pour y rester éternellement. « Il n'y a pas d'âge obligatoire pour la retraite chez I.T.O.L. et Kenneth Thomson veut que je reste », disait Brunton en 1983. Quand il faisait part de son intention de garder son poste de nombreuses années encore, Brunton ajoutait : « On peut être jeune à 71 ans et vieux à 32. » Pourtant, il finit par prendre une retraite avancée en décembre 1984, à l'âge de 63 ans. Comme cela avait été annoncé plusieurs mois à l'avance, au printemps de la même année, ce n'est sans doute pas pour des raisons de santé qu'il a quitté l'empire. Selon d'autres administrateurs de la société I.T.O.L., il était toujours actif, à son bureau de Hong-Kong, au moment où l'annonce de sa retraite fut faite.

Brunton ne nie pas ses affirmations de 1983 en ce qui concerne la retraite. La raison officielle de son départ, telle qu'il la répète lui-même, est qu'« à 63 ans, de nos jours, un homme peut raisonnablement abandonner les responsabilités qu'impose l'administration d'une grande société, d'autant plus que ses successeurs sont désignés et ont été préparés pendant de longues années à prendre les rênes à sa suite... J'ai toujours pensé poursuivre mon travail tant que ma santé me le permettrait. » Il précise qu'il continuera « à appuyer la société de tous les moyens possibles si cela peut être utile ». C'est pourquoi il reste directeur de Sotheby Parke Bernet and Company, la plus grande firme mondiale de courtiers en art. Il était déjà directeur de cette société en 1983 lorsqu'elle fut achetée par les Américains. Il gardera aussi son poste de directeur de la Bemrose Corporation, l'une des plus importantes imprimeries du Royaume-Uni.

Puisque Brunton ne s'est jamais dit trop vieux pour poursuivre son travail, il n'est pas possible que l'âge soit la seule raison qui l'ait poussé à démissionner de son poste chez I.T.O.L. Mis à part les compliments officiels publiés par Kenneth Thomson à l'égard de Brunton à l'occasion de sa retraite, de nombreux facteurs laissent penser que l'opinion du grand patron n'était pas partagée par tout le monde. Si Brunton était très près de Roy Thomson parce que ce dernier habitait en Angleterre, l'Atlantique le séparait du fils, Kenneth, et leurs relations furent plus difficiles encore à partir du moment où John Tory prit le poste de directeur-adjoint de la société

I.T.O.L. En effet, Brunton et Tory ne sont jamais parvenus à s'entendre.

Par ailleurs, l'I.T.O.L. est devenue, de plus en plus au cours des six dernières années, une entreprise nord-américaine alors qu'elle est née en Angleterre. Son siège social a été transféré de Londres à Toronto et sa croissance est maintenant assurée par son expansion aux États-Unis plutôt qu'au Royaume-Uni. Brunton est le grand responsable de ce remue-ménage et il a placé son protégé, Michael Brown, en bonne place à New York. Depuis, Brunton a moins besoin de traverser fréquemment l'Atlantique, alors qu'à l'époque où l'I.T.O.L. s'implanta aux États-Unis, il fallait mettre sur pied une équipe de direction valable ; du même coup, le rythme des acquisitions ralentit en 1984. Cela signifie que Brunton avait de moins en moins de travail à faire. La société I.T.O.L. entre maintenant dans une phase de consolidation et a besoin de spécialistes comme Brown, plutôt que d'entrepreneurs comme Brunton. Brown prendra d'ailleurs la place de ce dernier au poste de président. Mais il n'est pas question que les bureaux de New York perdent de leur importance sous la présidence de Brown. Celui-ci sera d'ailleurs P.D.G. de la filiale américaine de l'I.T.O.L., l'International Thomson Holdings Incorporated. Il était jusqu'alors vice-président de cette dernière société tandis que Brunton en était le P.D.G. L'International Thomson Organisation P.L.C., la filiale britannique, sera dirigée par James Evans, qui occupe pour l'instant le poste de directeur-adjoint, de même que celui de directeur de la société Thomson Regional Newspapers au Royaume-Uni.

Brunton est né en 1921, deux ans avant Kenneth Thomson. Les deux hommes se ressemblent d'ailleurs. Ils sont tous deux grands et portent des lunettes. Leur ressemblance a sans doute poussé Roy Thomson à considérer Brunton comme son propre fils, d'autant plus que Kenneth était loin de lui, à Toronto. Son bureau ressemble à un véritable salon, richement décoré, aux couleurs pastel, agréable et confortable. Sur les murs, on trouve plusieurs oeuvres de peintres secondaires, dont un portrait de Roy Thomson. Un seul élément franchement moderne : un terminal d'ordinateur.

Dans la vie de tous les jours, Brunton est un aristocrate, typiquement britannique, quelque peu vaniteux et doué d'une bonne conscience sociale. Il a une perception pénétrante des relations entre les sociétés et les travailleurs. C'est lui qui fut l'instigateur des projets d'emploi parrainés par les sociétés Thomson, dont l'objectif est de venir en aide aux gens particulièrement touchés par le chômage dans toutes les régions du Royaume-Uni. Le mot que Brunton utilise le plus souvent est « honnête », et il n'y a rien d'étonnant à ce que ce soit la qualité qu'il recherche le plus chez les autres.

Comme Roy Thomson, Brunton ne vient pas d'un milieu aisé ; son père travaillait comme commis dans un théâtre. Pour Brunton aussi, le hasard a joué un grand rôle dans sa carrière. Il en rappelle les temps forts : « Après mon service militaire au cours de la Seconde Guerre mondiale, je devais trouver un emploi à tout prix. J'étais marié et mon épouse attendait un enfant ; les responsabilités à venir devenaient une obsession. Je recevais moins de 100 £ par semaine à la fin de mon service militaire, ce qui n'était pas assez pour nous loger et nous nourrir. Il me fallait donc absolument gagner de l'argent. J'ai fini par obtenir un poste de vendeur pour le compte d'éditeurs de second ordre. Mais je n'avais pas le choix, car il fallait manger et je suivais en plus des cours du soir à l'université. J'ai quand même beaucoup appris dans ce milieu. Lorsque nous donnions à nos clients les chiffres qui devaient refléter le tirage exact des journaux, on savait qu'ils n'avaient rien à voir avec la réalité parce qu'à l'époque, il n'y avait pas d'organisme chargé de vérifier ces statistiques. Bien plus tard, alors que je me suis retrouvé à la direction de sociétés d'édition, je me suis fait un devoir d'être sincère chaque fois qu'il fallait fournir des chiffres et jamais je n'ai gonflé un tirage. On m'avait déjà demandé ce qui pourrait se passer si l'on publiait des chiffres exacts et je répondis que, selon moi, ce serait la meilleure chose à faire. L'avenir me donna raison. »

Par la suite, Brunton passa chez Odhams Press, société d'édition propriétaire de plusieurs journaux et revues que Roy Thomson ne réussit pas à acheter en 1961, l'un des rares échecs qu'il essuya lors de tentatives de prise de contrôle. Au cours d'une séance de négociation, Thomson rencontra Brunton qui était alors directeur de Odhams Press. Ils se sont mutuellement plu. « Chez Odhams Press, je passais pour quelqu'un qui avait un bon avenir, mais je n'aimais pas la façon dont le propriétaire, Cecil King, menait ses affaires. Le salaire n'a jamais été pour moi une justification nécessaire pour garder un emploi et j'étais prêt à prendre le risque de perdre de l'argent s'il le fallait pour suivre Roy Thomson. J'étais convaincu que je m'entendrais mieux avec lui.

« Nous étions pourtant bien différents. Si l'on nous avait posé à tous deux six questions portant sur la société, on aurait eu six réponses différentes. Mais le plus important, c'est que Roy était franc et honnête et cela nous a permis d'avoir la meilleure relation d'affaires de toute la presse britannique, si ce n'est de toute l'industrie britannique. Lorsque deux associés sont tout à fait semblables, il leur manque assurément quelque chose. Roy et moi étions en total désaccord sur les questions sociales, mais nous savions nous respecter. J'ai étudié avec Harold Lasky à l'école des sciences économiques de Londres et, si je n'ai rien d'un socialiste, je crois quand même en un État fort, ce qui n'était pas du tout l'opinion de Roy. Je suis convaincu que mon point de vue était plus près de la réalité moderne et j'espère que j'arriverai à prévoir de la même façon les changements qui s'annoncent pour les années à venir. »

Tandis que Roy Thomson faisait campagne pour gagner un titre de noblesse, Brunton ne s'y intéressait pas du tout. « Je ne crois pas à la gloire honorifique ; c'est tout à fait archaïque à notre époque et même si l'on m'offrait un tel titre, je le refuserais. J'ai un enfant et je trouve qu'il est déjà assez difficile de garder les pieds sur terre avec le genre de vie que je mène. Il n'est donc pas question de mêler encore plus les cartes ! »

Brunton possède un domaine à Surrey, et une écurie. Pendant un temps il eut un bateau de plaisance, navire de guerre transformé en yacht. Son amour des chevaux remonte à son adolescence. « J'ai fait mon premier pari à Newmarket durant la guerre. Il m'en avait coûté deux shillings et j'ai gagné cette fois-là trente livres sterling, sept shillings et six pence. J'avais parié à 60 contre 1. » Il raconte aussi l'histoire suivante : « J'avais offert un cheval à ma seconde femme (Gillian, qu'il épousa en 1966), à l'occasion de Noël. C'était un pur-sang qu'on m'avait recommandé. Je l'ai remis à mon épouse avec un ruban autour du cou et lorsqu'elle l'a monté, il s'emballa. Déconcerté, je demandai à mon jardinier ce que je devais faire. J'ai alors revendu le cheval. Depuis, j'ai appris que sa progéniture a remporté neuf grands prix. J'ai aujourd'hui une vingtaine de chevaux et je sais que j'aurai, un jour, un pur-sang de grande classe.

Chacun a ses petites folies et nous avons tous besoin de nous consacrer à autre chose qu'à notre travail. »

Pourtant, pour Brunton, les courses de chevaux ont à voir avec ses affaires. En effet, il lui arrive d'inviter des auteurs ou leurs agents dans la loge des Thomson à la piste Ascot. Mais l'amour des chevaux n'est pas partagé par tous. Ainsi, Edmund Fisher, l'un des invités de Brunton, raconte qu'il était en compagnie de son hôte et de H. E. Bates, l'un des meilleurs auteurs britanniques du moment : « Le cheval canadien Njinsky participait à la course et après sa victoire, Brunton dit à Bates : « H.E., vous venez juste de voir l'un des meilleurs chevaux qui soit gagner la course de l'année ». Bates répondit qu'il était bien heureux, mais que pour lui, tous ces chevaux lui faisaient penser à des souris folles qui courent autour d'un billard. »

En plus des charges qui lui reviennent à la direction de plusieurs sociétés de l'empire Thomson, Brunton dirige aussi deux sociétés britanniques, Sotheby et Bemrose. Celles-ci ont toutes deux connu des moments difficiles. « On m'invita à faire partie du conseil d'administration de Sotheby parce qu'on jugeait qu'il ne comptait pas assez d'hommes d'affaires, raconte Brunton. Lorsque Sotheby eut ses premiers problèmes financiers à la fin des années 70 (que les critiques expliquaient par une croissance trop rapide et une piètre administration), on me demanda ce que j'en pensais. Je fus d'accord pour apporter mon aide à condition que j'aie l'assurance d'une collaboration sincère de la part de tout le monde et que je puisse soumettre mon rapport directement au président. J'ai passé des soirées et des fins de semaine à réaliser des entrevues avec les 80 administrateurs de la Sotheby. Par la suite, j'ai présenté le rapport le plus sévère que j'ai complété de toute ma carrière. Je recommandai le renvoi de six directeurs et leur remplacement par de jeunes administrateurs bourrés de talent. À ma grande surprise, c'est à moi qu'on demanda de prendre la direction de la société car plusieurs croyaient que c'était là le meilleur moyen de garantir que les recommandations du rapport soient suivies à la lettre. » Brunton, à l'inverse de Kenneth Thomson, n'est pas un collectionneur d'art : « Je ne peux pas me le permettre, dit-il. Je n'ai hérité de personne et j'ai bâti moi-même ma fortune. »

En 1983, Brunton réussit à éviter la prise de contrôle de la Sotheby par deux hommes d'affaires américains, favorisant la candidature d'un troisième financier, américain lui aussi, qui était un client régulier de la société. Les actionnaires ont aussi fait une bonne affaire car la dernière offre était bien supérieure à la valeur en bourse des actions de la Sotheby. Cette victoire suivit de près celle qu'avait remportée Brunton à l'occasion d'une autre tentative de prise de contrôle, cette fois à l'endroit de la Bemrose. « J'ai utilisé une technique de défense tout à fait courante lorsqu'une grosse société essaie d'en manger une plus petite », explique Brunton. Dans ce cas, il s'agissait de persuader une tierce société d'acheter des actions de la Bemrose afin d'empêcher la prise de contrôle, puis de les revendre. Au cours des tractations et d'une transaction à l'autre, Brunton finit par réaliser un substantiel bénéfice, la valeur des actions de la Bemrose ayant beaucoup monté en 1982 !

La plupart des administrateurs actuels des sociétés de l'empire Thomson ont beaucoup de respect pour Brunton. Richard Groves affirme que « Gordon sait déléguer ses pouvoirs et rester malgré tout impliqué dans tout ce qui le concerne. Il a été bien clair en précisant que si j'avais besoin de lui pour des négociations, il serait là, même s'il fallait qu'il vienne en Concorde. » Jack Fleming, éditeur et président de la société Thomas Nelson International dont le siège social est à Toronto, ajoute : « Gordon est un homme très intelligent. On n'en rencontre pas beaucoup comme lui. Il saisit tout à la vitesse de l'éclair. Je me demande comment il fait pour diriger à la fois autant d'entreprises diverses avec un tel succès. »

Selon George Rainbird, « Gordon est le plus droit des hommes. Il est gentil, plein d'attentions, généreux et cherche chez autrui la loyauté avant tout. » Edmund Fisher aime Brunton parce qu'il sait faire confiance : « Il me confia la direction de la société Michael Joseph alors que je n'avais que 29 ans. Il ne m'a jamais mis de bâtons dans les roues. C'est un homme foncièrement honnête avec une mémoire extraordinaire et un esprit analytique. Si c'est toujours moi qui plie lors d'une discussion, j'en sors invariablement gagnant par ce que j'apprends. »

Mais il y a aussi ceux qui aiment moins Brunton parce qu'ils n'apprécient pas son réalisme et la façon qu'il a d'aduler les sociétés qu'il dirige. William Rees-Mogg fut un jour stupéfait de constater que Brunton se battait comme un lion puis, s'il jugeait soudain que l'investissement n'en valait pas la peine, il laissait tout tomber. Il en fut ainsi lors de la dispute autour de la société Times Newspapers en 1978 et 1979 : « Gordon passe pour l'homme de confiance de Kenneth, mais on ne sait jamais en quoi consiste cette confiance. » Brunton reste un personnage énigmatique, ainsi que le prouve la remarque de George Rainbird, qui considère que son patron « détestait mettre quelqu'un à la porte », tandis que Robert Smith, ancien adjoint de Brunton, prétend qu'il pouvait être « sans pitié si nécessaire et prenait des décisions sur un coup de tête ». Heureusement, la bonne volonté dont il a toujours semblé faire preuve avec les gens de la société Times Newspapers, préférant que le linge sale soit lavé en famille, a permis d'éviter que ce genre de débats soient portés sur la place publique.

C'est ce qui s'est produit dans le cas de l'affaire Llewelyn. Bryan Llewelyn, homme talentueux et ambitieux, monta rapidement dans l'échelle administrative au point qu'il finit par être le rival de Brunton. Les deux hommes luttèrent pour le pouvoir tout au long des années 60 et 70 alors que Roy Thomson prenait de l'âge. Le combat des chefs se poursuivit après la mort de ce dernier, jusque vers 1980. Llewelyn, né en 1927, jurait un peu au milieu du groupe d'administrateurs des sociétés Thomson, tous tirés à quatre épingles et très conservateurs. Il faisait peu attention à sa tenue et préférait les relations informelles avec ses pairs ou des subordonnés. C'est un gros fumeur, suffisamment nerveux pour se ronger les ongles jusqu'au sang. On le décrit comme un homme très émotif mais, malgré cela, un excellent administrateur.

Il entra au service de la société Thomson Regional Newspapers en 1962. Il occupait le poste de directeur régional de la mise en marché et, quatre ans plus tard, devint directeur de son service. Il fut ensuite nommé directeur général des sociétés de voyages de l'empire Thomson. À ce poste, il fit de véritables miracles. Ses efforts lui attirèrent les compliments des rédacteurs du *Financial Times* (de Londres) qui publièrent le commentaire suivant dans leur édition du 13 avril 1976 :

Il fut un temps où les administrateurs de la société Thomson considéraient une nomination à la tête de l'une des sociétés de voyage du groupe comme une punition. De jeunes hommes brillants frisaient le ridicule après moins de deux semaines de service. Lorsque Llewelyn obtint le poste de directeur des opérations en 1969, il était le cinquième à occuper ce poste en moins de deux ans, mais il réussit au-delà de toutes les espérances. En 1975, la société Thomson Travel rapporta plus de la moitié des bénifices de l'empire Thomson. Elle est aujourd'hui devenue l'enfant chéri du groupe... Certains racontent que Llewelyn — et ce dernier ne nie pas cette histoire —, lorsqu'il arriva à la tête de la Thomson Travel, fut tellement découragé par la piètre administration et le manque de communication entre les employés qu'il menaça de renvoyer tous les administrateurs qui arrêtaient de travailler à l'heure du thé. Dorénavant, il fallait boire tout en restant à la tâche.

Llewelyn devint ensuite directeur de la société Thomson Publications du Royaume-Uni, un consortium formé de toutes les sociétés de l'empire Thomson du secteur de l'édition et de l'information. Llewelyn dut abattre une somme phénoménale de travail, lui qui ne connaissait rien à l'édition et qui, en plus, devait compter avec les dissensions que la fusion des différentes sociétés avait amenées. De mauvaises langues prétendent que c'est Brunton qui aurait organisé le transfert de Llewelyn, un peu comme le roi David avait fait le nécessaire pour que le mari de Bethsabée aille au front.

Le 19 juin 1980, le *Financial Times* publia ces quelques lignes : « David Cole est nommé directeur de la société Thomson Books et prend la succession de Bryan Llewelyn, qui quitte la société, mais restera administrateur-conseil pour le compte des mêmes sociétés. » Llewelyn a aujourd'hui un bureau à Covent Garden. Il est propriétaire d'une boutique d'accessoires de cuisine au marché de Covent Garden (construit sur un périmètre ravagé lors des bombardements allemands de la Seconde Guerre mondiale) et travaille à l'occasion pour les sociétés de l'empire Thomson, le plus souvent pour le compte de la Thomson Regional Newspapers.

Il y a une certaine continuité dans les politiques d'acquisition des administrateurs de l'empire Thomson, la plupart des sociétés possédant des intérêts dans le secteur des voyages ou de l'édition. Mais depuis quelque temps, les investissements ont été plus diversifiés.

Une fois encore, c'est par pur hasard que les Thomson se sont engagés dans l'exploration pétrolière en mer du Nord. Toutefois, sans les bénéfices qu'ils en retirent, la diversification des filiales américaines de l'empire n'aurait pu se faire au même rythme que celui qu'elle a connu ces dernières années ; l'achat de la Compagnie de la baie d'Hudson aurait été impossible, et les pertes accumulées du *Times* de Londres auraient fait bien plus mal.

C'est Henry Grunfeld, de la firme Warburg, qui fut l'artisan principal de l'affaire des sociétés pétrolières. Il avait déjà pris part à l'achat de l'empire Kemsley par Thomson. La firme Warburg était celle qui s'occupait des affaires de la société Occidental Petroleum, dirigée par Armand Hammer ; ce sont ses agents qui ont organisé le consortium entre Occidental Petroleum, Getty Oil et Allied Chemical pour l'exploration pétrolière en mer du Nord. Comme ces trois sociétés étaient américaines, il fallait faire appel à une société britannique pour obtenir des droits d'exploration à l'intérieur des limites territoriales de la Grande-Bretagne. En tant que directeur du *Times*, Thomson jouissait d'un certain prestige ; c'était un homme influent. Les directeurs des trois sociétés américaines étaient tellement intéressés par la proposition des spécialistes de la firme Warburg, qu'ils offrirent de prêter cinq millions de dollars à Thomson afin de lui permettre d'investir avec eux. Il est rare qu'une telle entreprise fasse fortune du premier coup, surtout dans le domaine pétrolier. C'est néanmoins ce qui se produisit. Non seulement trouva-t-on du pétrole, mais les réserves du premier puits dépassaient les 700 millions de barils.

C'est alors que les Américains ont tenté de racheter la part des Thomson, offrant 10 millions de dollars, c'est-à-dire deux fois le montant investi. La plupart des administrateurs des sociétés Thomson du Royaume-Uni conseillèrent à Roy de vendre sa part, même si l'affaire concernait d'abord la famille Thomson et non pas les sociétés de l'empire. En effet, il avait fallu beaucoup investir dans les sociétés de presse afin d'en moderniser les bureaux et les installations, et Roy, qui ne voulait pas accroître le risque financier, décida d'investir personnellement dans l'affaire de la mer du Nord. Malgré cela, il décida de conserver 20 p. 100 des intérêts qu'il détenait. Sa décision fut la bonne puisque, quelques mois plus tard, à quelque 30 kilomètres des côtes, on découvrit un nouveau champ pétrolifère dont les réserves furent évaluées à 400 millions de barils. En deux essais, Roy Thomson eut le bonheur de connaître deux coups de maître ; cela, la plupart des sociétés pétrolières l'attendent des années durant.

Roy Thomson avait plus de 70 ans quand il prit part au consortium pour l'exploration pétrolière, ce qui prouve que la vivacité d'esprit ne faiblit pas nécessairement avec l'âge. En dépit de son âge, Roy gardait le parfait contrôle de ses affaires. Edmund Fisher se souvient : « Il y avait à peine une semaine que je me trouvais chez Michael Joseph lorsque j'ai été invité à une réunion au sommet à New York. Là, j'ai rencontré Lord Thomson, qui ne buvait que du lait, et Gordon Brunton qui me demanda de les rejoindre au bar de l'hôtel. Lord Thomson me posa quelques questions à propos du système que nous avions choisi pour l'amortissement qu'il voulait conservateur et sévère, et des pertes de la société Sphere Books (édition de livres en format de poche) dont je venais de joindre le conseil d'administration. Quand le grand patron nous laissa seuls, je demandai à Brunton si ce genre de question était courante et il me répondit : « Avec lui, c'est le seul sujet de conversation, mon garçon ! »

La dernière année de sa vie, Roy Thomson dut réduire le nombre de ses activités et ne venait au bureau que deux fois par semaine. Il lui arrivait souvent de téléphoner à Gordon Brunton pour lui demander ce qu'il y avait de neuf. Brunton raconte qu'il inventait le plus souvent la réponse qu'il donnait au patron : « Je n'avais pas l'impression de faire mal parce que je savais que mes réponses lui plaisaient. » Néanmoins, jusque-là, Roy Thomson avait toujours été la preuve vivante que le succès ne vient qu'avec le travail et cela, il pouvait le démontrer en dollars, en livres sterling ou en francs. Il travaillait tous les jours. Il avait 81 ans quand il se rendit sur le site d'un puits de pétrole qui avait dû être abondonné après une tempête en mer du Nord. Avec l'âge, il n'avait pas perdu le goût des nouvelles acquisitions et du risque en affaires. « Roy avait bien 81 ans lorsque je lui ai rendu visite à Londres, raconte Robert Smith. L'empire Thomson avait pris des dimensions gigantesques. Je me souviens de l'avoir vu alors taper du poing sur la table en répétant qu'il fallait grandir et que la société devait accroître ses actifs aux

États-Unis, car l'Amérique du Nord était le meilleur endroit pour investir. Même à son âge, il pensait encore à l'avenir. »

Lors d'une rencontre avec Khrouchtchev en 1963, alors qu'il se trouvait à Moscou avec un groupe d'hommes d'affaires pour célébrer le premier anniversaire de l'édition couleur du *Sunday Times*, le président soviétique lui demanda à quoi son argent servait puisqu'il ne pouvait l'emporter avec lui à sa mort. « Alors je voudrais ne pas mourir », répliqua Thomson. S'il ne pouvait naturellement pas éviter la mort, Roy Thomson prit des précautions pour que sa fortune soit le moins grevée possible par l'impôt sur les successions, afin de laisser le maximum à ses héritiers. Comme la plupart des gens fortunés, il transféra de son vivant des sommes importantes dans des fiducies au nom de ses enfants. Pourtant, son héritage nous éclaire peu sur l'ampleur de sa fortune. Officiellement, Roy Thomson avait des actifs de 236 744,64 $ (can.), rien de plus, bien que les spécialistes estiment qu'à sa mort, il possédait plus de 100 millions de dollars et que les actifs des diverses entreprises qu'il contrôlait dépassaient les 750 millions de dollars.

Il y a encore quelques détails intéressants concernant l'héritage de Roy Thomson. Comme beaucoup de gens riches, il décida de sauter une génération et de léguer l'ensemble de son avoir, à l'exception de 1 000 $ qu'il laissait à chacun de ses deux beaux-frères et autant à sa belle-soeur ainsi qu'à ses vingt-trois neveux et nièces, à ses sept petits-enfants, à parts égales. Cet héritage devait être administré par quatre fiduciaires nommés dans le testament, jusqu'à ce que chacun des enfants atteigne l'âge de 30 ans et puisse alors prendre la part qui lui revient. En sautant ainsi une génération, Roy s'assurait que ses héritiers n'aient pas d'impôt à payer.

Il est rare qu'un testateur nomme autant de fiduciaires pour l'administration de ses biens après sa mort. Ici, ce sont Kenneth Thomson, le fils de Roy, la soeur de ce dernier, Phyllis Audrey Campbell (son autre soeur, Irma, mourut en 1966), Sidney Chapman et John Tory, un avocat qui est aujourd'hui directeur-adjoint de l'une des sociétés de l'empire Thomson. Compte tenu de l'ampleur de l'héritage, le nombre des fiduciaires n'a rien pour surprendre. Il est entendu qu'ils doivent tous être d'accord sur une décision pour que celle-ci soit effective et, si l'un d'eux meurt, les trois autres restent seuls.

Roy avait aussi un autre objectif en rédigeant ainsi son testament. Il tenait à ce que son empire se perpétue et que sa famille n'abandonne pas ses affaires. Il en avait d'ailleurs parlé dans son autobiographie :

David, mon petit-fils, devra un jour prendre son poste à la tête de l'organisation, et ainsi fera son fils. C'est pourquoi tout mon avoir est déposé en trusts pour le bénéfice des Thomson des générations à venir.

Avec la fortune que nous leur laisserons, il y aura aussi des responsabilités. Les fils de Ken, et leurs fils après eux ne pourront pas, même s'ils le veulent, renier leur héritage. Le dépôt des biens en trusts me permet de croire que le contrôle des affaires de l'organisation restera entre les mains des Thomson pendant au moins 80 ans encore.

Roy Thomson fit donc plus que d'édifier un empire ; il ne voulait pas léguer que sa fortune, mais entendait fonder une véritable dynastie.

5
Ken

La seconde génération de Thomson à diriger l'empire est aussi paradoxale que la première. Comme son père, Kenneth Thomson fait figure de conquérant dans le monde des affaires. C'est lui qui a fait l'acquisition de la plus vieille société canadienne, la Compagnie de la baie d'Hudson, et du journal *Globe and Mail* de Toronto, l'équivalent du *Times* britannique. Pourtant, on le considère en général comme une pâle version de son père dont il n'a ni le magnétisme ni le dynamisme. Même si Roy profitait en grande partie des idées d'autres personnes comme Jack Kent Cooke, Sidney Chapman, James Coltart ou Gordon Brunton, c'est lui qui tirait toujours toute la gloire. Dans le cas de Kenneth, tout le crédit du succès va à son bras droit, John Tory, qui occupe le poste de directeur-adjoint à la tête des deux grandes sociétés de l'empire, Thomson Newspapers et I.T.O.L. On le considère en général comme l'éminence grise de l'empire.

Alors que Roy Thomson ne dédaignait pas la publicité, Kenneth fuit les journalistes. Il y avait deux Roy Thomson ; il y a aussi deux Kenneth Thomson. Le fils sait être sensible ou insensible, peut manquer de confiance ou être des plus arrogants, être généreux ou indifférent, prodigue ou avare. Le paradoxe est encore plus marqué sur le plan culturel. Kenneth a participé au financement de la future salle de concert du grand Toronto, ce qui explique qu'elle portera le nom de son père ; pourtant, il ne s'intéresse que peu à la musique classique et assiste rarement à un concert.

Il s'est fait une fierté de sa collection de tableaux du peintre canadien Cornelius Krieghoff, qui est la plus vaste en son genre au monde. Il y trouve en plus un avantage financier, car l'espèce de monopole qu'il exerce, tant le nombre de toiles qu'il possède est grand, permet de garder les prix à la hausse. Cela signifie que s'il fait cadeau de l'une de ses toiles à une galerie ou à un musée, il aura droit à de substantielles déductions d'impôt compte tenu de la valeur marchande des oeuvres de Krieghoff. Par ailleurs, Kenneth autorise chaque année la reproduction d'une carte différente pour le compte de la société Hallmark Cards, ce qui lui assure un approvisionnement gratuit en cartes pour toutes les occasions !

Comme bien des héritiers qui prennent la succession de leur père à la direction des affaires familiales, Kenneth est éclipsé par Roy. Il a pourtant été directeur de l'ensemble des sociétés nord-américaines de l'empire pendant 23 ans. Cependant, il n'eut jamais la possibilité de voler de ses propres ailes. Les premières années, il semblait vouloir se satisfaire de prendre la place de son père à la tête de l'empire. Mais ces dernières années, il semble avoir changé son fusil d'épaule ; il cherche aujourd'hui à bâtir son propre empire. Il a déjà fait un premier pas en acquérant les huit journaux de la société F.P. (pour lesquels il a payé 130 millions de dollars) et la Compagnie de la baie d'Hudson (640 millions de dollars). En achetant le *Globe and Mail*, qui faisait partie du groupe F.P., Kenneth marqua des points là où son père avait failli, ce dernier ayant tenté sans succès de prendre le contrôle du journal en 1955.

Kenneth mesure 1,85 mètre. Il est plus grand et plus mince que son père. Il porte des lunettes, ne fume pas, mais boit à l'occasion. Kenneth Roy Thomson est né le 1er septembre 1923. Son enfance semble avoir été marquée par la solitude. C'était un enfant tranquille qui ne pratiquait aucun sport ; c'est sa mère qui se chargeait des invitations quand on organisait une fête d'anniversaire. Comme ses soeurs et sa mère, il vivait dans l'ombre de son père. D'ailleurs, Kenneth avait du respect pour ce père qu'il adulait, qu'il aimait beaucoup et dont il se sentait très près. En public cependant, jamais Roy n'affichait son affection, au contraire de Kenneth. L'un et l'autre accordaient une importance extrême à leurs opinions respectives quand il s'agissait de parler d'affaires.

Kenneth vécut la majeure partie de son enfance loin de son père, car celui-ci passait son temps à voyager dans le nord de l'Ontario, faisant mille et un métiers pour vivre et passant la plupart de son temps avec Jack Kent Cooke. C'est pourquoi Kenneth se prit d'amitié pour Robert Marshall, un ami dont la famille estimait beaucoup les Thomson et qui devint joueur de football puis professeur à Toronto. Kenneth joignait souvent les Marshall lorsqu'ils partaient en excursion de pêche ou de chasse. Kenneth ne se gêne pas pour répéter que les Marshall étaient sa « famille de North Bay », ce qui fait la fierté de Robert Marshall père.

Le plus curieux, c'est que les sujets des scènes de Cornelius Krieghoff rappellent sans doute à Kenneth les paysages de son enfance, ceux du nord de l'Ontario, qui ressemblent en effet aux paysages québécois qui inspirèrent le peintre canadien d'origine hollandaise. Tandis que la plupart des collectionneurs d'art placent leurs tableaux dans des musées spécialement construits auxquels ils donnent leur nom, Kenneth a choisi d'exposer ses 157 Krieghoff dans une galerie spécialement aménagée, attenante à son bureau au 21e étage du Thomson Building dont la construction remonte à une quinzaine d'années.

Voilà qui lui permet de passer sa collection en revue à volonté, mais qui présente aussi certains inconvénients. Kenneth décida en effet d'ouvrir sa galerie privée au public deux après-midi par semaine. Mais la visite guidée commençant nécessairement dans le bureau du grand patron de l'empire Thomson, dont les murs sont littéralement couverts de Krieghoff, il est bien obligé de laisser la place aux visiteurs. C'est toutefois avec bon coeur qu'il consacre ces quelques heures de congé forcé aux amateurs d'art, qu'il guide lui-même dans la galerie.

C'est de cette façon que les gens du public ont pu voir l'endroit où travaille le plus riche des Canadiens. Son bureau est beaucoup plus petit que ceux des directeurs de banque, et à peine plus grand que celui de Gordon Brunton. Le fauteuil de cuir noir, avec son imposant dossier, est plus qu'impressionnant, mais les 30 tableaux de Krieghoff qui ornent la pièce et l'horloge grand-père — dont le pendule a la taille d'une pelle — attirent l'attention et créent une plaisante atmosphère. La crédence placée derrière le bureau est décorée de magnifiques sculptures de Jonathan Kenworthy, artiste britannique qui est aussi l'auteur des deux grandes sculptures de bronze représentant des éléphants, placées à la porte de l'ascenseur privé de Kenneth Thomson, entre les 24e et 25e étages. Ce qui surprend le plus les visiteurs, c'est la photo de Kenneth placée sur le rebord de la fenêtre, qui montre l'homme d'affaires en compagnie d'un gorille. Il n'y a aucune photo de famille, encore qu'on trouve au salon du 24e étage une photographie format géant de Roy Thomson de profil, prise par Cavouk.

La galerie, joliment décorée, ressemble plus à un salon qu'à un musée. En plus des Krieghoff, on y trouve une magnifique collection de miniatures en ivoire et une sculpture en bois représentant la tête du David de Michel-Ange. Kenneth se fait un plaisir de modifier sans relâche l'arrangement des miniatures dans chacune des vitrines.

La collection de bronzes de Kenworthy démontre bien l'instinct dont Kenneth fait preuve pour déceler les valeurs sûres en art. Il rencontra le sculpteur en 1967 alors que celui-ci, âgé de 24 ans, exposait ses oeuvres à la Royal Academy de Londres. Les pièces de la collection de Kenneth furent toutes réalisées au retour des nombreux voyages que fit Kenworthy en Afrique à partir de 1965, pour y étudier les animaux sauvages, mais aussi l'anatomie animale et la dissection, ainsi que les habitudes de vie des tribus nomades du Kenya et de l'Afghanistan. Kenworthy affirme que Kenneth ne lui a jamais fait de commande spéciale, même lorsqu'il achetait des oeuvres pour sa résidence ; il ne passait des commandes qu'après avoir vu les modèles en studio. Kenneth n'est pas non plus le seul grand nom parmi les clients de Kenworthy. Mary Hemingway, veuve de l'écrivain, lui commanda une sculpture en bronze représentant un impala pour un monument à la mémoire d'Ernest Hemingway qui doit être érigé en Idaho, et le musée Carnegie de Pittsburgh ainsi que le Smithsonian Institute de Washington lui ont aussi passé des commandes.

Comme son amour des oeuvres de Krieghoff, l'intérêt que porte Kenneth à la musique *country western* remonte à son enfance à North Bay. À l'âge de 16 ans, il travailla comme animateur au poste C.F.C.H., à North Bay. Son père en était le propriétaire. Roy répétait tellement que l'avenir de ses entreprises dépendait de la qualité de la publicité, que Kenneth n'hésita pas un jour, malgré son jeune âge, à téléphoner au poste de radio pour corriger la prononciation d'un annonceur qui lisait mal le nom du plus important client du poste. Le jeune Kenneth n'aimait que la musique country et il fut l'un des grands admirateurs de Hank Snow, l'une des têtes d'affiche au pays.

Il y a 20 ans environ, alors que Kenneth avait passé le cap de la quarantaine, l'homme d'affaires et son idole se rencontrèrent. Alors qu'en général le fan doit faire le pied de grue à la porte de la loge pour rencontrer celui qu'il adule et obtenir un autographe, Kenneth était en position pour faire les choses en grand. « Je chantais à Peterborough, en Ontario, raconte Snow, et l'on vint me prévenir après le spectacle qu'un admirateur voulait me voir dans le salon vert, c'est-à-dire là où l'on attend le lever du rideau et où l'on se détend lors des entractes. Kenneth avait fait préparer un goûter pour mes musiciens et moi-même. » À la suite de cette rencontre, les deux hommes restèrent amis. Quelques années plus tard, alors que Snow donnait un spectacle au Massey Hall de Toronto, Kenneth lui fit cadeau d'une montre Hamilton en or, de celle qu'on utilisait au début du siècle dans les sociétés de chemin de fer pour sa précision ; il y avait des générations qu'elle faisait partie des trésors de la famille Thomson.

Lorsque Hank Snow déménagea à Nashville, au Tennessee, il entretint une correspondance suivie avec Ken. En automne 1983, Kenneth et l'un des ses amis, Robert Gimlin, directeur de la société Abitibi-Price Incorporated, le plus grand producteur de papier journal au monde, s'envolèrent pour Nashville dans l'avion privé de la société de Gimlin. Ce dernier est aussi amateur de musique country. La raison du voyage était, pour Gimlin, une série de rencontres avec des éditeurs de quotidiens américains, tous clients de l'Abitibi-Price ; quant à Kenneth, il se rendait au Texas pour y inspecter des sites d'exploration pétrolière. Kenneth profita de l'occasion pour rendre visite à Snow chez lui. Ce dernier, qui est aussi peintre amateur, tenait à souligner de façon particulière la visite de son ami. « J'ai sorti un tableau représentant un paysage que j'avais peint sur place et le présentai à Lynne Thomson, la fille de Kenneth. Je lui ai demandé si, malgré sa collection de toiles qui comportait des oeuvres valant 250 000 $ et plus, Kenneth pouvait apprécier mon cadeau. Elle m'affirma qu'il serait profondément touché et j'ai décidé de lui présenter le tableau lors d'une petite cérémonie qui devait avoir lieu dans les studios de télévision de Opryland. »

En plus d'aimer la musique country, Kenneth adore les films de cow-boys. Comme il se fait de moins en moins de westerns, il a monté une véritable collection de films de toutes les époques qu'il visionne de temps à autre.

Lorsque Roy Thomson revint vivre avec sa famille à Toronto, Kenneth fut inscrit au Collège Upper Canada, une institution réservée aux enfants de familles riches. Là, il était au bas de l'échelle, comme à North Bay. W.G. Bassett, l'un de ses professeurs, se souvient de lui comme d'un jeune homme « studieux, qui avait des notes de 70 % et plus, peu intéressé par les jeux, nullement sportif et qui ne prenait jamais part au projet annuel Gilbert and Sullivan ».

À sa sortie du collège, Kenneth Thomson alla à l'université. Dans le *Who's Who*, il se dit finissant à l'Université de Cambridge en 1947 avec un B.A. et un M.A. Mais une maîtrise (M.A.) à Cambridge, vérification faite auprès du bureau du registraire, n'est accordée qu'aux bacheliers qui en font la demande après six ans d'études au moins. On procède ainsi non seulement à Cambridge, mais aussi à l'Université d'Oxford parce qu'on considère que dans ces institutions, le B.A. vaut les diplômes de maîtrise des autres universités. Kenneth Thomson resta deux ans à Cambridge et obtint un diplôme en droit.

Le jeune homme avait là, bien sûr, de quoi être fier. Le plus curieux, c'est qu'il avait échoué à l'Université de Toronto avant d'aller étudier en Angleterre. Si l'on n'accorde pas de notes à l'Université de Toronto, on publie chaque année le nom des étudiants qui passent leur examen avec succès. Kenneth Thomson n'apparaît pas dans la liste de 1942-43, année où il fut inscrit à l'université. On peut se demander comment il a pu être accepté à Cambridge après cela. Il y fit son inscription après avoir servi dans la R.C.A.F. au cours de la Seconde Guerre mondiale, alors qu'il était basé à Londres. C'est Russell Braddon qui explique, dans la biographie de Roy Thomson, comment cela s'est passé. Braddon ne parle pas de l'échec de Kenneth à l'Université de Toronto, mais il explique que Roy fit entrer son fils à Cambridge parce qu'il considérait qu'il était important que ce dernier ait une éducation britannique, d'autant plus qu'il devait être l'héritier d'un empire de la presse. Ce n'était pas la première fois de toute façon (ni la dernière) qu'on passait outre aux règlements à Cambridge. En 1983, l'admission du prince Édouard, dont les bulletins montrent des C et des D, fit bien des gorges chaudes.

Après le séjour à Cambridge, Kenneth revint au Canada où il travailla au service éditorial du *Daily Press* de Timmins, pierre angulaire de l'empire de son père. Il fut ensuite vendeur pour le *Galt Evening Reporter* pendant deux ans, de 1948 à 1950. Là, il partageait son bureau avec un autre vendeur, Ed Mannion, qui était entré au service de la société Thomson Newspapers en 1948. Mannion, qui est aujourd'hui directeur de la société Southam Communications Limited, se souvient de Kenneth comme d'un garçon « tranquille, très sérieux ; c'était un travailleur acharné qui faisait une quantité incroyable d'appels téléphoniques ». Entre 1950 et 1953, Kenneth fut directeur général du journal de Galt, poste qu'il occupa sans faire d'éclats : « Rien de remarquable n'a été fait sous sa direction », affirme Mannion.

Kenneth fit des séjours à Timmins et à Galt parce c'était, parmi tous les quotidiens qui appartenaient à la Thomson Newspapers, ceux qui étaient les mieux cotés. Celui de Timmins avait la meilleure équipe éditoriale et celui de Galt, les meilleurs vendeurs. C'est d'ailleurs de Galt que sont originaires plusieurs administrateurs importants de la société, dont Mannion, McCabe et Margaret Hamilton.

Kenneth fut peu marqué par son séjour à Timmins. En plus, son père semblait moins s'intéresser au *Daily Press* vers la fin de sa vie. L'édifice du journal, inauguré avec tapage, est aujourd'hui décrépit. La peinture des murs s'écaille et les fenêtres sont fermées non par des rideaux ou des toiles, mais par des stores vénitiens en plastique. À une époque où les micro-ordinateurs sont bien implantés dans le domaine de la presse écrite, les 10 journalistes du *Daily Press* travaillent avec des machines à écrire mécaniques, sur des bureaux qui semblent dater de l'époque de Charles Dickens. L'éditeur actuel, qui est aussi directeur général, Maurice Switzer, explique que l'édifice est laissé à l'abandon depuis qu'on parle de déménager les bureaux du journal dans de nouveaux locaux, alors qu'on doit construire un édifice sur un terrain appartenant aux Thomson à quelques rues de là. Selon lui, ce projet est une priorité chez Thomson Newspapers. Mais comme les relations avec les grands patrons sont rarement très suivies, il est peu probable que le déménagement se fasse dans un très proche avenir.

C'est en 1953, alors que son père déménageait en Angleterre, que Kenneth prit la direction des opérations en Amérique du Nord. À la même époque, il songeait à se marier. Selon Robert Marshall, Kenneth lui aurait confié qu'il n'avait pas l'intention de se marier avant d'avoir atteint au moins l'âge auquel il s'était marié, c'est-à-dire 24 ans. En fait, il semble que Kenneth n'ait pas eu de petite amie avant l'âge de 20 ans. En 1956, alors qu'il avait 33 ans, il rencontra la fille de ses rêves, Nora Marilyn Lavis, qui était mannequin. Selon les amis de la famille, Nora, qui a sept ans de moins que Kenneth, « a un bon sens de l'humour et est très intelligente » ; elle a un diplôme d'enseignement en musique. On raconte que Kenneth est un mari fidèle, au contraire de son père qui avoua avoir trompé sa femme aux premières années de leur mariage.

Comme Kenneth, Nora est peu présente sur le plan social. Elle ne s'engage pas dans des activités communautaires ou culturelles, comme le fait par exemple l'épouse de John Tory, Liz. Elle fit toutefois parler d'elle momentanément en juillet 1983, lorsqu'elle fut impliquée avec le cadet de ses fils, Peter, dans un accident d'automobile entre Toronto et Kingston, sur la route 401. Selon les policiers, Nora Thomson perdit le contrôle de sa Porsche 1982 rouge lorsqu'elle essaya de dépasser un autre véhicule au moment où elle s'engageait dans une sortie. La Porsche heurta un talus, traversa l'autoroute et s'arrêta sur le toit au beau milieu de la zone gazonnée. Aucun des deux occupants ne fut blessé, mais il en coûta plus de 5 000 $ pour réparer l'automobile. Nora fut trouvée coupable de conduite dangereuse et dut payer une amende de 128 $. Cela lui valut par ailleurs six points de démérite, ce qui est suffisant en Ontario pour qu'il y ait suspension du permis de conduire. Mais dans son cas, on n'appliqua pas la loi à la lettre.

Il est intéressant de noter l'importance que différents journaux ontariens ont accordé à l'affaire. Le *Globe and Mail* de Toronto, qui appartient aux Thomson et qui accorde toujours beaucoup d'attention aux accidents impliquant des personnes connues, ne mentionna rien du dérapage de Nora Thomson. Son rival, le *Toronto Star*, publia un article de trois paragraphes dans son premier cahier. Le *Cobourg Daily Star*, journal indépendant de Cobourg, petite ville située à proximité du lieu de l'accident, traita la sujet en première page. Toutefois, le titre ne mentionnait pas de nom. On y lisait simplement : « Accident sans blessé sur la 401 ».

Kenneth possède une résidence à Toronto et une autre à Londres. Dans la capitale anglaise, il habite Kensington Palace Gardens, un boulevard à trois voies, bordé d'ambassades et de résidences luxueuses où l'on voit plus de Jaguar et de Rolls que toute autre marque d'automobiles. À Londres, on l'appelle « la rue des millionnaires ». Tous les parcs sont fermés par des grilles métalliques verrouillées, tant pour les piétons que pour les automobiles, et sont gardés 24 heures sur 24. La résidence de Kenneth Thomson est un édifice de cinq étages en granit ; on y trouve cinq domestiques et un portier. L'édifice est situé en face du palais du roi Fahd d'Arabie Saoudite, qui vaut quelque 50 millions de dollars. Le roi n'y habite qu'un mois par année environ. Parmi les voisins des Thomson, on retrouve le prince et la princesse de Galles ainsi que la princesse Margaret.

À Toronto, la résidence des Thomson se trouve dans le quartier Rosedale, celui des *vieux riches*. La maison, de style géorgien, est en briques rouges ; elle est couverte de lierre et entourée d'arbres et de buissons. L'entrée est fermée par un portail noir et la maison est gardée jour et nuit par des agents d'une firme privée. L'édifice est impressionnant. Le toit est bordé d'une balustrade et les motifs des colonnes rappellent ceux des piliers qui bordent les deux portails de l'entrée. Au-dessus de la porte d'entrée, se trouve une pierre marquée « A.D. 1926 », date de la construction de la maison. Il y a aussi un garage pour trois automobiles et une petite maison construite à proximité et réservée aux invités.

L'histoire du terrain est intéressante. L'édifice actuel, avec toute sa richesse, repose sur de bien humbles fondations. Au début du XXe siècle, le terrain appartenait à un cocher du nom de John Holder, du moins selon ce que nous apprennent les archives de l'hôtel de ville de Toronto. En 1926, la maison du cocher fut démolie alors que Gerald Larkin, président de la société Salada Tea Company of Canada avait acheté son terrain et les lots avoisinants. Larkin dépensa 50 000 $ pour construire l'édifice actuel, ce qui, à l'époque, représentait une somme considérable qui vaudrait bien aujourd'hui plus d'un million de dollars.

Il n'y a pas que l'histoire de cette maison qui la rend intéressante, mais aussi les tours de passe-passe administratifs auxquels elle a donné lieu. En réalité, ce n'est pas Kenneth Thomson qui en est le propriétaire, mais la société Woodbridge, société de portefeuille appartenant à la famille Thomson dont Kenneth est le plus important actionnaire. Selon les avocats de l'homme d'affaires, cela est légal même si ce n'est pas très fréquent. Lorsqu'une entreprise possède une telle résidence, pour autant qu'elle serve d'une façon ou d'une autre pour les affaires, elle peut obtenir des réductions d'impôt. C'est selon le même principe que Kenneth loge sa collection de Krieghoff au bureau, sa société pouvant ainsi amortir les toiles de la collection et passer ces sommes dans ses dépenses, bénéficiant ainsi d'une substantielle réduction d'impôt.

Les solutions envisagées par la famille Thomson prouvent bien que les plus riches ne perdent pas, à cause de leur fortune, le sens de la valeur de l'argent. Kenneth se charge personnellement de la promenade quotidienne du chien et, parfois, fait lui-même le marché. Le plus souvent, il conduit une Oldsmobile ou une Pontiac au lieu d'une Cadillac, parce qu'il trouve que celle-ci se vend à un prix exorbitant. Il vient pourtant d'acheter une Porsche Turbo ; il s'est décidé après avoir essayé celle qu'il a offerte à son épouse ainsi que le lui avait suggéré son fils aîné, David.

L'achat des deux voitures sport est une exception. Nora Thomson, par exemple, a retardé l'achat d'un climatiseur d'air parce que la compagnie Simpsons annonçait une vente à rabais. À Londres, Kenneth refuse d'utiliser la Rolls-Royce blanche et noire que le *Times* met à la disposition de son propriétaire, préférant la laisser au garage. C'est Nora qui coupe les cheveux de son époux, par souci d'économie et de temps. On voit nettement que l'une des chaussures de Kenneth est percée sur la photo qui accompagnait l'article publié par la maison F.P. Publications et qui était consacré au nouveau grand patron. Nombreux sont les collaborateurs de Kenneth qui affirment l'avoir vu courir les rabais et les primes, même s'il s'agit d'une économie de quelques cents.

Alors que Roy était fier de son titre de noblesse, Kenneth ne s'en targuait qu'en Angleterre. Au Canada, il préfère qu'on s'en tienne à l'habituel « Monsieur » ; il lui arrive de répondre lui-même au téléphone. Parce qu'il refuse d'abandonner sa citoyenneté canadienne, il n'a pas de siège à la Chambre des lords. Toutefois, la loi britannique n'oblige pas les héritiers d'un lord à renier leur citoyenneté pour conserver leur titre de noblesse.

Les trois enfants de Kenneth — David Kenneth Roy, né en 1957, Lesley Lynne, née en 1959 et Peter John, né en 1965 — savent faire preuve de détermination même si, aux dires de quelques amis de la famille, leurs parents n'ont jamais été prompts à faire des concessions. Chez les Thomson, les liens familiaux sont très serrés. Malgré la mode qui veut que les enfants quittent le foyer familial de plus en plus tôt, David, Lynne et Peter vivent encore chez leurs parents. Lorsque que ceux-ci étaient plus jeunes et que Kenneth et Marilyn devaient s'absenter, ils étaient sous la garde de leurs grands-parents maternels, qui habitent la maison attenante à la résidence familiale ; leurs parents n'ont jamais voulu les laisser sous la garde de domestiques.

C'est peut-être parce que Kenneth a souffert de la solitude dans sa jeunesse qu'il attache une si grande importance à la vie de famille. Par ailleurs, alors que Roy devait souvent voyager pour ses affaires, Kenneth ne se sent pas obligé d'en faire autant. « Roy Thomson a eu bien peu de regrets dans sa vie, raconte William Rees-Mogg ; mais l'un d'eux est de ne pas avoir consacré suffisamment de temps à sa famille. Il a toujours été réaliste et ne se prétendait ni bon père de famille ni bon mari, sachant qu'il privilégiait ses affaires. C'est tout de même lui qui me donna un jour ce conseil : « Il vaut la peine d'avoir une grande famille ; en fin de compte, c'est tout ce qui compte. »

Comme Kenneth, les fils Thomson furent inscrits au Collège Upper Canada. Pourtant, Roy aurait aimé que son petit-fils David étudie au Collège Eton, en Angleterre. En fin de compte, il traversa l'Atlantique, mais pour étudier à l'Université de Cambridge, où il obtint un diplôme en histoire en 1978. Comme son père, il est collectionneur d'art, à cette différence près qu'il a un faible pour les expressionnistes modernes. Il s'intéresse particulièrement aux toiles surréalistes du peintre suisse-allemand Paul Klee.

Alors que beaucoup d'héritiers dilapident leur fortune, Kenneth a pris soin de l'héritage qui lui a été transmis par son père. Il n'a pas fait comme Huntingdon Hartford, qui négligea la fortune familiale, dont faisaient partie les intérêts de la société Great Atlantic and Pacific Tea Company (supermarchés A & P) et perdit quelque 65 millions de dollars en investissant à tort et à travers à l'étranger. Kenneth ne fit pas non plus comme Tommy Manville, l'héritier de la fortune Johns-Manville d'Asbestos, qui s'est marié 13 fois... avec 11 femmes différentes. Manville, qui mourut en 1967, dépensa 1,25 million de dollars en frais de divorce. Son héritage était évalué à 10 millions de dollars.

Il est toujours difficile pour le fils d'un homme comme Roy Thomson d'être à la hauteur de la réputation du père, car tout le monde attend de lui qu'il soit l'égal de celui ou ceux qui l'ont précédé. Pour Kenneth Thomson, le défi est encore plus grand ; il n'a pas, en effet, la personnalité de son père. Son cas est typique de ces fils de millionnaires qui, en dépit de leurs richesses et de leurs pouvoirs, ne sont que de pâles copies des géants que leurs pères ont été.

Depuis la mort de Roy en 1976, les revenus de la société Thomson Newspapers en Amérique du Nord ont triplé, et ceux de l'I.T.O.L. ont quadruplé. Malgré cela, Kenneth n'a pas la réputation d'un Roy Thomson. Si cela l'ennuie, il n'en laisse rien paraître car il reste le plus fervent admirateur de son père. La plupart de ses associés ou de ses employés apprécient sa courtoisie et sa politesse, de même que l'autonomie qu'il leur laisse. Cela ne les empêche pas de croire, en général, que Kenneth n'a pas le feu sacré qui animait Roy Thomson dans tout ce qu'il entreprenait.

Denis Hamilton, qui ne cache pas son enthousiasme dès qu'il s'agit de parler de Roy Thomson, fait la pause, le temps d'avaler un sandwich, avant de répondre : « J'ai souvent vu, dans ma vie, des hommes d'affaires laisser en héritage à leur fils irresponsable l'entreprise qu'ils avaient créée. Leurs entreprises périclitent, puis disparaissent. Kenneth Thomson, pour sa part, poursuit dans la même ligne de visée que son père, cherchant à décentraliser la direction de ses sociétés. C'est un homme qui a une véritable conscience sociale. Cependant, on sait que jamais à ce jour, on n'a vu un surhomme succéder à un autre surhomme. »

Sidney Chapman, qui a bien connu tant le père que le fils, montre la même réticence à faire des comparaisons. « C'est une question délicate, dit-il. Ken est un homme intègre. Sur le plan financier, il n'a pas la finesse de son père, mais il sait faire de beaux discours et a pris la place qui lui revenait. Il a su administrer les sociétés de son empire avec justice, sans évincer ceux qui étaient en place. »

Rees-Mogg, comme Denis Hamilton, affirme que Kenneth Thomson manque de dynamisme, de cette fougue qui caractérisait son père, mais son opinion peut être biaisée parce qu'il s'était ouvertement opposé à la fermeture temporaire du *Times* en 1979, et à la vente du quotidien en 1981. Il n'a jamais caché qu'il en avait assez du problème des relations de travail ou des grèves qui sont, selon lui, une véritable plaie dans l'industrie britannique de la presse. « Kenneth Thomson ne serait jamais devenu multimillionnaire s'il n'était pas né riche, affirme-t-il. Il est gentil, mais manque de confiance en lui-même, ce qui n'est pas un atout pour un homme d'affaires. Il est d'éducation canadienne, ce qui complique les choses quand il s'agit de traiter avec des hommes d'affaires britanniques, dont la mentalité est radicalement différente. Son père avait horreur des syndicats et, sur ce point, il lui ressemble bien. Cependant, Roy vivait à Londres et participait à la bataille. Il pouvait changer le déroulement d'un conflit par sa seule présence ; Ken, avec toutes ses qualités, n'inspire pas la même peur sacrée. »

Ed Mannion est lui aussi d'accord pour reconnaître que Roy était plus entreprenant que Ken Thomson. « Roy était un joueur-né. Ken est le garçon parfait pour tenir le rôle d'héritier d'un empire comme celui des Thomson, mais il n'aurait sûrement jamais été capable de bâtir le sien propre. »

Les administrateurs actuels des sociétés de l'empire Thomson reconnaissent que Kenneth leur donne toute la latitude souhaitée. « Je n'ai jamais eu à me plaindre, prétend Gordon Brunton. Ce qu'il y a d'extraordinaire depuis la mort de Roy Thomson, c'est que nous avons été capables de poursuivre son travail, que Ken a eu le courage de déléguer ses pouvoirs et de donner l'autorité à des gens de confiance, dont la plupart avaient de toute façon été les collaborateurs de son père. »

Mais après avoir travaillé sous Roy et Kenneth, Gordon Brunton est à même d'affirmer que la seule chose qui appartint également au père et au fils, c'est leur nom de famille. « Roy n'était pas un interventionniste, mais il aurait pu l'être. Il était profondément convaincu, et c'est là une attitude toute victorienne, qu'il est immoral de gaspiller de l'argent. Selon lui, l'argent doit servir à traiter des affaires, toujours plus d'affaires. C'était un dur qui ne dédaignait pas le risque. Ken est beaucoup plus pondéré, plus humain : il s'intéresse aux arts et préfère laisser l'administration à ceux en qui il a confiance. »

Les administrateurs qui se sont joints à l'empire Thomson au cours des années 70 et 80 sont heureux de constater qu'on y vénère l'esprit d'initiative. Kenneth évite d'imposer son point de vue. Richard Groves, de la société International Thomson Business Press, dit : « Il agit comme un propriétaire qui refuse de s'engager afin de ne pas nuire à la croissance de son empire. »

Un autre administrateur américain, qui préfère garder l'anonymat, décrit ainsi les deux hommes : « Roy a bâti l'empire et sa confiance a grandi avec le nombre de ses victoires. Kenneth est plus réservé, moins hardi. Son but est d'abord de conserver cet empire et de le protéger. Il est entouré de lieutenants auxquels il n'a pas besoin de donner d'ordres. »

Même s'il le voulait, Kenneth serait incapable de s'engager dans tous les dossiers tant les dimensions de l'empire sont considérables. Certains administrateurs disent qu'ils ne voient le grand patron qu'une fois par an, d'autres moins encore. Il fallut quatre ans pour que Ken se décide à visiter le nouvel entrepôt de la société Thomson Book Service Limited, en banlieue de Londres, où tout est informatisé. Edward Monteith, président de la société Thomson-Monteith de Dallas, au Texas, dit n'avoir eu de nouvelles de Ken qu'une douzaine de fois en quatre ans, chaque fois parce qu'il y avait une affaire urgente à traiter. « Dans 90 p. 100 des cas, il me confie le dossier, me demande de me débrouiller puis de lui donner des nouvelles par la suite. »

Il arrive parfois que Kenneth lance ses propres projets, les soumettant à l'approbation de ses administrateurs ; il ne fait jamais de difficultés quand l'accueil est plutôt froid et abandonne, sans plus. C'est ce qui s'est produit il y a quelques années, alors que les journaux nord-américains avaient monté en épingle une affaire de kidnapping aux États-Unis concernant un jeune Mormon qui aurait tenu une femme captive. Edmund Fisher raconte : « Kenneth Thomson ne cachait pas son admiration pour les Mormons (il est baptiste) et s'inquiétait de l'impact que cela pouvait avoir sur l'opinion publique américaine. C'est pourquoi il proposa que la société Sphere, qui appartient aux Thomson, publie un livre sur les Mormons. Il me demanda de rencontrer quelques adeptes de cette secte religieuse afin d'en apprendre plus sur leur foi. Je dis sans détour que je publierais un tel livre si j'y étais forcé, puis j'ajoutai que j'étais convaincu qu'on ne couvrirait même pas les frais d'édition. Il me remercia avec insistance de m'être occupé de l'affaire et dit qu'il s'en tiendrait à mon conseil, suggérant en plus d'oublier toute l'affaire. »

Même s'il semble moins au courant des opérations quotidiennes de ses sociétés que son père ne l'était, Kenneth reste disponible pour qui a une bonne affaire à proposer. « Lorsque j'ai dernièrement entendu parler de plusieurs revues qui étaient à vendre, raconte Leroy Keller, j'ai tout de suite pensé à l'International Thomson Business Press. J'ai donc téléphoné au bureau de la Thomson Newspapers, à Toronto, et j'ai demandé à qui je devais parler du projet. C'est alors qu'on me mit directement en communication avec Kenneth Thomson. » C'est ainsi que ce courtier new-yorkais put traiter avec le grand patron de l'empire.

Kenneth est capable des sentiments les plus tendres, mais sait aussi être dur. Son amour pour son terrier Shetland blanc n'a d'égal que celui qu'il voue à sa famille. Inconditionnel de la Humane Society (qui s'occupe de défendre les droits des animaux), Kenneth fit l'acquisition de Gonzo au chenil de la société. Il se fait un devoir de l'accompagner chaque jour à l'heure de la promenade. Alors qu'il préfère garder ses distances en public, en général du moins, Kenneth n'hésite pas à aborder un inconnu qui promène son chien pour parler... d'animaux domestiques. Il se plaît à chercher à convaincre ses amis d'adopter des animaux de la Humane Society.

Il y a d'autres exemples de sa sentimentalité. C'est ainsi qu'il fit remplacer la pierre tombale du peintre Krieghoff à Chigago, dont l'inscription était presque illisible. Une fois la réplique mise en place, on lui fit cadeau de la pierre tombale originale, qu'il garde précieusement au sous-sol de l'édifice Thomson, à Toronto. Il a préféré ne pas l'exposer avec les tableaux du peintre, dans sa galerie.

Kenneth sait aussi être un ami fidèle. L'un de ceux qui put bénéficier de ses bontés, Bill Kennedy, est vendeur d'automobiles à Burlington, en Ontario. Ken Thomson est d'ailleurs l'un de ses clients. Bill Kennedy est le beau-frère de la réalisatrice Betty Kennedy, la veuve de son frère, qui épousa Allan Burton à l'époque où ce dernier était directeur de la compagnie Simpsons. Burton quitta son poste au moment où Kenneth fit l'acquisition de Simpsons en prenant le contrôle de la Compagnie de la baie d'Hudson. Il y a 13 ans, Bill, le fils cadet de Bill Kennedy, donna les premiers symptômes de la maladie de Hodgkins. « Ken téléphonait une fois par semaine, lorsqu'il était à Toronto, pour demander des nouvelles de Billy, raconte Bill Kennedy. À cette époque, Ken passait la moitié de l'année à Londres et quand il revenait à Toronto, il ne se passait pas 24 heures avant qu'il n'appelle Billy. Plus tard, il s'arrangea pour que Billy puisse obtenir à prix d'aubaine tous les livres dont il avait besoin pour ses études au collège. »

Bill Kennedy raconte une autre histoire au sujet de Kenneth : « À la mort de Roy, je lui demandai si je pouvais acheter quelque chose qui avait appartenu à son père. (Bill ne précise pas ce dont il s'agit.) Chaque fois que je le rencontrais, je lui demandais à nouveau quand je pourrais prendre possession de ce que je souhaitais avoir et finalement, au cours de l'été 1983, Ken me téléphona pour me dire qu'il avait obtenu ce que je souhaitais. Il m'a demandé quel était le prix que je consentais à payer et me dit de faire un chèque au nom de mon fils Danny, qui est inscrit à une école pour enfants sourds, à Washington. » Comme Danny bénéficie déjà d'une bourse gouvernementale dans le cadre d'un projet d'aide aux handicapés, Bill Kennedy pria Ken de l'autoriser à utiliser l'argent pour défrayer le coût des études de sa fille.

Les autres épisodes philanthropiques de la vie de Ken Thomson sont moins remarquables. Le cas du Roy Thomson Hall continue à défrayer la chronique, à Toronto. Les responsables du projet ont maintes fois répété que le don de 4,5 millions de dollars de la famille Thomson était fait sans conditions, même pas celle que l'édifice porte le nom de Roy Thomson (qui n'aimait pas la musique classique de toute façon). Le plus bizarre, c'est que l'édifice porte le nom du magnat, même si le montant déboursé par les Thomson représentait une faible partie des 42 millions de dollars nécessaires à la construction de la salle de concert, dont 25,5 millions ont été payés par les contribuables ontariens. Beaucoup de gens auraient préféré qu'on donne le nom d'un musicien classique au Roy Thomson Hall. Plusieurs donateurs ont fourni les 12 millions de dollars pour combler le déficit du projet, certains ayant offert bien plus que la somme engagée par la famille Thomson.

C'était la première fois, à Toronto, qu'une salle de concert portait le nom d'un donateur qui n'avait pas payé au moins la moitié des coûts de construction. Ainsi, par exemple, le Massey Hall avait été payé en totalité par la famille Massey. En plus de cela, les promoteurs du projet ont accepté que les dons leur soient faits en cinq versements annuels, ce qui réduit d'autant les sommes consenties, compte tenu de l'inflation.

Si la plus grande salle de concert de Toronto porte le nom de son père, cela n'incite nullement Kenneth à assister plus souvent à des concerts classiques. Son intérêt pour les paysages de Krieghoff ne se traduit pas non plus par un amour inconsidéré de la nature. C'est du moins ce que prétend Vladimir Raitz, un Londonien à qui l'empire Thomson doit ses intérêts dans des sociétés de voyages. « L'année où la société Thomson Travel inaugura sa ligne vers la Yougoslavie, nous étions 80 personnes à bord de l'avion, dont Roy Thomson, Kenneth Thomson et son épouse, Gordon Brunton et moi-même. Nous nous sommes rendus à Dubrovnik. Parmi les festivités prévues à Dubrovnik, il y avait une visite organisée qui nous mena jusque dans la campagne avoisinante. J'étais dans le même autobus que Kenneth. Le paysage était à vous couper le souffle, mais Kenneth ne daigna pas lever les yeux, plongé qu'il était dans un roman policier. Il est comme son père, qui avait un faible pour ce genre de littérature. Tout le temps du voyage, il n'a jamais regardé par la fenêtre. » Roy Thomson, à l'occasion d'un voyage d'affaires en Israël, avait refusé de prendre part à une excursion de quatre jours parce qu'il voulait être de retour sans délai à son bureau de Londres.

Les tableaux de Krieghoff rappellent sans doute les paysages de North Bay. Kenneth se dit attaché au pays de son enfance, mais c'est la nature qui lui plaît, et non les gens. En 1981, lorsque l'Empire Hotel de North Bay — où Roy Thomson rencontrait souvent d'autres hommes d'affaires —, connut une période financière difficile, Robert Marshall téléphona à Kenneth pour lui demander s'il était prêt à endosser l'hôtel pour un emprunt. « Il me répondit qu'avec les taux courants du loyer de l'argent, il était normal que les créanciers cherchent à récupérer leur bien. » Il est vrai qu'il faut comprendre que Kenneth ne peut pas céder à tous ceux qui viennent frapper à sa porte. Toutefois, sans son aide, les administrateurs de l'Empire Hotel se sont bien tirés d'affaire.

L'aventure du Roy Thomson Hall, qui peut être justifiée par le désir qu'avait Kenneth d'édifier un monument à la mémoire de son père autant que par un sens quelconque du devoir civil, fait exception. Kenneth Thomson croit aussi peu en la charité publique que son père. La fondation Thomson n'est d'ailleurs pas une création de Roy. Elle a été mise sur pied pour venir en aide à une municipalité du pays de Galles. Elle est due aux efforts de Gordon Brunton, qui est convaincu que l'État doit jouer le rôle de pourvoyeur de biens et services. Les déboursés réalisés par la société I.T.O.L. en faveur de la ville de Neath, située près de Cardiff, est une preuve indéniable de la détermination dont Brunton sait faire preuve même quand ses idées vont à l'encontre de celles des Thomson ; elle montre aussi sa puissance et son influence au sein de l'empire, tout comme son ingéniosité et son habileté.

Même si la situation économique de la ville de Neath est catastrophique — 20 p. 100 des travailleurs étaient au chômage en 1981, année où Brunton décida d'intervenir pour aider ses 66 000 habitants —, les maisons n'ont pas l'air de taudis. Avec une fierté toute galloise, les propriétaires peignent les volets de couleur voyante et décorent leurs fenêtres de rideaux blanc neige. Pour convaincre Kenneth Thomson de venir en aide à cette communauté, Brunton rappela que le journal local appartenait à l'empire Thomson. Plus encore, Brunton fit preuve de génie en ayant l'idée de prêter un employé à la municipalité au lieu de faire un don en argent. Celui-ci devait agir comme conseiller auprès de l'administration pour favoriser le redressement économique de la communauté. Finalement, c'est ce qui fut le plus utile. L'employé de la société I.T.O.L. était Jeremy Filmer-Bennett, qui avait occupé le poste de directeur du personnel à la société Thomson Directories ; c'est un homme à l'esprit vif, qui a des idées comme d'autres ont des boutons ! Après avoir mis sur pied un conseil de type coopératif formé de gens qui avaient à coeur l'avenir de leur ville, il promut la mise sur pied de petites entreprises. On retrouvait parmi celles-ci un atelier de menuiserie, installé dans une manufacture abandonnée, un centre de la haute technologie et un bureau du tourisme qui établit un programme pour promouvoir les attraits touristiques de la région, ses nombreux canaux et son abbaye du XIIe siècle. Selon Filmer-Bennett, il y aura 1 500 nouveaux emplois de créés d'ici 1986, ce qui représente un nombre équivalent au tiers du total des emplois perdus à Neath depuis 1981.

Le succès de ce programme a valu une publicité monstre à la société I.T.O.L. même si elle n'est pas la seule firme associée au projet ; c'est dû au fait que l'homme à tout faire, celui qui est en charge du projet, est l'un de ses employés. Mais Filmer-Bennett et la ville de Neath méritent tout le bien qu'on dit d'eux. Aucune des petites entreprises qui ont été créées n'ont encore connu de difficultés financières, alors que les statistiques montrent qu'en Grande-Bretagne, 60 p. 100 des entreprises de ce type font faillite avant leur premier anniversaire. Avec l'aide de Filmer-Bennett, les membres du conseil municipal ont fait des pieds et des mains pour décrocher des contrats gouvernementaux et battre de vitesse les administrateurs des villes concurrentes. Cela leur a permis de mettre sur pied un centre de la haute technologie. Il fallait agir vite parce que les fonds offerts par le gouvernement étaient limités. Au début de 1984, l'I.T.O.L. a décidé de continuer à appuyer le projet pendant une année encore, jusqu'en décembre 1985. Cependant, avec le départ prématuré de Brunton, on peut se demander si l'aide de l'I.T.O.L. se perpétuera au-delà de cette date.

Le projet de Neath n'était pas une idée de Kenneth Thomson. S'il y a des gens comme Bill Kennedy qui l'admirent pour sa générosité, il s'en trouve qui haïssent l'homme d'affaires. Un journaliste qui travaillait pour le compte d'un quotidien américain appartenant aux Thomson et où l'on connut plusieurs grèves sauvages à cause de différends sur les questions salariales, accuse Kenneth Thomson de mener une politique « sans pitié. Il est de ceux qu'on devrait bannir du monde du travail. »

Plusieurs journalistes canadiens n'oublieront pas le commentaire que fit Kenneth en août 1980, lors de la fermeture du quotidien *Ottawa Journal*, à la suite de laquelle 375 personnes perdirent leur emploi : « À chacun de trouver sa voie en ce monde. » La société

Thomson Newspapers ne fit aucun effort pour aider ses anciens employés à se trouver de nouveaux postes. La société Southam Incorporated ferma elle aussi le *Winnipeg Tribune* le jour même où Thomson abandonnait le quotidien d'Ottawa ; ses administrateurs adoptèrent toutefois une attitude tout autre. (L'action de l'une et l'autre société élimina la concurrence tant à Winnipeg qu'à Ottawa, chacune étant dorénavant seule sur son territoire.) Ceux-ci annoncèrent qu'ils allaient aider les employés mis à pied à Winnipeg à trouver de l'emploi dans les autres quotidiens et revues de la société. Les locaux du journal *Winnipeg Tribune* servirent temporairement de bureau d'emploi. Moins d'un mois plus tard, la société Thomson Newspapers remercia un nouveau groupe de 61 employés alors que le *Times* et le *Daily Colonist*, deux journaux de la ville de Victoria, en Colombie britannique, fusionnèrent sans qu'on ait consulté au préalable les employés, principaux intéressés.

À cause de l'ampleur de l'empire de presse que Roy Thomson a édifié tant en Amérique du Nord qu'au Royaume-Uni, il serait impossible pour son fils de faire le tour de toutes les sociétés qui le composent. De toute façon, cela ne semble pas l'intéresser. Par ailleurs, il a une mauvaise habitude qui semble n'appartenir qu'aux propriétaires de journaux et autres éditeurs, qui est d'éviter les entrevues ; on croirait qu'ils ne comprennent pas que c'est sur ce genre de collaboration que repose toute l'entreprise de la presse. (Ken serait bien embêté si tous les gens célèbres en faisaient autant !) En 1979, alors que Ken interrompit la publication du *Times* et du *Sunday Times* à la suite d'un conflit de travail, les membres du *Sunday Times Reporter*, journal du syndicat des employés, déléguèrent la journaliste Susan Raven pour faire un reportage sur Kenneth Thomson. Elle avait déjà réalisé plusieurs entrevues du même type sur bon nombre de personnalités. Kenneth était à Toronto et elle décida de lui écrire pour lui proposer une entrevue par téléphone. Peu de temps après, elle prit la liberté de lui téléphoner directement. Voici comment elle relate, pour le bénifice des lecteurs du *Sunday Times Reporter*, la conversation qu'elle eut avec son grand patron :

> S.R. : « Est-ce que je suis bien au bureau de Lord Thomson ? »
> Une voix d'homme : « Oui. »
> S.R. : « Est-il possible de parler à Lord Thomson ? »

Une voix d'homme : « C'est moi-même. »

S.R. : « Je téléphone pour voir si vous avez reçu la lettre que je vous ai adressée. J'écrivais pour solliciter une entrevue au téléphone. »

Lord Thomson : « J'ai bien reçu votre lettre et je vous ai déjà répondu, Mademoiselle Raven, pour indiquer que je préfère éviter toute publicité personnelle en ce moment. »

S.R. : « Oh ! mais il ne s'agit pas de raconter votre vie ou de passer au crible vos idées politiques. Je n'ai pas l'intention de parler de relations de travail, à moins que *vous* n'ayez quelque chose à dire de particulier sur le sujet. Mon travail consiste à mieux faire connaître aux lecteurs les gens que j'interroge. »

Lord Thomson : « Eh bien, Mademoiselle Raven, j'apprécie ce que vous me dites et j'aimerais vous faire comprendre combien j'apprécie le travail que vous faites, vous, les journalistes. Vous ressentez sans doute les mêmes sentiments que le peintre qui se trouve devant une toile blanche. J'essaie de vous redire textuellement ce que j'ai écrit dans ma lettre, et ça ne me fait rien de me répéter : je préfère autant que possible qu'on ne parle pas de moi. »

Il fallait bien que Kenneth Thomson soit un collectionneur d'art pour comparer la feuille blanche d'un journaliste à la toile d'un artiste ! Mais s'il resta courtois tout au long de la conversation, le résultat ne changea pas. Quelles que soient les circonstances, qu'il doive rejeter une demande comme celle de Susan Raven ou qu'il subisse une véritable tempête de protestations, Kenneth ne bronche pas. Il n'a jamais renié son opinion ; jamais il ne se sert de Gordon Brunton ou de John Tory pour se mettre à l'abri. « Kenneth Thomson n'est pas un homme timide, affirme James Leisy, directeur de la société Wadsworth Incorporated qui publie, à San Francisco, des livres destinés aux maisons d'enseignement. Quand il le faut, il parle avec spontanéité et sincérité. J'étais à Londres à l'époque du conflit aux journaux *Times* et *Sunday Times* lorsque Kenneth fit face aux journalistes. Gordon Brunton n'avait pas prévu son intervention, mais il décida de son propre chef de prendre la parole, ce qu'il fit avec conviction et ferveur. »

Beaucoup de magnats de la haute finance collectionnent les titres de directeur ou de président comme Kenneth Thomson collectionne les tableaux de Krieghoff. Il ne fait cependant partie que de deux conseils d'administration en dehors des sociétés appartenant à son empire. Il siège au conseil de la banque Toronto-Dominion depuis 1970, alors que celle-ci avait accordé son aide financière à la société Thomson Newspapers lors de l'achat de plusieurs journaux américains. Le directeur actuel de la banque, Richard Thomson (qui n'a aucune parenté avec la famille de Kenneth) s'entend mieux avec John Tory, qui siège par ailleurs à un autre conseil d'administration, celui de la Banque Royale, qui a aussi traité avec les sociétés de l'empire Thomson. Dick Thomson et John Tory se sont connus alors qu'ils étaient adolescents et fréquentaient le Rosedale Golf Club. Ils sont bons amis depuis. Pendant un temps, ils partaient ensemble en vacances. Maintenant, ils s'en tiennent à quelques parties de golf au cours de l'été, le gagnant des premiers neuf trous payant les hot-dogs et les boissons gazeuses à la pause et le perdant des neuf trous suivants payant la tournée à la fin du match.

Kenneth fait aussi partie du conseil d'administration de la société Abitibi-Price. Son directeur, Robert Gimlin, habite à quelques minutes de la résidence des Thomson ; son caniche noir s'entend particulièrement bien avec le terrier de Kenneth. Les liens qui unissent la famille Thomson à la société Abitibi-Price remontent aux premiers temps de l'empire, alors que Roy bénéficiait de l'aide des directeurs de la société. L'Abitibi-Price était en effet propriétaire du seul permis de radiodiffusion de la ville de North Bay, qu'elle avait acquis afin de diffuser des émissions dans les camps de bûcherons de la région. Avec l'avènement du téléphone, la société n'avait plus besoin de son permis et accepta de le louer à Roy Thomson pour un an... et un dollar. Au bout de ce délai, comme les administrateurs de l'Abitibi-Price jugeaient qu'ils n'avaient toujours rien à faire du permis, ils en firent cadeau à Roy Thomson. En échange, celui-ci commandait le papier de son journal au moulin de la société au lieu de le faire venir de Toronto. Roy finit naturellement par obtenir une place au sein du conseil d'administration, que Kenneth reprit en 1970. Si John Tory siège au même conseil, ce n'est qu'une coïncidence puisqu'il en hérita lui aussi de son père à la mort de ce dernier, en 1965.

L'union d'intérêts entre les Thomson et l'Abitibi-Price est donc plus ancienne que l'amitié qui unit Robert Gimlin et Kenneth Thomson. Aujourd'hui, ce sont les affaires qui ont la priorité. En 1981, les sociétés Thomson Newspapers et Abitibi-Price créèrent un consortium pour l'administration d'un moulin à Augusta, en Géorgie. L'idée d'unir les intérêts de plusieurs journaux et ceux d'une société papetière n'était pas nouvelle ; le même genre d'association existe entre la société Knight-Ridder et le *New York Times*. Gimlin déclara que le projet nécessitait un investissement de l'ordre de 50 millions de dollars de la part de la société Thomson Newspapers, somme qui servit à la modernisation et à l'agrandissement de l'usine. À ce moment-là, l'Abitibi-Price était incapable de fournir la somme requise. Naturellement, les journaux de l'empire Thomson font venir une bonne partie du papier dont ils ont besoin du moulin d'Augusta plutôt que des moulins canadiens de l'Abitibi-Price. « Quand on réalise ce genre d'association, explique Gimlin, on doit savoir faire confiance aux gens. »

La bonne volonté des deux parties est un facteur important dans la réussite de l'entreprise. Quelques mois plus tard, précisément, la société Thomson Newspapers ne réussit pas à prendre le contrôle de l'Abitibi-Price, perdant l'affaire au profit de la société Olympia and York Developments Limited, le plus grand courtier en immeubles au monde. Ralph Reichmann, l'un des trois frères qui administrent la firme torontoise, est aujourd'hui le plus jeune membre du conseil d'administration de l'Abitibi-Price. Jusqu'alors, cet honneur revenait à John Tory.

C'est par ailleurs Tory qui était à l'origine de la tentative de prise de contrôle de l'Abitibi-Price par les sociétés Thomson, comme c'est lui qui lança l'affaire de la Compagnie de la baie d'Hudson. Des trois lieutenants actuels que compte l'empire — Brunton à Londres, Michael Brown, qui est son assistant à New York, et Tory à Toronto — c'est ce dernier qui détient le plus de pouvoir. Cela ne vient pas seulement du fait que son bureau est situé en face de celui de Kenneth Thomson. En réalité, il est le seul à faire partie des conseils d'administration des sociétés de portefeuille de la famille Thomson. Il est aussi le seul à occuper une position importante au sein des sociétés Thomson Newspapers et I.T.O.L. (il est directeur adjoint dans les deux cas) et participe, avec Kenneth, à l'administration de la Compagnie de la baie d'Hudson. Tory compte aussi un autre avantage, celui d'être l'ami de Kenneth Thomson. Le jour du soixantième anniversaire de ce dernier, il fit imprimer une fausse première page qu'il plaça sur l'édition du *Globe and Mail* de Kenneth. Ce matin-là, lorsqu'il lut les grands titres du journal, Kenneth dut se demander un instant s'il était possible que ses éditeurs aient l'audace de publier un tel texte en première page (ce qui n'était naturellement pas le cas). Jamais Brunton ou Brown n'auraient osé faire ce genre de blague.

En fin de compte, ce qui différencie Brunton, Brown et Tory, c'est que les deux premiers sont des administrateurs professionnels qui ont pour tâche de veiller aux intérêts de l'empire, alors que le dernier est surtout un fidèle second, qui s'occupe de filtrer les appels téléphoniques et d'évaluer les idées qui lui sont soumises, décidant chaque fois s'il vaut la peine de déranger le grand patron. Les trois hommes se complètent toutefois d'une merveilleuse façon. C'est grâce aux connaissances juridiques de Tory que la société Thomson Newspapers réussit à se tirer d'affaire lors des poursuites intentées par le gouvernement fédéral à la suite des fermetures simultanées des quotidiens *Ottawa Journal* et *Winnipeg Tribune*, en 1980. Brunton est l'homme aux idées nouvelles et Brown, un ultraconservateur grâce auquel on arrive à contrôler l'expansion rapide des filiales aux États-Unis.

Selon ceux qui ont vu l'équipe Thomson-Tory en action, c'est Tory qui semble le maître, alors que Kenneth est plus tranquille, voire humble, toujours inquiet de faire ce qui doit être fait et de gagner toujours plus d'argent. Il sait écouter tout ce qu'on a à lui dire avant de prendre une décision. À l'inverse, Tory, toujours sociable, « donne l'impression qu'il subit une pression énorme, comme s'il portait le monde sur ses épaules ». Il réagit à la vitesse de l'éclair et ne manque jamais une occasion de se faire valoir, sachant tirer parti des meilleures idées et trouver les solutions les plus efficaces.

John Tory fait partie d'une famille où l'on prise le succès. Il porte des lunettes, a une voix grave et sonore, et un tempérament facile. Son père, John S.D. Tory, fonda la firme torontoise d'avocats Tory, Tory, Des Lauriers & Binnington qui est devenue l'une des plus importantes en son genre au pays. C'était un homme d'affaires de grande envergure : « Il savait où il allait, affirmait Ted Rogers, et dirigeait sa société d'une main de fer. » Ted Rogers a travaillé pour le compte de cette firme avant de lancer sa propre entreprise de câblodistribution, connue aujourd'hui sous le nom de Rogers Cablesystems. Il poursuit : « Son chauffeur le prenait à 6 h 15 du matin et le conduisait à son domaine, au nord de Toronto. La famille possédait aussi une villa. Lorsque deux de ses clients avaient un différend, il les convoquait et s'arrangeait pour que tout se règle à l'amiable. » Il se maria deux fois et divorça après 30 ans de mariage.

John Tory a un frère jumeau qui, comme lui, a réalisé de brillantes études. John et Jim obtinrent tous deux leur diplôme collégial à l'âge de 16 ans, avec la note A, puis étudièrent à la faculté de droit de l'Université de Toronto, où ils terminèrent leurs études à l'âge de 22 ans. Les jumeaux étaient membres du *Law Club* qui voit aux intérêts des étudiants, organise des rencontres sportives et des activités sociales. John fut vice-président du Club alors qu'il était en deuxième année. Les deux frères jouaient au hockey et on lit, à côté de leurs noms dans le *Torontonensis 1952*, qu'ils espèrent un jour « pratiquer le droit en Ontario ».

Selon Ted Rogers, même s'ils ont tous deux été des premiers de classe, les jumeaux Tory ne se ressemblent pas tant qu'on pourrait le croire. « Jim est un tantinet plus frivole. Il n'a pas le sens de l'organisation de son frère ni autant d'ordre. John a l'air d'un rat de bibliothèque. Jim, au contraire, fait moins sérieux et serait plutôt le genre à fréquenter des salons. » Les jumeaux mènent un grand train de vie, encore qu'il ne se compare pas à celui de leur père. John possède une piscine et garde dans sa salle de bain une bicyclette d'exercice sur laquelle il pédale pendant 20 minutes chaque jour... en regardant la télévision.

Les Tory se sont joints à la firme de leur père, où Roy Thomson était client. Le quart du travail qu'effectuait John concernait des sociétés appartenant à l'empire Thomson. En 1973, John quitta la firme (dont il reste toutefois associé) pour travailler avec Kenneth. Il est depuis devenu son conseiller. Le grand patron de l'empire n'est pas le seul qui fasse à ce point confiance à John. Rogers s'adresse souvent à lui, d'autant plus qu'il fait partie du conseil d'administration de la société Rogers Cablesystems. « Je ne fais rien qui soit important sans avoir consulté John au préalable, parce qu'il sait comprendre les choses sans s'imposer, affirme Rogers. Les nouvelles idées lui plaisent et il prend le temps de les analyser au lieu de les rejeter du revers de la main. »

Selon Rogers, Kenneth a fait un bon choix en retenant les services de John Tory parce que « c'est un homme extrêmement habile, qui va toujours au fond des choses, qui s'intéresse aux autres et qui n'est jamais arrogant ». Cette opinion est partagée par Robert Smith, de la société Talcorp (dont John Tory est membre du conseil d'administration) : « Il a un tel sens de l'éthique que tout le monde lui fait confiance. C'est un esprit pratique. Il travaille dur, mais cela ne l'empêche pas de s'amuser à l'occasion ; il sait détendre l'atmosphère en faisant quelques blagues. »

Au contraire de Kenneth Thomson et de son épouse, Marilyn, John Tory et Elizabeth courent les réceptions et ont une vie sociale particulièrement active. Elizabeth Tory, qui est copropriétaire d'une agence de voyages à Toronto avec Robert Smith, est aussi directrice du festival Shaw et de l'Orchestre symphonique de Toronto. Son époux siège au conseil de l'Institut de psychiatrie Clarke de Toronto et est administrateur honoraire de l'Association canadienne pour la santé mentale.

Les enfants de John Tory ont aussi connu quelques succès remarquables. John junior, le fils aîné qui a aujourd'hui 29 ans, était le principal adjoint de l'ancien Premier ministre de l'Ontario William Davis. Il poursuit une carrière qui le mène sur les traces de son grand-père, J.S.D. Tory, qui a travaillé pour le Parti progressiste conservateur. Deux autres fils Tory travaillent dans le monde des affaires. Jeffrey est conseiller pour le compte de la société Burns Fry Limited de Toronto et Michael travaille chez S.G. Warburg & Company Limited, courtier de Londres qui collabore depuis longtemps avec les administrateurs des sociétés de l'empire Thomson au Royaume-Uni.

En plus d'avoir mis Kenneth sur la piste de l'affaire de la société Abitibi-Price, c'est John Tory qui a aussi suggéré de faire une offre pour acheter la société F.P. et la Compagnie de la baie d'Hudson. Dans les deux cas, ce fut de mauvaises affaires. L'achat de la chaîne F.P. a forcé Kenneth à fermer les bureaux du quotidien *Ottawa Journal*, dans un contexte si peu clair que le gouvernement a créé une commission royale d'enquête. Les sociétés Thomson étaient accusées d'avoir conspiré avec la société Southam Press pour exercer un monopole. Même si le quotidien *Globe and Mail*, l'ancien fleuron de la chaîne F.P., accrut de 30 000 le nombre de ses lecteurs en 1980-81, c'est-à-dire lors de la première année de filiation avec l'empire Thomson, les réjouissances furent de courte durée. Les deux années suivantes, le nombre des lecteurs baissa de 40 000. Quant à l'achat de la Compagnie de la baie d'Hudson, il força les Thomson à vendre les actions de leurs deux principales sociétés de portefeuille, la Woodbridge Company et la Thomson Equitable Corporation afin de réduire l'importante dette qu'ils avaient dû contracter pour compléter la transaction.

En 1983, les Thomson, qui avaient jusque-là possédé 82 p. 100 des actions de la société I.T.O.L., n'en détenaient plus que 73 p. 100 après s'être départis de 6,4 millions d'actions, toutes revendues au Canada. Selon les chiffres compilés par les spécialistes de la firme Wood Gundy Limited de Toronto, la vente a rapportée 76 millions de dollars et la famille garde toujours 100 millions d'actions, qui représentent à elles toutes une somme de 1,2 milliard de dollars. Ted Medland, directeur de la firme, calcule que les Thomson ont dû dépenser 20 millions de dollars pour réduire la dette causée par l'achat de la Compagnie de la baie d'Hudson, le reste des bénéfices de la vente d'actions ayant dû servir à faire des nouvelles acquisitions, surtout aux États-Unis.

La baisse des intérêts de la famille Thomson dans la société I.T.O.L. suivit de quelques mois la vente de 10 p. 100 de leurs actions de la société Thomson Newspapers. Cette fois-là aussi, l'argent ainsi réuni avait servi à réduire la dette causée par la prise de contrôle de la Compagnie de la baie d'Hudson. Toujours selon Medland, les Thomson ont attendu quatre ans avant de vendre leurs actions parce qu'à l'époque de la transaction, elles étaient sous-évaluées. Il semble qu'on ne doive pas s'attendre à ce que la famille cède d'autres actions : « Toutes les actions que les Thomson détiennent peuvent facilement être revendues, ce qui explique que ces gens-là n'ont aucune raison de s'inquiéter. »

Il est certain que Kenneth Thomson prend plaisir à être propriétaire de la Compagnie de la baie d'Hudson. Il le prouve en fréquentant ostensiblement les magasins de Toronto en compagnie de son fils, digne héritier de la dynastie des Thomson. David, c'est son nom, brille par son intelligence et sa volonté ; relations d'affaires et amis de la famille prétendent qu'il ressemble plus à son grand-père qu'à son père. Les administrateurs de la Compagnie de la baie d'Hudson ont préparé un programme de formation de six mois pour David, qui débuta en 1982, afin de lui permettre de connaître dans le détail les affaires de la compagnie, de la vente des fourrures aux magasins de détail. David passera une semaine dans chaque département. Il a affirmé, quant à lui, qu'il préférerait gagner un peu d'expérience comme vendeur au détail, puis mériter ses galons comme assistant du directeur de l'un des magasins de Toronto ; par la suite, il envisagerait de prendre la direction du magasin du quartier ouest de la ville, au Cloverdale Mall.

Roy Thomson a toujours souhaité que les affaires de l'empire soient dirigées par son fils et ses descendants, à l'exclusion des filles. Pour l'instant, Peter est trop jeune pour prendre la barre ; David et Peter sont les seuls garçons parmi les sept petits-enfants de Roy Thomson. On ignore encore ce qui se produira lorsque Peter sera en âge de prendre le poste qui lui revient, car ce sera la première fois que deux membres de la famille Thomson se retrouveront simultanément à la tête de l'empire. On dit que Peter s'intéresse plus au monde de l'informatique qu'à celui de la haute finance. Il y a aussi un autre membre de la famille qui lorgne du côté des affaires du grand-père, Ronald Dawick, qui a épousé la nièce de Kenneth, Linda. Dawick se fit un devoir de travailler pour le compte d'un étranger avant de se joindre aux sociétés de voyages appartenant aux Thomson.

La fille de Kenneth, Lynne, qui a passé son examen de courtier en titres boursiers en Ontario, travaille aujourd'hui pour le compte de la firme McLeod Young Weir Limited de Toronto. Lynne est très jolie et songe à faire carrière comme mannequin. Il lui arrive souvent d'accompagner son père lorsqu'il est en voyage d'affaires, comme le fait sa mère d'ailleurs. Mais il n'y a en réalité qu'une femme Thomson qui soit directement engagée dans les affaires de l'empire. Il s'agit de Sherry Brydson, qui a 36 ans, fille de la soeur défunte de Kenneth, Irma. Sherry réinvestit les 4,5 millions de dollars qu'elle hérita de Roy Thomson dans le Elmwood Women's Club de Toronto, et possède aussi des intérêts dans le secteur pétrolier et gazier ainsi que dans une société d'import-export dont le siège social est en Asie du Sud-Est. Son sens des affaires ne lui a pas fait perdre son sens de l'humour. Lorsqu'elle épousa le journaliste Paul MacRae, elle eut l'idée de faire annoncer la nouvelle par un faire-part bien spécial, qui se présentait sous forme de journal et portait le titre de *Capitulator.*

Lorsque Kenneth était tout jeune homme, son père dit un jour de lui : « C'est un bon garçon, mais je m'inquiète un peu de son manque d'intérêt. » Kenneth n'avait sans doute pas encore eu l'occasion de faire montre d'esprit d'initiative, lui qui collectionne maintenant les grandes sociétés et les peintures à l'huile. Il y a neuf ans que Roy Thomson est mort et depuis, son empire s'est étendu aux États-Unis d'une part, et dans des secteurs autres que celui de la presse d'autre part. La prise de contrôle de la chaîne F.P. et l'achat de la Compagnie de la baie d'Hudson sont sans doute les deux grands moments de cette diversification. Toutefois, selon Kenneth, la période de transition n'est pas encore terminée. Une chose est sûre cependant : si l'empire doit encore changer, quelles que soient les transformations requises au cours des années qui viennent, il sera toujours dirigé par un Thomson.

6
La direction de l'empire

L'empire Thomson tel qu'il existe aujourd'hui est un monde de contradictions. D'une part, on encourage la décentralisation et l'esprit d'entreprise alors qu'en même temps, d'autre part, on exige des administrateurs qu'ils s'en tiennent à des budgets serrés, sans jamais accepter aucun écart ; voilà qui pousse plus à la prudence qu'au risque. En Amérique du Nord, les dépenses de toutes les sociétés de presse sont limitées autant que faire se peut tandis qu'on dépense par ailleurs des millions de dollars pour faire de nouvelles acquisitions, que ce soit dans le domaine de la presse ou dans d'autres secteurs de l'économie. Les bureaux des directeurs des sociétés I.T.O.L. et Thomson Newspapers sont richement meublés, alors que les employés des quotidiens se plaignent de manquer de carnets de notes et de devoir travailler sur du papier brouillon. La décentralisation, qui fait l'enthousiasme de la plupart des administrateurs de l'empire, n'empêche pas que le contrôle des affaires reste dans les mains d'un seul homme : Kenneth Thomson. Parmi les directeurs, ceux qui réussissent bien ont des salaires faramineux mais, ce qui est étonnant, les primes de séparation sont tout aussi généreuses.

Bien que la société I.T.O.L. ait son siège social à Toronto, dans l'édifice Cadillac Fairview, en face des bureaux de la société Thomson Newspapers, le trésorier, Alan Lewis, est l'administrateur de plus haut rang. En réalité, l'I.T.O.L. est dirigée de Londres par Brunton ; les opérations nord-américaines dans le domaine de l'édition et l'exploration pétrolière et gazière dépendent de New York. Les bureaux de la métropole américaine doivent toutefois rendre des comptes à ceux de Londres. C'est ainsi que la direction de l'I.T.O.L. se limite à une centaine de personnes. Selon Brunton, « lorsqu'on considère le rapport qui existe entre le chiffre d'affaires et le nombre des administrateurs de premier rang, l'International Thomson Organisation est sans doute, de toutes les sociétés internationales, celle dont le siège social est le moins important ».

Les bureaux de Londres, à Thomson House, ont une classe qu'on ne retrouve ni à New York ni à Toronto. Une petite plaque en or, au numéro 4, Stratford Place, petite rue à proximité de l'intersection des rues Oxford et Bond, au centre du quartier des boutiques chic, annonce le siège social de L'I.T.O.L. L'édifice n'est pas une tour à bureaux, comme le Cadillac Fairview à Toronto ou le Manufacturers Hanover, situé sur la rue Broadway à la hauteur de la 50e rue, à New York. C'est un bel édifice de cinq étages, de style Régence, dont la construction remonte à 1790. Il fut bâti pour le compte de Sir George Yonge, membre du Parlement. Entre 1848 et 1890, la banque London and Westminster y avait son siège social ; par la suite, elle déménagea au numéro 1 de la même rue. À la porte des bureaux de l'I.T.O.L., on trouve stationnée en permanence une Bentley vert foncé, avec chauffeur, que la société met au service de ses directeurs.

À l'intérieur de l'édifice, la réceptionniste et un garde de sécurité reçoivent les visiteurs. À gauche de l'entrée se trouve la salle du conseil, qui est aussi la salle à manger, classique — sans plus — avec sa table en acajou de style Régence et ses 34 chaises en cuir de Trafalgar couleur mûre, son chandelier Marie-Thérèse, un tapis Royal Wilton et plusieurs tableaux de peintres britanniques des XVIIIe et XIXe siècles. Et Brunton d'expliquer : « Sans tomber dans l'extravagance, nous cherchons à bien faire ce que nous faisons. On se doit de rechercher une certaine élégance puisque le prince de Galles, le Premier ministre ou d'autres dirigeants politiques nous rendent parfois visite. Dans de tels cas, la réception que nous leur réservons compte beaucoup pour la réputation de notre société. Nous n'avons d'autre choix que d'avoir notre propre salle à manger, sinon il nous faudrait aller au Claridge Hotel. » Lorsqu'on connaît la réputation de cet hôtel, on ne peut douter qu'il puisse satisfaire les plus exigeants. De plus, l'hôtel est à quelques pas de Thomson House. Cependant, il est certain que les discussions à huis clos sont plus faciles à mener au siège social de la société.

La rigueur de la décoration intérieure de Thomson House correspond bien à l'ambiance qui y règne. Un éditeur londonien qui avait été invité par Brunton au 4 Stratford Place l'apprit à ses dépens : « J'ai été reçu par un jeune administrateur qui m'a demandé de le suivre jusqu'au bureau de Brunton. Pour plaisanter, je dis qu'on se serait cru au XVIIe siècle, passant d'une antichambre à l'autre avant de rencontrer Louis XIV. Mon jeune compagnon s'arrêta net et me dit : « Croyez-moi, ne faites pas de blague comme celle-là devant M. Brunton. On n'apprécie pas tellement l'humour ici. »

C'est en 1978, année de la création de la société I.T.O.L., que la direction des actifs étrangers de l'empire Thomson fut déménagée à Toronto. La réorganisation des affaires avait toutefois débuté en 1976, avant la mort de Roy Thomson. Cette année-là marqua en effet l'union des intérêts privés de Roy Thomson en mer du Nord avec ceux de ses sociétés du Royaume-Uni. Jusque-là, il avait été décidé que les investissements pétroliers étaient trop risqués pour les sociétés de l'empire ; on devait attendre les premiers résultats avant de transférer tous les avoirs de Roy Thomson à l'I.T.O.L. Le déménagement des bureaux de Londres à Toronto n'avait pas que des avantages pratiques, dont celui de faciliter la supervision de Kenneth, qui restait au Canada. C'était aussi une façon d'investir à l'étranger sans avoir à supporter la contrainte des règlements britanniques qui, dans certains cas, se soldent par un accroissement du coût des investissements de près de 50 p. 100. Il y avait longtemps qu'on songeait à l'expansion internationale, en visant particulièrement les États-Unis, surtout parce que les lois antimonopoles du Royaume-Uni empêchaient la prise de contrôle de nouvelles sociétés d'édition. De toute façon, les Thomson étaient les plus importants propriétaires de journaux du Royaume-Uni. Jusqu'alors, on n'avait investi que 100 000 $ à l'étranger, en Afrique du Sud principalement.

Il en coûta 20 millions de dollars aux sociétés Thomson pour déménager leur siège social du Royaume-Uni au Canada. L'année suivante, plusieurs lois commerciales britanniques furent amendées, de sorte que les changements apportés perdaient une bonne partie de leurs justifications. « Financièrement, l'affaire s'est soldée par un échec, dit Lewis ; mais dorénavant, on n'aura plus à craindre un possible renforcement des lois britanniques. » Pourtant, ce n'était pas peine perdue. En réalité, l'empire Thomson est aux mains de Canadiens, puisque la famille de Roy détient 82 p. 100 des actions. Par ailleurs, cela facilitait les relations commerciales avec les États-Unis, une société canadienne ayant intérêt à investir directement outre-frontière plutôt que de passer par l'intermédiaire d'une société établie à Londres.

Le fonctionnement de l'empire, pour sa part, n'a pas changé. La principale équipe administrative est toujours à Londres, tandis que l'équipe du service des finances se trouve à Toronto. Les états financiers de la plupart des sociétés de l'empire son donnés en livres sterling ; cependant, les dividendes aux actionnaires (qui détiennent 27 p. 100 des actions de l'I.T.O.L.) sont payés, tant au Canada qu'au Royaume-Uni et aux États-Unis, en dollars américains. C'est là une tradition qui prévaut chez la plupart des sociétés multinationales.

Aujourd'hui, c'est aux États-Unis que les investissements de l'I.T.O.L. sont les plus importants. Il fallut cependant quatre ans pour que le second de Brunton, Michael Brown, se trouve au premier plan des activités. Jusqu'en 1982, Brown était à Londres. Il fut par la suite envoyé à New York où il obtint le poste de vice-président administratif et directeur des opérations de l'International Thomson Holdings Incorporated, société nouvellement créée pour chapeauter les activités de l'I.T.O.L. aux États-Unis. Le bureau que Brown occupe à New York est joliment décoré, meublé de fauteuils en cuir ; le mur est couvert de photos de puits de pétrole de la mer du Nord. Tout cela, Brown ne le voit pas souvent. Lors de sa première année de service aux États-Unis, il n'y vint que 12 fois. Il passa la majeure partie de son temps à parcourir le pays d'un océan à l'autre, à la recherche d'occasions d'affaires. Son coup d'éclat fut l'achat de la société Wadsworth, pour une somme de 33 millions de dollars. Malheureusement, le rythme endiablé auquel il mène ses affaires a déjà laissé sa marque : aujourd'hui, à l'âge de 49 ans, Brown a presque l'air d'un vieillard.

À l'instar de Roy Thomson et de Brunton, Brown eut une jeunesse difficile. Il abandonna ses études à 16 ans parce que son père, qui était gérant à la société British Insulated Callender Cables, n'avait plus les moyens de l'envoyer à l'école privée, mais aussi parce qu'il détestait tout simplement les études. Il entra au service d'une firme comptable et s'inscrivit à des cours du soir afin d'obtenir un certificat, qui lui demanda deux ans de travail. Il obtint ensuite un poste à la même société que son père et, à l'âge de 28 ans, était gérant général de la division des câbles souterrains, filiale qui employait 5 000 personnes. En 1969, avec une baisse de salaire de 20 p. 100 qu'il lui fallut trois ans pour effacer, Brown accepta de quitter la B.I.C.C. pour passer au service de l'I.T.O.L. « Je n'avais pas d'amour particulier pour l'industrie de la construction, d'autant plus que mon travail consistait à décrocher des contrats à l'étranger, ce qui n'a rien d'enivrant. »

Brown a été le premier directeur de la société Times Newspapers à n'avoir aucune d'expérience dans le domaine de la presse. Il apporta plusieurs changements importants au *Times*, ce qui permit de réduire de plusieurs millions de livres sterling les pertes enregistrées par le quotidien. Pour cela, il fallut réduire la capacité de production du tiers, tout en maintenant le nombre quotidien de copies, en changeant bon nombre d'administrateurs, en augmentant le prix de vente en Angleterre et à l'étranger, et en imprimant les copies destinées à la famille royale et au Premier ministre sur du papier de moindre qualité. En 1972, Brown passa au service de l'I.T.O.L. à titre de vérificateur, puis en devint le directeur financier en 1974.

Pendant longtemps, on considérait Brown comme l'héritier désigné de Brunton mais, avec la différence d'âge (14 ans), il semble que Brunton n'ait pas dit son dernier mot. « Nous sommes de bons amis, nous nous voyons à l'occasion et nous passons nos vacances ensemble, affirme Brown. Je dois mes succès à Gordon, qui m'a laissé toutes les chances et m'a appuyé. » À la fin de l'année 1984, Brown a pourtant pris la place de Brunton à la présidence de l'I.T.O.L. ; cela s'est donc fait plus rapidement que prévu.

Brown plaît aux administrateurs des autres sociétés de l'Empire Thomson, ainsi qu'aux critiques financiers de Londres. Ed Monteith précise que « c'est l'un des hommes les plus compétents avec qui j'ai eu l'occasion de travailler. Il parvient à saisir du premier

coup tous les détails d'une situation. Il fixe des objectifs extrêmement élevés et sait motiver ses collaborateurs. » Richard Groves
ajoute : « Michael travaille au moins 70 heures par semaine. Il a une
mémoire fantastique. Quant au travail d'équipe, il était plus
contraignant qu'avec Gordon Brunton, qui supervisait tout mais
parvenait à maintenir une atmosphère de camaraderie, car Michael
est plus dur à cuire. » Éric de Bellaigue, analyste de la firme
Grenfell and Colegrave de Londres, dit que Brown « a montré ce
dont il était capable, surtout avec l'affaire du financement de l'exploration pétrolière en mer du Nord, ou encore en parvenant à
respecter les échéanciers pourtant très serrés qu'il s'était fixés ».

Tandis que Brown dirige les destinées de l'I.T.O.L. en Amérique
du Nord, Alan Lewis, dont le bureau est à Toronto, règle les
questions financières. Ce dernier joignit les rangs de l'I.T.O.L. à
Londres en 1970, alors qu'il entra au service de la comptabilité. Il
obtint le poste de vérificateur général et mit sur pied un système
comptable qu'on utilise encore aujourd'hui. « Le système employé à
l'époque, raconte-t-il, était bien dépassé mais suffisait parce que la
société n'avait pas la même importance et possédait peu d'intérêts
en dehors du Royaume-Uni. » En effet, jusqu'au milieu des
années 70, on établissait encore les états financiers à la main ! C'est
Lewis qui commanda les premiers ordinateurs non seulement pour
accélérer le traitement de données, mais aussi pour permettre des
comparaisons plus poussées entre les performances escomptées et
les résultats obtenus. En 1978, Lewis fut transféré à New York afin
d'appuyer les efforts d'organisation de Michael Brown. Il ne manque pas de responsabilités. À Toronto, c'est lui qui s'occupe des
relations avec la presse. Il donne aussi, à l'occasion, des conférences
aux administrateurs des sociétés Thomson. Il se rend souvent au
bureau de l'I.T.O.L. à New York, où il occupe le poste de vérificateur, et traverse l'Atlantique trois fois par année afin de superviser, à
Londres, la préparation du rapport aux actionnnaires.

Il n'y a pas de filiation directe entre les sociétés Thomson Newspapers et I.T.O.L. Cependant, les dividendes qu'elles versent toutes
deux vont en grande partie dans les coffres de la famille Thomson
par le biais de leurs sociétés de portefeuille. En 1978, on hypothéqua
des actions de la Thomson Newspapers pour obtenir un prêt de la
Banque Royale du Canada ; l'argent devait servir à financer l'explo-

ration pétrolière en mer du Nord. On tenta aussi de réduire la dette contractée pour l'achat de la Compagnie de la baie d'Hudson en 1979, en vendant, quatre ans plus tard, les actions de la Thomson Equitable Corporation (propriétaire de l'I.T.O.L.) et de la société Woodbridge, à qui appartient Thomson Newspapers.

L'administration de l'I.T.O.L. est particulièrement décentralisée et les directeurs de ses différentes divisions ont toute la latitude voulue pour agir à leur guise. Chaque filiale a sa propre raison sociale et ses directeurs. C'est ainsi que la filiale britannique de l'I.T.O.L. ne compte que 70 employés, y compris les employés d'entretien, les cuisiniers et les chauffeurs. Il n'y a que quatre employés aux bureaux de Toronto et neuf à New York. Il s'agit, dans la plupart des cas, de comptables. « La bureaucratie moderne est une véritable plaie, affirme Brown. Nous croyons aux vertus de la communication et à la rapidité des prises de décision. Ce qui compte, c'est d'avoir des projets précis et bien définis. »

La décentralisation est favorisée par la dispersion des centres de décision, ce qui se produit parfois à l'intérieur d'une même ville. À Londres, la société Hamish Hamilton a ses bureaux près de Covent Garden, tandis que la Sphere Paperback est située dans le quartier financier ; la Thomas Nelson est à une heure de Londres, à Walton-on-Thames. L'ancien directeur de cette société, John Jermine, avait installé son bureau plus loin encore, à Wokingham, dans l'édifice de la société Van Nostrand Reinhold Incorporated, propriété de la Thomas Nelson. Il justifiait sa décision en expliquant qu'il habitait à six kilomètres de là, mais sa secrétaire soutenait qu'il avait choisi Wokingham parce qu'il voulait « éviter de se faire déranger pour rien ». La Thomson North Sea Limited, quant à elle, a ses bureaux à deux coins de rue de Thomson House.

La décentralisation est plus importante encore en Amérique du Nord. Le siège social de l'International Thomson Business Press (I.T.B.P.) est situé dans un édifice de trois étages flambant neuf situé à Radnor, en Pennsylvanie, à quelques kilomètres au nord de Philadelphie. À un coin de rue de là se trouve la Chilton Company, où travaillait Richard Groves, le président actuel de l'I.T.B.P. Les maisons d'édition nord-américaines appartenant aux Thomson se trouvent à New York, Boston, Chicago et San Francisco. L'une d'entre elles, Warren, Gorham & Lamont, avait ses bureaux dans l'édifice Sheraton Hotel à New York. Il en était ainsi parce que Cross était conseiller général de la Sheraton Corporation, qui lui avait offert de s'installer dans l'édifice. La Société Thomson-Monteith Incorporated, qui gère les intérêts pétroliers et gaziers de la famille, a son siège social à Dallas, ville d'origine de son président, Ed Monteith. Les services de voyages américains sont dirigés à partir de Chicago, les bureaux étant situés dans un édifice de l'avenue Upper Michigan, en face de l'édifice Wrigley et à quelques pas du siège social du journal *Chicago Tribune*. Au Canada, le siège social des services de voyages est situé à l'aéroport Pearson, l'ancien aéroport international de Toronto ; les bureaux des sociétés d'édition Thomas Nelson et Richard De Boo se trouvent au nord-est de Toronto ; quant au siège social de la Thomson-Jensen Limited, société pétrolière, il se trouve à Calgary.

Mais il y a plus que ces différences matérielles au sein de l'empire Thomson. Chaque groupe d'administrateurs a ses particularités. Les Britanniques sont plus collet monté que les Américains, qui retirent souvent leurs vestons et dénouent leurs cravates. On retrouve les deux influences au Canada, alors que règne une atmosphère détendue aux bureaux des sociétés de voyages, et qu'on est plus pointilleux sur la tenue des employés dans les sociétés d'édition et à Calgary, où se trouve le siège social de la Thomson-Jensen.

La grande majorité des administrateurs des filiales ignorent à peu près tout de ce que font leurs confrères. Pour pallier le manque de communication, on créa l'*I.T.O. World* en 1983, un journal interne qui devait faciliter l'échange d'informations entre les différentes filiales. La revue, qui compte parfois près de 100 pages, contient de courtes nouvelles et des rapports détaillés sur les différents projets de l'I.T.O.L. ; on n'y trouve pas de chronique mondaine comme le veut pourtant la tradition dans ce genre de publication. Cela reflète les préoccupations du rédacteur en chef, Derek Jewell, qui a long-temps été critique musical au *Times*. Mais malgré de tels efforts, il arrive souvent qu'un administrateur ignore ce qui se passe au sein des sociétés de l'empire dans son propre pays et, plus encore, dans les autres pays. Si l'on sait que la plupart des journaux appartenant aux Thomson en Amérique du Nord ont une réputation plutôt mauvaise, on peut croire que ce manque d'information est en partie voulu.

La décentralisation de l'empire a commencé sous Kenneth Thomson, bien plus que sous son père. Selon Michael Brown, « Roy Thomson a monté de toutes pièces son affaire et il contrôlait tout, ce qui était possible parce que même si l'entreprise prit rapidement des dimensions importantes, elle restait simple, confinée dans un seul pays ». Il disait souvent : « N'oubliez pas que c'est mon argent que vous perdez ! » Ce n'est pas du tout de cette façon que Kenneth procède. L'empire a pris des proportions gigantesques et ses ramifications s'étendent dans plusieurs pays. Nous avons aujourd'hui des intérêts dans des domaines autres que celui de la presse, aux États-Unis entre autres, en plus des sociétés pétrolières et gazières, des revues, des sociétés d'édition et des services de voyage. Kenneth prend part à toutes les décisions importantes, bien qu'il cherche à déléguer un maximum de pouvoirs. C'est ce qui rend le travail intéressant. Il est certain que les cadres supérieurs de l'empire pourraient obtenir des salaires équivalents dans d'autres sociétés ; mais l'estime des pairs et l'intérêt des tâches à accomplir compte aussi. »

Brunton aussi reconnaît que le partage de l'autorité est un attrait important : « Il faut vraiment comprendre que ce qui est exceptionnel ici, c'est que je peux prendre l'avion pour San Francisco, par exemple, et négocier une entente aux termes de laquelle je débourse 33 millions de dollars pour acheter la société Wadsworth, je téléphone à Kenneth pour lui demander s'il a des objections puis, dans la négative, téléphoner à un banquier pour demander le versement de l'argent dès le lendemain. Roy et Kenneth m'ont tous deux fait confiance et cela nous a permis d'agir avec célérité. Je suis sûr que je serais incapable de faire la même chose avec qui que ce soit. »

Ce genre d'administration a attiré, auprès des Thomson, des administrateurs exceptionnels, dont certains avaient même été propriétaires de leurs sociétés. Ils ont beaucoup de latitude pour mener leurs opérations à bien, reçoivent des salaires élevés et participent aux bénéfices. Les membres de la haute direction bénéficient d'un régime particulier à l'époque des Fêtes. C'est à Londres qu'a lieu chaque année la rencontre de Noël, à l'occasion de laquelle la société offre une montre ou un étui à cigarettes en argent de chez Asprey, sur Bond Street à Londres. Kenneth voit à ce qu'il y ait du sirop d'érable et de la tire sur les tables. Le soir, c'est le bal auquel sont invités les administrateurs et leurs épouses.

Les visages changent beaucoup d'une année à l'autre, surtout parce qu'on limoge facilement aux sociétés Thomson, dans le secteur de l'édition en particulier. C'est en offrant des primes alléchantes qu'on parvient à éviter que le personnel mis à pied n'entreprenne des poursuites légales contre les sociétés. L'un de ceux-ci raconte qu'il s'est servi de sa prime pour acheter une maison de campagne.

Le va-et-vient constant du personnel à la haute direction n'a pas d'impact réel sur les affaires de l'empire parce que chacune des sociétés qui le composent possède une importante équipe en second plan, dont les membres ont été spécialement formés pour superviser l'ensemble des opérations. Le système a beaucoup évolué depuis 1969, année où Henry Hawker joignit les rangs de l'empire à titre de directeur du personnel. Hawker, ancien soldat et fonctionnaire, affirme qu'il a mis sur pied « un système d'avant-garde de formation du personnel à partir de rien » ; après un stage de formation, les futurs administrateurs doivent suivre des cours dans des universités anglaises ou à Harvard.

Lorsque Hawker prit sa retraite, il fut remplacé par Don Rose. Ce dernier a été ministre du culte au pays de Galles avant de s'intéresser aux questions de relations industrielles. Il a mis au point un système assez original de formation du personnel en mettant l'accent sur la planification. Au lieu de multiplier les cours de type universitaire, le système de Rose est plus proche de la formation dirigée, alors qu'un mentor s'occupe de l'administrateur en formation. Ainsi, par exemple, si l'un de ces derniers, promis à un brillant avenir, a des difficultés d'élocution en public, on accorde une attention particulière au problème en prenant les moyens qui s'imposent pour le corriger.

Rose a composé trois programmes, chacun d'eux étant destiné à un type particulier d'administrateurs, en collaboration avec plusieurs collèges londoniens. Le premier programme de formation est destiné aux administrateurs intermédiaires. Chaque année, on choisit 27 employés parmi toutes les sociétés de l'empire à travers le monde pour les former à la direction de division. À Londres, ils sont inscrits au collège Henley Management. Un autre groupe de 12 personnes, qui occupent déjà des postes de direction et qui ont été pressenties pour monter d'un cran dans la hiérarchie administrative, sont inscrits au Center for Management Studies de l'Université d'Oxford. Dans un tel système, la formation est toujours individualisée. On ajoute à la formation académique des stages aux services administratifs de sociétés comme Shell Oil, réputée pour la qualité de sa planification à long terme.

L'I.T.O.L. dépense 300 000 $ par an environ pour ses programmes de formation, ce qui représente une somme très élevée par rapport à celles que dépensent la plupart des autres sociétés britanniques. Chaque année, sous la direction de Rose, un comité se charge de recruter des candidats, de sorte que la relève soit toujours prête en cas de promotions, de démissions, de mises à pied ou de décès. Par ailleurs, l'expansion internationale de l'empire exige un nombre toujours plus grand d'administrateurs qualifiés. Tous ceux qui occupent un poste de direction font l'objet d'une évaluation de la part de leur supérieur direct. Cela est vrai en tous points de la hiérarchie, Michael Brown devant répondre à Brunton de ses décisions, de même que ce dernier doit rendre des comptes au conseil d'administration de l'I.T.O.L.

L'ampleur de la latitude dont disposent les administrateurs de l'empire Thomson est exceptionnelle. (Il s'agit, en fait, non seulement de latitude, mais aussi de participation aux bénéfices.) « Thomson prêche et pratique la décentralisation avec une ferveur presque religieuse », explique Robert Ewing, président de Van Nostrand Reinhold (V.N.R.). Cette dernière société est devenue filiale de l'empire Thomson en 1981 dans le cadre de la prise de contrôle de la société Litton Industries, au coût de 63 millions de dollars (U.S.). Ewing poursuit : « V.N.R. faisait partie du groupe Litton Educational Publishing, qui était non pas un ensemble de sociétés hétéroclites, mais un groupe fonctionnel capable d'offrir des services complets de comptabilité, de paie et d'entreposage. Depuis que nous avons joint l'empire Thomson, nous devons nous charger des services qui nous étaient autrefois fournis par la Litton. C'est ainsi, par exemple, que nous bénéficiions des services de l'avocat de la maison mère. C'est pourquoi je m'inquiétai, après la fusion, de ce qu'il fallait faire pour régler les questions d'ordre juridique. On m'a répondu que les sociétés de l'empire Thomson n'avaient pas d'avocat attitré aux États-Unis ; « C'est à vous de décider », m'a-t-on répondu, ce qui est la réponse habituelle. Je demandai alors s'il fallait que je prenne un avocat à salaire ou à contrat et, une fois encore, on m'a répondu que c'était à moi de prendre la décision. J'ai finalement demandé, plus ou moins sérieusement, si je pouvais offrir le poste au fils de mon voisin, qui venait de décrocher son diplôme à l'Université Columbia. La réponse était toujours la même : « C'est à vous de décider. » On est donc convaincu, dans les sociétés de l'empire, que la centralisation entraîne la bureaucratie et nuit passablement à la liberté d'action des différents paliers de l'administration ».

Ce système administratif est radicalement opposé à celui qui prévaut chez McGraw-Hill, le géant américain de l'édition, où la centralisation est extrême, formalisée, compartimentée — mais tout de même efficace. « Chez McGraw-Hill, raconte Daniel McMillan, qui est aujourd'hui directeur de la société Thomson Technology Information (qui se spécialise dans la publication de livres en informatique, en électronique et en aérospatiale), il fallait faire signer par le président la moindre offre d'emploi, même s'il ne s'agissait que d'un commis. J'ai quitté la société McGraw-Hill parce que je voulais vraiment diriger une entreprise sans avoir à investir mon propre argent. J'ai approché plusieurs sociétés aux États-Unis et outre-mer, et j'ai constaté qu'il n'y avait que celles de l'empire Thomson qui ont les ressources, le personnel et le style d'administration qui me convenait. »

Il y a toutefois des exceptions de taille. C'est le cas de la société Warren, Gorham & Lamont, éditeurs à New York et à Boston, spécialisés dans la publication de livres scolaires, de revues et de journaux. La société a été rachetée par Thomson en 1980 au coût de 60 millions de dollars (U.S.). Elle fut fondée par trois frères, en 1964 : Theodore Cross, qui en devint le directeur, Warren, responsable de la mise en marché et Gorham (« Gerry »), responsable du service du personnel et de la production. À la suite de la prise de contrôle par l'I.T.O.L., le chiffre d'affaires de la société est passé de 40 à 60 millions de dollars. Cette progression ne s'est toutefois pas toujours faite très facilement. Cross affirme que chez Thomson, on donne « 100 p. 100 d'autonomie, tel que promis, et minimise autant que possible la bureaucratie ».

Pourtant, Cross reconnaît que les responsables de l'I.T.O.L. lui ont imposé une nouvelle équipe d'administrateurs en 1982, dans le but de faciliter la diversification des intérêts de la société « dans des secteurs très difficiles », selon les mots mêmes de Cross. Il s'agissait de la publication d'ouvrages médicaux et d'une collection de livres sur le Viêt-nam, alors que Warren, Gorham & Lamont publiait surtout des livres portant sur la fiscalité. On s'était aussi intéressé à la publication de cahiers d'exercices, domaine où la marge de bénéfices est plus basse que dans le secteur de l'édition de revues destinées aux professionnels, principalement parce que dans ce dernier cas, on procède par abonnement. Cross précise qu'on agit ainsi parce qu'on considérait que « les créateurs de l'entreprise allaient sûrement perdre de l'intérêt à partir du moment où ils n'en seraient plus propriétaires. Mes frères et moi avons cédé une partie de nos pouvoirs et la croissance de la société devint la responsabilité d'un groupe d'administrateurs professionnels. » Mais comme la diversification finit par coûter plusieurs millions de dollars à la société mère, la direction de l'I.T.O.L. retira ses administrateurs et la Warren, Gorham & Lamont revint à ses premiers intérêts. Cependant, les frères Cross ne réintégrèrent par leurs postes. En 1984, Theodore Cross, âgé de 60 ans, décida de prendre une retraite avancée. Son frère Gerry a aussi quitté la société. Theodore Cross a été remplacé par Bob Jachino, de l'I.T.O.L., qui est président depuis 1982 et qui semble particulièrement doué pour la planification et le contrôle des dépenses d'exploitation.

Il y a de nombreux avantages à ce qu'il n'y ait que deux grands entrepôts pour les éditeurs de l'empire Thomson, l'un au Royaume-Uni et le second aux États-Unis. Cependant, aucune des filiales n'est tenue de faire distribuer ses livres par une société soeur. La production de la V.N.R. est distribuée au Canada par la firme Macmillan et non par la filiale de l'I.T.O.L. : Thomas Nelson. Les sociétés Michael Joseph et Hamish Hamilton sont représentées au Canada par Collins Publishers ; au cours de l'été 1983, la société Sphere, qui faisait affaire jusque-là avec la Thomas Nelson en Australie, changea pour les services de la société Collins Publishers. La raison qu'ont invoquée ses directeurs, c'est que la société Thomas Nelson publie des livres scolaires alors que la Sphere n'a pas une production aussi spécifique. Selon Jack Fleming, président de Thomas Nelson

International, « Collins est reconnue comme la société la plus importante en Australie et au Royaume-Uni dans le domaine des livres de poche ».

L'autonomie dont jouissent les différentes sociétés qui composent l'empire Thomson n'est tout de même pas l'indice d'un laisser-aller de la part de la société mère sur le plan financier. Selon Ewing, « à la maison mère, on ne prend pas de décision à la place des filiales. Mais cela ne signifie pas que je puisse me satisfaire de couvrir les dépenses, sans plus, l'année prochaine. » Les objectifs financiers sont toujours très élevés. Les bénéfices doivent doubler, compte tenu de l'inflation, tous les cinq ans. En moyenne, les bénéfices d'exploitation doivent représenter 20 p. 100 du chiffre d'affaires. La marge de bénéfices de chacune des filiales se trouve, naturellement, parmi les meilleurs de toute l'industrie. Chez Thomas Nelson Canada, les coupures budgétaires nécessaires pour atteindre les objectifs fixés par la maison mère étaient draconiennes, au point que les commis reçurent un avis leur recommandant de réutiliser les rubans usagés des machines à additionner.

De la fin d'octobre au 15 décembre, chacune des filiales prépare son budget. Ses administrateurs rencontrent ensuite les responsables financiers de la division concernée pour discuter de leurs projets. On estime, en principe, que les nouveaux produits ne seront rentables que quatre ans après leur mise en marché. On prépare toujours une comptabilité à part pour ce genre de produits afin d'avoir un profil plus exact des résultats financiers obtenus. Une fois que le budget de la filiale est approuvé, on accorde une somme forfaitaire de cinq millions de dollars pour parer aux imprévus, et on passe ensuite à la dernière étape, l'approbation du conseil d'administration, qui est une formalité que l'on règle parfois au téléphone.

La plupart des administrateurs affirment que les objectifs fixés par l'I.T.O.L. sont réalistes, mais reconnaissent aussi que certaines filiales les atteignent plus facilement que d'autres. Chez Warren, Gorham & Lamont, la marge de bénéfices est toujours élevée, parce qu'il s'agit de vente par la poste, ce qui permet d'éliminer le recours aux vendeurs itinérants ou la mise en marché dans des magasins de détail. Un seul livre peut rapporter deux millions de dollars si l'on en fait cinq éditions au cours de l'année. Les coûts de production, dans ce cas, sont beaucoup plus faibles. La Warren, Gorham & Lamont vend 99 p. 100 de sa production par abonnements, ce qui réduit d'autant ses frais de publicité, qui sont très faibles par rapport à ceux de la plupart des maisons d'édition.

La société Van Nostrand Reinhold n'a pas la vie aussi facile : « L'I.T.O.L. nous donne vraiment carte blanche — une latitude extrême — au point que nous pouvons n'en faire qu'à notre tête, explique Ewing, mais nous avons intérêt à ce que tout aille comme sur des roulettes ! Les objectifs qu'on nous fixe quant aux bénéfices sont deux fois plus élevés que ceux que nous demandaient les directeurs de la Litton. Ce serait pourtant fou de dire que ces objectifs ne sont pas réalistes. Mais il faut comprendre que la V.N.R. n'est pas une société comme les autres. Nous produisons des livres de cuisine et d'artisanat que nous vendons dans des librairies, et non par la poste, ce qui ajoute aux coûts de la mise en marché. Il nous faut offrir de substantielles réductions pour accroître le volume de nos ventes en magasin et nous devons reprendre toute marchandise invendue. En offrant des rabais, nous devons réduire d'autant notre marge bénéficiaire, ce que l'on n'a pas à faire lorsqu'on vend par la poste et par abonnements des livres à des professionnels. Pour accroître nos bénéfices, il faudrait que nous limitions notre dépendance envers les librairies et que nous accroissions nos ventes par la poste. Cela ne nous permettrait toutefois pas de réduire le nombre de nos vendeurs parce que nous publions toujours plus de titres chaque année, d'autant plus que nous nous chargeons de la distribution des livres publiés par la Jane's Publishing Company, qui appartient à l'empire Thomson, et par la société C.B.I., maison d'édition technique filiale de la société Wadsworth. »

Les principes reconnus par les administrateurs de l'I.T.O.L. remontent à l'époque héroïque où les premières sociétés Thomson nécessitaient un contrôle serré pour parvenir à survivre. Au fur et à mesure que le nombre des journaux augmenta (on ne parlait pas de « chaîne » parce que cela était mal vu par l'opinion publique), Sydney Chapman mit au point son « système budgétaire et comptable permettant d'avoir toujours à portée de la main les chiffres pertinents ». Le système visait aussi à éviter l'emploi d'une armée de comptables : « Nous nous arrangeons pour que chaque directeur général, aux bureaux des quotidiens appartenant à l'empire, de même que les comptables, comprennent le système et se plient à ses exigences. La haute direction ne devait être mise au courant que des problèmes majeurs et des écarts les plus importants. »

C'est en septembre qu'on commence à étudier les budgets de l'année suivante, trois mois avant le début de la nouvelle année fiscale. Chaque filiale, chaque quotidien appartenant à l'empire doit présenter un projet de budget annuel. La partie recettes comprend nécessairement les liquidités, les ventes, les revenus d'abonnements, les revenus des annonces classées régionales et nationales, et les revenus de location. Les dépenses, divisées entre le groupe éditorial, le service de presse et la typographie, incluent les taxes municipales (la plupart des quotidiens de l'empire étant propriétaires des locaux qu'ils utilisent), les dépenses de gaz et d'électricité, les salaires, les frais administratifs, les assurances, les dons et les coûts de production et de distribution. La plupart des journaux, à l'exception des grands quotidiens, sont livrés à domicile plutôt que vendus dans les kiosques. C'est au groupe éditorial que sont imputés les dépenses de communication, les frais des journalistes et des photographes ainsi que les allocations de voyages.

Mais cela ne suffit pas à Chapman et le contrôle budgétaire va plus loin encore. Dans le cas des journaux, il tient à connaître le nombre de rouleaux de papiers en inventaire à la fin de chaque année, puis la taille et le poids de chacun des rouleaux. Il note de la même façon la quantité d'encre, de plaques d'impression, d'articles de papeterie et de timbres, de colle, de papiers en tous genres (avec les dimensions et le poids) ; quant aux articles de bureau, il n'exige pas qu'on compte les trombones et les élastiques à l'unité près (comme le prétendent certains), mais tient à connaître le nombre de boîtes de crayon ou de papier carbone. Chaque mois, les états financiers sont comparés avec ceux de l'année précédente, à la même époque. Les premières années, tous les documents étaient préparés à la main. Aujourd'hui, tout est informatisé.

Si le système mis au point par Chapman n'a rien de particulier quand on le compare à ceux utilisés dans l'industrie, il avait de quoi étonner les administrateurs de journaux, surtout ceux des sociétés acquises plus récemment par l'empire Thomson. Dans les sociétés de presse, le contrôle des dépenses est particulièrement faible et l'on cherche simplement à tenir le coup d'une crise à l'autre. Par conséquent, Chapman prétend que les critiques qu'on adresse à son équipe ne sont pas méritées. C'est en tenant l'inventaire de tous les accessoires de bureau que l'on parvient à limiter les pertes. Chapman ajoute : « Les premières années, il nous fallait nous serrer la ceinture pour survivre. Une fois que nous avons redressé nos affaires, nous avons pu respirer à l'aise. Il est faux de dire que nous comptons les crayons, même si la rumeur se maintient après tant d'années. » Mais ce n'est ni un mythe ni de l'histoire ancienne, puisque ces pratiques ont toujours cours.

Dans la plupart des cas, l'expansion de l'I.T.O.L. a été assurée grâce aux capitaux propres de la société mère. Entres les mois de décembre et de mai, alors que les ventes baissent tant dans le domaine de l'édition que dans celui des voyages, on emprunte des banques si c'est nécessaire, encore qu'on parvienne à maintenir un équilibre presque parfait entre le total du passif et l'avoir des actionnaires. Le plus souvent, c'est pour financer la recherche pétrolière et gazière que l'I.T.O.L. se tourne vers les institutions financières, sans doute à cause de l'ampleur des risques à courir. Au Canada, les sociétés de l'empire sont clientes de la Banque Royale et de la banque Toronto-Dominion. Au Royaume-Uni, c'est la Royal Bank of Scotland qui bénéficie de la clientèle des sociétés de l'empire parce que c'est cette institution qui a prêté 300 000 £ à Roy Thomson pour faire l'acquisition du *Scotsman*. Au niveau international, la Royal Bank of Scotland n'ayant pas de succursale à l'étranger, l'I.T.O.L. traite avec les banques Barclays, National Westminster et Lloyds.

L'une des meilleures façons pour l'empire d'accroître ses liquidités serait d'émettre des actions au nom de plusieurs de ses filiales, ce qu'on a évité de faire jusqu'ici. « Lorsqu'on traite avec des actionnaires, explique Alan Lewis, on perd à la fois la mainmise et la flexibilité. » Les sociétés de l'empire retiennent les services de trois firmes de courtiers en investissement : Wood Gundy de Toronto au Canada et aux États-Unis, Brown Brothers Harriman de New York pour l'ensemble de l'Amérique du Nord, et S.G. Warburg au Royaume-Uni. L'association avec la firme Wood Gundy remonte aux années 50 alors que le directeur, Pete Scott, avait délégué Ted Medland, l'actuel directeur, pour aider Roy Thomson à mener campagne lors des élections fédérales de 1953. Medland fit du porte-à-porte pour le compte de Roy Thomson.

Les actions de la société Thomson Newspapers sont inscrites à la Bourse de Toronto, comme celles de l'I.T.O.L. (inscrites par ailleurs à la Bourse de Londres). Michael Brown prétend qu'il serait dans l'intérêt de l'I.T.O.L., qui est maintenant de plus en plus présente aux États-Unis, d'inscrire ses actions à la Bourse de New York. Mais cela ne devrait pas se faire avant 1986, pour des questions d'ordre juridique.

Au cours des négociations en vue d'une acquisition, les représentants de l'I.T.O.L. parlent non seulement de l'autonomie promise à la future filiale, mais aussi des moyens financiers de l'empire qui permettent d'investir des sommes importantes pour assurer l'expansion des nouvelles acquisitions. Les administrateurs de l'I.T.O.L. ont créé un fonds spécial, qu'ils appellent « fonds de développement accéléré », lequel porte le commentaire suivant dans les rapports financiers annuels : « Sert à libérer la société de toute contrainte financière pouvant nuire à son expansion à court, moyen et long termes. » Ces années-ci, la plupart de ces capitaux sont investis aux États-Unis, secteur privilégié de l'expansion de l'I.T.O.L. De 1980 à 1983, les sommes ainsi investies ont doublé, passant de 5 millions de dollars américains à 11 millions de dollars en 1982, puis à 20 millions en 1983. Il y eut un léger recul en 1984, question de faire une pause, mais Michael Brown affirme que la croissance devrait reprendre de plus belle en 1985.

L'idée n'est pas nouvelle et plusieurs sociétés en font autant, à cette différence près que l'I.T.O.L. n'est pas tenue d'obtenir un rendement rapide des investissements. En effet, le principal actionnaire, c'est-à-dire Kenneth Thomson, est prêt à attendre le temps qu'il faudra. Selon Alan Lewis, « les sociétés qui comptent une multitude de petits actionnaires subissent une pression énorme et il leur est difficile de ne pas tenir compte de la volonté de la masse dans leurs investissements ».

Au sein des divisions de l'empire, le principe a été accueilli avec beaucoup de satisfaction. « C'est quelque chose de nouveau dans le secteur de l'édition, dit Robert Ewing. Cela nous permet de mettre sur pied de nouveaux programmes sans chercher constamment des bénéfices rapides, ce qui est presque impossible dans notre domaine. » Le principal projet d'expansion à la V.N.R. concerne la société Compress, maison d'édition de logiciels qui a été acquise avec la Wadsworth en 1983. On prévoit retenir sous peu les services d'un rédacteur en chef et d'un directeur de la mise en marché. Ce faisant, on prévoit des pertes de l'ordre de 250 000 $, ce qui n'empêche pas que le projet bénéficie de l'appui total des directeurs de l'I.T.O.L., qui voient d'un bon oeil une telle participation à la révolution informatique.

Sur la côte Ouest, à San Francisco plus précisément, les filiales de la Wadsworth ont beaucoup investi dans le domaine des logiciels. Cela donne une longueur d'avance à ces sociétés, d'autant plus que plusieurs d'entre elles ont leur siège social dans la fameuse Silicon Valley, coeur de l'industrie électronique américaine. Le directeur de la société Wadsworth, James Leisy, a beaucoup appris de Gene Amdahl, fondateur de la société Amdahl Incorporated, devenue l'un des plus grands concurrents d'I.B.M. Selon Leisy, la société Wadsworth a dépensé plusieurs millions de dollars ces deux dernières années pour mettre au point de nouveaux produits par le biais de sa filiale, la Wepco (Wadsworth Electronic Publishing Company). Il parle beaucoup du projet Statpro, logiciel destiné aux micro-ordinateurs qui permettra la réalisation de calculs statistiques et mathématiques qui requièrent l'utilisation d'un ordinateur de grande puissance. Le logiciel, qui devrait se vendre 2 000 $ environ, permettra d'accroître le chiffre d'affaires de quelque 15 millions de dollars par an.

La création de la Wepco est une preuve de l'efficacité du fonds de développement accéléré mais montre aussi qu'une telle initiative peut donner lieu à une rivalité malsaine entre les sociétés filiales. Leisy souhaite séparer les intérêts de la Wepco de ceux de la société Wadsworth, de sorte que celle-là devienne une filiale à part entière de l'I.T.O.L. et prenne une position privilégiée dans le domaine de l'édition scolaire. Selon lui, il serait intéressant que d'autres filiales de l'I.T.O.L., qui mettent déjà sur le marché des logiciels, fassent de la coédition en s'associant à la Wepco, partageant du même coup les frais de mise en marché. Cependant, on parviendrait ainsi à une forme de centralisation, ce qui n'est pas pratique courante au sein de l'empire Thomson. On risque aussi de provoquer une levée de boucliers de la part des sociétés concurrentes. Il n'est donc pas certain que le grand projet de Leisy réussisse à passer l'épreuve du conseil d'administration.

Quelle que soit l'autonomie dont bénéficient les directeurs de filiales, c'est Kenneth Thomson qui a toujours le dernier mot. Il est peut-être très indulgent, mais il demeure le seigneur et maître. Il contrôle son empire grâce à quatre sociétés de portefeuille : Woodbridge (Compagnie de la baie d'Hudson et les journaux canadiens), Thomson Equitable Corporation (I.T.O.L.), Standard St. Lawrence (Scottish and York Insurance) et Dominion Consolidated Holdings (camionnage). Ces quatres sociétés sont dirigées par les mêmes personnes. Kenneth est directeur, John Tory est président, James Melville est vice-président et secrétaire, Ian Croft est vice-président et trésorier, et Peter Mills est vice-président et chargé des questions d'ordre juridique. Leurs bureaux se trouvent tous au vingt-cinquième étage de l'édifice Thomson, à Toronto.

C'est Melville qui est le plus ancien des collaborateurs de la famille Thomson. Il a maintenant 60 ans. Il a rencontré Roy Thomson et Sidney Chapman pour la première fois en 1950 lorsqu'ils firent l'acquisition du quotidien de Fort William, en Ontario, où Melville était comptable. En 1960, Chapman lui confia la mise sur pied d'un service de la comptabilité à la société Thomson Newspapers. Au début, Melville était seul : « Il fallait que je m'occupe des négociations avec les employés, de la préparation des budgets et de la tenue de livres de tous les journaux d'Amérique du Nord achetés par les Thomson entre 1960 et 1977. » Il devint vice-président et secrétaire des sociétés de portefeuille en 1977.

Melville occupe aujourd'hui le bureau de Roy Thomson. Sur le mur, il y a un dessin à la plume de Roy Thomson souriant, réalisé au Nigéria par un artiste local. C'est Kenneth qui en fit cadeau à Melville après la mort de Thomson. Alors que nombreux sont ceux qui se souviennent de l'avarice de Roy Thomson, Melville raconte qu'il était plein d'attentions et qu'il lui rapporta, entre autres, des pièces de monnaie chinoises pour sa fille, numismate amateur, au retour de l'un de ses nombreux voyages à l'étranger.

En plus de siéger aux conseils d'administration de plusieurs des sociétés de l'empire Thomson, Melville est conseiller financier de Kenneth et Marilyn Thomson, et administre les fonds déposés en fiducie par Roy Thomson pour le bénéfice de ses petits-enfants, ceux-ci ne pouvant les retirer avant l'âge de 30 ans. Melville aide Kenneth à choisir ses automobiles de collection ou ses tableaux, encore qu'il prétende que Kenneth se débrouille bien seul. Il conseille Marilyn Thomson, qui investit beaucoup en bourse. Il n'y a plus que quatre petits-enfants qui ont moins de 30 ans, les trois enfants de Kenneth et Susan MacNamara, la fille de la soeur de Ken, Audrey. Même si ce n'est qu'une formalité, c'est Melville qui approuve les dépenses de David lorsque celui-ci fait l'achat d'une oeuvre d'art. Susan et son mari sont propriétaires d'une ferme de 80 hectares à Cheltenham, en Ontario (au nord-ouest de Toronto), où ils élèvent des chevaux de saut. Chaque année, ils organisent une compétition.

Il y a six ans, Ian Croft s'est joint au groupe d'administrateurs à la tête des quatre sociétés de portefeuille de l'empire Thomson. Il avait été jusque-là vérificateur de la société Thomson Newspapers pour le compte de la firme Thorne Riddel. Melville explique : « Il nous fallait quelqu'un qui soit familier avec la structure de la société. » Peter Mills est l'assistant de John Tory. Il a une bonne formation en droit et connaît bien le monde de la presse puisqu'il a été au service de la société F.P. Publications. C'est d'ailleurs lors des négociations pour l'acquisition de cette dernière société que John Tory fit sa connaissance. Croft et Mills font partie de plusieurs conseils d'administration de filiales de l'empire Thomson et il est évident qu'ils ont une certaine influence sur le devenir de l'empire.

On ne doit pas douter que les administrateurs des filiales soient sincères lorsqu'ils parlent de l'autonomie extrême dont ils bénéficient ; mais cela n'enlève rien, en réalité, au pouvoir de celui qui est à la tête de l'empire et qui dirige tout : Kenneth Thomson.

Les armoiries de la famille Thomson, ornées d'un orignal et d'un castor, portant la devise *Never a Backward Step* (Jamais on ne recule).

Le premier jalon de l'empire : un poste de radio à North Bay, en Ontario.

Le premier quotidien de l'empire, le *Timmins Daily Press*.

Le siège social du quotidien *The Scotsman*, créé en 1817 et acheté par Roy
Thomson en 1953.

Roy Thomson devant la maison
de Toronto où il a passé toute
sa jeunesse.

Lord Thomson of Fleet en compagnie de sa fille, Mme C.E. Campbell, et de son fils Kenneth, portant l'insigne de Chevalier de la grande Croix de l'Empire britannique.

L'un des murs du siège social de la société Thomson Newspapers à Toronto était décoré de pages de journaux appartenant à l'empire.

Roy Thomson en compagnie de ses petits-enfants, dont David (en avant, à gauche) et Lynne (en avant, à droite).

Kenneth Thomson en compagnie de ses fils Peter et David, au gala donné à l'occasion de l'inauguration du Thomson Hall de Toronto.

Kenneth Thomson dans la galerie du siège social de l'I.T.O.L., à Toronto, où sont conservés ses 157 Krieghoff.

Marilyn Thomson et sa fille Lynne.

John Reeves

Les grands patrons de l'empire Thomson : John Tory (ci-dessus), Gordon Brunton (à gauche) et Michael Brown (à droite).

Bernard Suttil

Sidney Chapman

Richard Groves

James Evans

James Coltart

Donald McGivern

John Reeves

La résidence des Thomson à Toronto, dans le quartier Rosedale (ci-dessus). À Londres, la résidence de Kensington Palace Gardens (à gauche) et Thomson House (à droite).

III

Les luttes intestines

7

La guerre des livres

Robert E. Lee et l'armée confédérée ont connu la défaite à Gettys-
burg au cours de la guerre civile américaine ; Napoléon a commis
une erreur en marchant sur Moscou ; l'empire Thomson a connu
son Waterloo avec les maisons d'édition du Royaume-Uni, où les
problèmes financiers et les difficultés politiques ont causé plus
d'ennuis que dans toute autre division de l'empire. Un certain calme
règne depuis le début des années 80, mais il se peut que ce soit le
calme avant la tempête, et non après.

Deux décennies après la diversification engagée par Roy Thomson, qui décida d'ajouter des maisons d'édition à ses nombreux
quotidiens, les nouvelles filiales rapportent enfin des bénéfices.
Mais les sociétés de l'empire ne jouent pas pour autant un rôle
important dans le monde de l'édition en Grande-Bretagne. On
considère que les sociétés Thomson détiennent 3 p. 100 du marché
du livre au Royaume-Uni, tout au plus, et la filiale la plus importante, la société Michael Joseph, ne se classe qu'au vingt-septième
rang parmi les éditeurs britanniques. Les revenus et les bénéfices
consolidés des sociétés d'édition Thomson comptent pour moins de
1 p. 100 du chiffre d'affaires de l'I.T.O.L. Selon les observateurs,
l'ensemble des maisons d'édition est sur la corde raide parce que le
successeur désigné de Brunton, Michael Brown, n'a aucune expé-

rience comme éditeur et préférera sans doute se débarrasser des filiales marginales.

Ce qui est le plus remarquable au sein des sociétés d'édition, c'est que tant d'administrateurs qualifiés et intelligents puissent faillir à un tel point que l'ensemble de leurs entreprises aient accumulé les pertes année après année. Ces sociétés doivent toutes leur survie à leur appartenance à l'empire. La décentralisation, dont on se fait une fierté et qui a connu beaucoup de succès auprès des filiales tant au Royaume-Uni qu'aux États-Unis, fut ici source de problèmes. Le manque de cohésion était en effet remarquable et les crises d'indépendance se sont multipliées lorsque la maison mère décida de fusionner les services d'entreposage et de distribution. Il y eut, en plus, de nombreux conflits personnels, des conflits entre sociétés et des conflits entre certaines filiales et la maison mère. Les difficultés financières et les disputes intestines ont coûté cher en personnel et la politique de licenciement n'a d'égal que celle de l'exécution sommaire qui prévalait lors de la Révolution française ! C'est la société Sphere qui eut le plus à en souffrir, alors que neuf directeurs administratifs se sont succédé entre 1974 et 1984.

Selon l'un des anciens (et nombreux) administrateurs de sociétés d'édition appartenant à l'empire Thomson, qui se retrouve aujourd'hui à la tête d'une autre maison d'édition, « c'était une vrai jungle. Il y avait trop de hauts salariés qui ne savaient quoi faire pour occuper leurs journées et qui, à cause de cela, passaient leur temps à se plaindre. Les questions politiques prenaient une importance énorme et l'atmosphère était constamment chargée d'émotion. » Cependant, Brunton voyait d'un meilleur oeil ces nombreux changements : « Il faut accepter que l'erreur soit possible et qu'on ne réussisse pas, parfois, à choisir exactement l'administrateur qui convienne. »

Par conséquent, les problèmes étant surtout d'ordre financier, la plupart des administrateurs des sociétés d'édition sont aujourd'hui des comptables. C'est en particulier le cas aux sociétés Sphere et T.B.L. Book Service Limited. Cela se comprend et pourtant, en ce domaine, ce sont surtout des administrateurs qualifiés en mise en marché qui gèrent ce genre d'entreprise.

Au Royaume-Uni, les maisons d'édition de l'empire Thomson sont Michael Joseph et Hamish Hamilton (édition commerciale),

Rainbird Publishing Group (livres illustrés), Sphere (livres de poche) et Thomas Nelson (édition scolaire). Jane's, qui est la maison d'édition la plus importante dans le domaine des livres militaires, fut achetée par l'I.T.O.L. en 1980. Parmi toutes ces sociétés d'édition, Michael Joseph est la seule qui ait enregistré chaque année des bénéfices. Thomas Nelson et Rainbird Publishing Group ont accumulé les pertes au cours des années 70 ; Hamish Hamilton vient de connaître une première année avec bénéfices après avoir présenté plusieurs états financiers annuels déficitaires. Quant à la Sphere, elle n'a connu que de mauvaises années depuis 1969 et ce n'est qu'en 1981 qu'elle enregistra ses premiers bénéfices. T.B.L. Book Service, créée en 1978, n'a jamais réalisé de bénéfices.

L'acquisition de maisons d'édition fut le premier pas de Roy Thomson vers la diversification. Cela a débuté en 1961, sous la direction d'un nouveau venu : Gordon Brunton. On cherchait ainsi à réduire la dépendance de l'empire par rapport aux sociétés de presse. Brunton craignait que les revenus provenant des quotidiens ne subissent une baisse à cause de la récession économique et des législations gouvernementales limitant la croissance de telles sociétés. Il était convaincu que le monde de l'édition représentait un domaine de choix pour poursuivre l'expansion. C'était une décision défendable, mais les résultats obtenus n'ont jamais été ceux qu'on avait escomptés.

En 1961, Roy Thomson fit l'acquisition de la société *Illustrated London News*, éditeur de la revue du même nom, et de *Tatler*, propriétaire de la société Michael Joseph.

Cette dernière, créée en 1935, est une maison réputée mais d'importance secondaire. L'ennui, c'est que dès la prise de contrôle les trois principaux administrateurs de la société donnèrent leur démission. Cela allait se solder par de nombreuses difficultés. Ils expliquaient leur geste en affirmant qu'une maison d'édition ne pouvait fonctionner d'une façon adéquate à l'intérieur d'un conglomérat international. Ils avaient aussi une piètre opinion de Roy Thomson. L'un de ces directeurs, Peter Hebdon, revint à ses anciennes amours en acceptant le poste de directeur administratif de la société, sans doute grâce à l'intervention de la veuve de Michael Joseph, Anthea, qui prit le poste de directrice à la mort de son mari. Hebdon dirigea la Michael Joseph jusqu'en 1970, année de son décès. (Il mourut à l'aéroport de Copenhague, au retour d'un épuisant voyage d'affaires en Australie.)

Michael Joseph est la seule société de l'empire Thomson qui compte Brunton parmi ses administrateurs. On prétend qu'il y a gardé son siège parce que la société a réussi à tenir le coup malgré la démission de trois de ses principaux administrateurs. En réalité, il est bien possible que ce soit parce que la Michael Joseph est en quelque sorte le joyau de la couronne de l'empire. On retrouve, parmi ses auteurs, Dick Francis et James Herriot. À la mort de Hebdon, Edmund Fisher, qui avait été administrateur de la société Rainbird Publishing Group en 1963, à l'âge de 22 ans, fut choisi par Brunton pour prendre sa place. « C'est comme si l'on m'avait confié une montre de grand prix, raconte Fisher. Nous avions une longue liste d'auteurs renommés, dont Francis et Herriot, qui écrivaient un livre par année. Administrer une telle société était chose facile et tout baignait dans l'huile. » En 1975, Fisher passa au service de la société Sphere et la Michael Joseph connut ses premières difficultés administratives lorsque l'adjoint de Fisher donna sa démission sans préavis. Victor Morrison, directeur administratif adjoint, prit le poste de direction mais l'abandonna à son tour en 1977.

Les difficultés administratives sont cependant passées inaperçues parce que la maison eut la chance de publier à la même époque un bestseller : *The Country Diary of an Edwardian Lady*. Un ancien directeur de la société disait : « L'argent nous a fait oublier nos problèmes. » Personne chez Michael Joseph ne pouvait se targuer d'être responsable de ce phénoménal succès. Le manuscrit avait été présenté par un ancien employé qui avait essuyé le refus de quatre autres éditeurs. Le livre fut l'un des meilleurs vendeurs pendant 25 mois d'affilée.

L'une des principales difficultés résidait cependant dans le fait que la santé financière de la société Michael Joseph reposait sur le succès de ce livre et de l'oeuvre de James Herriot. En effet, la maison tirait près de la moitié de ses revenus de ces deux seules sources. Naturellement, on ne pouvait s'attendre à ce que les ventes du bestseller se poursuivent au même rythme pendant des années. Quant à Herriot, il n'avait rien produit de nouveau depuis 1981 et la maison dut publier une série de contes pour maintenir le rythme de ses publications. Le directeur administratif Alan Brooke est encore à la recherche du prochain bestseller et de nouveaux auteurs vedettes afin de limiter la dépendance de la maison.

Tandis que la société Michael Joseph fait tant bien que mal son chemin, Hamish Hamilton tire mieux son épingle du jeu. C'est une maison d'édition très réputée, encore qu'on y publie des romans à l'eau de rose et des mémoires. Parmi ses auteurs, on retrouve Nancy Mitford, l'auteur de romans d'espionnage Ken Follet, David Niven, Albert Camus et Jean-Paul Sartre. La maison publie aussi des livres pour enfants, des oeuvres de fiction et la collection Africana ; Michael Joseph ne publie pas de livres pour enfants, mais plutôt des livres de jardinage, de cuisine et d'artisanat, et publie, par le biais de sa filiale Pelham, des livres de sport.

Hamish Hamilton a le bonheur de compter, parmi ses auteurs, le prince Charles et le prince Philip. Le premier écrivit un livre pour enfants, *Old Man of Lochnagar*, qui fut vendu à 175 000 copies en 1982, ce qui est presque un record pour la maison. L'oeuvre fut illustrée par le président de la *Royal Academy of Arts* et les droits d'auteur furent versés à des institutions de charité. Les représentants de Hamish Hamilton n'ont jamais traité directement avec le prince Charles, mais plutôt avec son secrétaire. Quant à l'oeuvre du prince Philip, il s'agit d'une collection d'essais et de discours. Dans ce cas, les droits d'auteur lui sont versés directement.

Parmi les auteurs féminins, c'est Susan Howatch qui est la plus importante. Ses romans comptent parmi les plus vendus au pays. Le choix de l'auteur fut un véritable coup de dés. Son premier manuscrit avait été remis à l'éditeur alors que celui-ci était en voyage aux États-Unis, où vivait alors Susan Howatch : « Le manuscrit était si volumineux que l'éditeur a craint un moment que le petit avion dans lequel il prenait place ne s'écrase ! » plaisante Christopher Sinclair-Stevenson, directeur actuel de la maison d'édition. Grand, mince et élégant, il a joint la direction en 1961 en tant qu'éditeur.

La maison fut fondée en 1931 par Hamish « Jamie » Hamilton, étudiant en médecine et en droit qui avait décidé de se lancer dans l'édition. Aujourd'hui âgé de 84 ans, Hamilton prit sa retraite en 1975. Il habite en Italie (car sa seconde épouse est une comtesse italienne). Il reste cependant président de la société qu'il a fondée. Il est par ailleurs rare que l'on accorde le titre de président à un administrateur d'une société commerciale au Royaume-Uni, préférant celui de « directeur administratif » ; c'était une façon, pour les administrateurs de l'I.T.O.L., de manifester une certaine gratitude à l'égard de Hamish Hamilton. Selon Sinclair-Stevenson, il fallait que le titre soit aussi spécial que l'homme.

Hamish Hamilton est la seule maison d'édition de l'empire Thomson qui a réussi à échapper aux tempêtes administratives. Selon Sinclair-Stevenson, « elle fut dirigée par son fondateur assez longtemps pour atteindre un certain degré de stabilité. L'équipe éditoriale, les services de production et de création sont à peu près les mêmes qu'il y a 23 ans, quand je suis arrivé. Bien qu'il soit fréquent dans le monde de l'édition que les directeurs des services des ventes et de mise en marché jouent à la chaise musicale, nous n'avons changé que trois fois de directeur des ventes depuis 1961. » Comme les sociétés Hamish Hamilton et Michael Joseph font toutes deux de l'édition commerciale, les directeurs de l'I.T.O.L. eurent naturellement l'idée de les fusionner, ce qui devait permettre de réaliser des économies sur le plan des frais de représentation. En Angleterre, il y a plus de 3 000 librairies qui sont des entreprises à propriétaire unique, ce qui impose aux maisons d'édition et de distribution le maintien d'un personnel de vente assez important. Voilà qui est bien différent du contexte nord-américain. « Au Royaume-Uni, lorsque les gens prennent leur retraite et ne savent que faire pour s'occuper, ils ouvrent une librairie, dit Michael Geare, rédacteur en chef de la revue *Bookseller* destinée aux éditeurs ; les boutiques sont généralement toutes petites et leur chiffre d'affaires est très faible. »

La fusion des services de vente de plusieurs maisons d'édition aurait donc été l'une des meilleures façon d'économiser sur le plan des frais de représentation auprès de ces petits détaillants. Malheureusement, chez Hamish Hamilton et Michael Joseph, personne ne semble intéressé par un tel projet. En 1980, dernière année où la question fut remise sur la table par les administrateurs de l'I.T.O.L., les directeurs des deux maisons d'édition ont menacé de donner leur démission.

Sinclair-Stevenson est radicalement opposé au projet : « Une telle fusion détruirait notre individualité, et c'est pourtant ce qui compte le plus dans l'édition. » Selon les observateurs, il n'est pas évident que la fusion des deux maisons soit avantageuse. Michael Geare explique : « Bien souvent, on n'obtient pas le même résultat quand un seul représentant se présente au nom de plusieurs maisons d'édition, avec plusieurs listes de titres. Il est évident que l'intérêt de l'acheteur diminue proportionnellement à l'ampleur de la liste qu'on lui présente. »

Tandis que les sociétés Hamish Hamilton et Michael Joseph continuent à être en partie administrées par leurs fondateurs ou leurs héritiers, la société Rainbird Publishing Group n'a plus aucun lien avec son créateur. George Rainbird en a depuis longtemps quitté la direction. Aujourd'hui, on ne lui fait même plus parvenir des exemplaires des nouveaux titres. Son fils, Michael, qui prit le poste de directeur administratif en 1977, dut démissionner en 1980... à la suite d'un conflit familial. Michael Rainbird décida alors de lancer une société rivale et plusieurs administrateurs de la Rainbird Publishing Group le suivirent.

George Rainbird, autodidacte, intellectuel et fin connaisseur en vins, abandonna ses études à l'âge de 14 ans. En 1951, avec 500 £ en poche, il lança sa propre maison d'édition, choisissant de se spécialiser dans les livres illustrés. La Rainbird joue un peu le rôle d'un grossiste dans le monde de l'édition en Grande-Bretagne, vendant souvent l'idée d'un livre à des éditeurs du pays ou de l'étranger qui se charge ensuite de la réalisation et de la distribution. Au Royaume-Uni, la société fut la première à s'engager sur la scène internationale. L'un des livres qui fit son succès fut *The Concise British Flora in Colour*, de Keble Martin, prêtre campagnard qui acheva son travail à l'âge de 85 ans. On a vendu plus d'un million de copies de son livre, malgré des débuts difficiles. Ce fut aussi une manne inattendue pour Martin, qui écrivait plus par amour que par intérêt.

Selon George Rainbird, « Martin était un botaniste, un horticulteur et un artiste qui eut un jour l'idée d'illustrer en 100 pages les 1 400 espèces de fleurs qui poussent en Angleterre. Il présenta son travail à plusieurs éditeurs, qui furent naturellement rebutés à l'idée d'imprimer 100 pages en quatre couleurs. Il était prêt à abandonner son projet lorsque sa bru décida de prendre l'affaire en main. Elle écrivit au prince Philip, dont l'amour pour la campagne était bien connu, en joignant quelques copies des illustrations de Martin. Le prince Philip envoya le tout à un éditeur, qui le donna ensuite à l'un de mes amis grâce à qui j'ai pu en prendre connaissance. Je montrai le travail au conservateur d'un musée d'histoire naturelle, de mes amis, qui m'affirma que la publication d'un tel livre serait l'une des meilleures chose qui puisse arriver à la botanique. J'ai alors parlé du projet à Peter Hebdon et à Michael Joseph, qui ne connaissaient rien à la botanique mais qui furent d'accord pour imprimer 50 000 copies. Lorsque j'ai rencontré Martin et que je lui annonçai la bonne nouvelle, il jugea bon de parler de moi dans son sermon du dimanche suivant. Avant même qu'on entame les négociations, il me précisa qu'il n'avait pas un sou vaillant et ne pouvait investir dans l'affaire. Je précisai que c'était à nous d'investir et que nous étions prêts à lui verser 2 500 £ en guise de premier paiement, et à l'avance ! »

L'histoire finissait bien pour tout le monde. Martin épousa sa femme de chambre ; il mourut à l'âge de 91 ans, riche des droits d'auteur qu'il toucha. La foi de George Rainbird lui fut utile, comme elle le fut d'ailleurs pour la maison d'édition. En effet, les réimpressions ont été nombreuses et les revenus continuent encore à affluer de nos jours.

En 1965, alors que George Rainbird avait 60 ans, il décida de vendre sa société à la Thomson Organisation, à condition que Roy Thomson, le grand patron, promette de lui laisser tous les pouvoirs en main. « Roy me dit que je n'avais pas à m'inquiéter de cela, mais me regarda par-dessus ses lunettes et ajouta : « Naturellement, si ça va mal, il va falloir que je mette le nez dans vos affaires. » Cela, il n'eut jamais à le faire. »

En 1970, on proposa à George Rainbird un siège au conseil d'administration de la société Thomson Publications qu'on venait tout juste de créer pour superviser la gestion des sociétés d'édition de l'empire. Rainbird fut rapidement pris dans les remous de plusieurs affaires politiques et fit quelques expériences malheureuses qui se soldèrent par des pertes ou, au mieux, des bénéfices réduits au strict minimum. Son successeur immédiat fut Edward Young, ancien directeur de la production chez Penguin Books (c'est d'ailleurs à lui qu'on attribue la création du sigle internationalement connu de cette maison d'édition). Hautement estimé, Young prit sa retraite en 1973 et la débandade commença. Il fut remplacé par David Herbert, ancien directeur éditorial. Celui-ci tint le coup jusqu'en 1977, année où il fut limogé à la suite des piètres résultats financiers obtenus par la société — les revenus avaient chuté de 50 p. 100 de 1975 à 1976. Herbert se chargea lui-même d'organiser son départ et fonda sa propre maison d'édition.

Michael Rainbird prit sa succession. Il avait rejoint les rangs des administrateurs de la société de son père en 1972, à l'âge de 32 ans, après avoir été à l'emploi de Viking Press. Sous sa direction, la société atteignit des records sur le plan des revenus, mais les succès furent de courte durée. Rainbird prit de gros risques en tentant d'envahir le marché américain de livres bon marché à une époque où le monde de l'édition américain était en crise. C'est Bryan Llewelyn, aujourd'hui directeur de Thomson Publications, qui en avait fait la suggestion à Rainbird. Le projet devait permettre de contrecarrer ceux de la société Octopus Press dont on enviait le succès monstre outre-Atlantique, où elle réalisait le plus gros de son chiffre d'affaires. On créa une nouvelle filiale à cette occasion, qu'on nomma Albany Books parce que G. Rainbird habite Albany House, près de Picadilly Circus. (Byron y a déjà eu un appartement.) Pour réduire les coûts de production, on faisait imprimer les livres à Hong Kong. Au début, les ventes atteignirent des niveaux record, mais cela ne dura pas à cause des fréquentes fluctuations du taux de change entre la livre sterling et le dollar américain. En un an, Rainbird perdit ainsi 300 000 £.

À la même époque, Michael Rainbird était engagé dans de nombreuses disputes avec les membres de son personnel et les visages changeaient constamment au sein de son équipe. Il y avait aussi un véritable combat des chefs entre Rainbird et Michael O'Mara, un Américain qui avait été nommé directeur de l'équipe éditoriale à la suite de l'intervention de Robin Denniston, responsable du service des livres. Denniston affirme qu'il n'a pas réalisé, lorsqu'il offrit le poste à O'Mara, que cela allait mener à une âpre lutte pour le pouvoir : « On ne peut pas avoir deux personnes à la tête de la société », conclut-il. C'est O'Mara qui l'emporta, mais qui quitta néanmoins la Rainbird Publishing en 1983, trois ans plus tard. Toutefois, ce qui se passait à la direction de la société n'était rien en comparaison des luttes intestines qui minaient la direction d'une autre filiale, la Sphere. C'est la seule maison d'édition au sein de l'empire qui ait été créée, et non acquise. Sa fondation remonte à 1966. L'idée était bonne, puisque le marché des livres de poche semblait lucratif, avec plus de 15 000 intervenants de toutes tailles au Royaume-Uni seulement. On s'attendait à ce que la nouvelle société connaisse un succès remarquable. Mais c'est l'échec qui a été phénoménal ! Chaque année, on changeait de directeur administratif.

Les acteurs changeaient, mais les problèmes restaient les mêmes. « Les gens de chez Thomson pensaient que s'ils investissaient plus d'argent dans cette filiale, ils prendraient automatiquement une bonne part du marché. Mais cela ne donna rien, en grande partie parce que la Sphere avait de la difficulté à obtenir les droits des sociétés soeurs, autres filiales de l'empire qui étaient peu enclines à collaborer avec la nouvelle venue. » C'est l'opinion de Desmond Clarke, qui a travaillé pour le compte des sociétés Sphere et T.B.L. au cours des années 70 avant d'accepter le poste de président du Book Marketing Council, organisme chargé d'aider l'industrie du livre en Grande-Bretagne. Selon Geare, les problèmes venaient de l'arrivée tardive de la Sphere dans le monde de l'édition : « Au moment de la création de la société, il y avait déjà plusieurs entreprises concurrentes qui étaient bien établies et détenaient une bonne part du marché. »

Edmund Fisher, qui se trouvait heureux d'être parmi les directeurs de la société Michael Joseph, dont les problèmes étaient presque ridicules en comparaison avec ceux qu'on connaissait à la Sphere, était convaincu qu'on pouvait faire quelque chose pour aider la société soeur. Il comptait sur son intervention pour accroître encore sa puissance et son influence au sein de l'empire. Alors que la plupart des administrateurs auraient souhaité être mutés n'importe où sauf à la tête de la Sphere, Fisher demanda le poste en 1975, à l'âge de 32 ans. Il avoue avoir hérité d'un panier de crabes : « La société Sphere n'avait jamais fait de bénéfices et son équipe de direction était démoralisée, d'autant plus que le montant des dettes était astronomique. En neuf ans, celles-ci avaient atteint un sommet de deux millions de livres sterling et les pertes se chiffraient entre 200 000 et 300 000 £ par an. La plupart des maisons d'édition peuvent couvrir leurs frais d'exploitation en publiant une dizaine de titres par an, mais un éditeur de livres de poche doit avoir un volume beaucoup plus élevé et rechercher, donc, des auteurs à succès.

Selon Fisher, le problème venait du fait que les livres des deux auteurs vedettes des filiales de l'empire Thomson, Dick Francis et James Herriot, étaient publiés en livres de poche par la société Pan. Il tenta d'imposer son point de vue et exigea que tous les auteurs publiant chez Sphere garantissent à la maison d'édition l'exclusivité de leur oeuvre, mais Francis et Herriot s'entêtèrent et ne voulurent pas laisser la société Pan, même si Fisher leur offrit d'accroître leurs droits d'auteur. Ce dernier parvint toutefois à convaincre deux autres auteurs à succès de signer avec Sphere ; il s'agit de Clive Cussler, auteur de romans d'aventure, et de la romancière Danielle Steel. Il obtint aussi les droits de publication pour les versions en livres de poche de *Star Wars* et *Majesty* (qui raconte l'histoire de la famille royale britannique), deux titres qui obtinrent un franc succès.

Fisher mit de l'ordre dans la structure de la société Sphere en éliminant une trentaine de postes. Il décida de couper partout où c'était possible, obligeant même l'un des deux commissionnaires du siège social à prendre une retraite avancée parce qu'il considérait qu'un seul suffisait à la tâche. Il se débarrassa aussi des postes de directeur-éditeur, directeur des ventes et directeur financier. Cleve Vine, ancien secrétaire pour tout le territoire du Royaume-Uni pour la société Walter Kidde, un conglomérat international, devint le nouveau vérificateur et fut chargé de mettre de l'ordre dans les affaires de la Sphere. Il raconte : « Avant mon arrivée, on sautait souvent des rapports mensuels, faisant plusieurs mois en un seul, ce qui rendait impossible l'analyse de la courbe des bénéfices. » Les sous-directeurs des ventes perdaient leur poste chaque fois que Fisher jugeait que les représentants n'avaient pas besoin d'être à ce point encadrés. On réduisit aussi les délais entre le moment de l'impression et la distribution des livres afin d'écourter le temps d'entreposage, parce que les statistiques montraient que la Sphere se classait cinquantième sur 60 éditeurs quant à la rapidité de production ; grâce à de telles mesures, elle se hissa au sixième rang. En 1980, Fisher annonça fièrement que la Sphere passait du dixième rang, parmi les 15 éditeurs de livres de poche du Royaume-Uni, au cinquième rang.

Fisher imposa aussi d'importants changements dans le programme éditorial. C'est lui qui créa la série des *Confessions*, dont la couverture présentait toujours une fille en tenue légère. Il y eut les confessions d'un laveur de vitres, d'un chauffeur de taxi, etc. Il est curieux qu'on continue à produire ce genre de livres, d'autant plus que Fisher reconnaît que Roy Thomson se faisait un honneur de ne jamais publier « de mauvaise littérature », mais il affirme ne pas avoir dérogé à la règle.

Quand on note l'ensemble des succès obtenus par Fisher à la tête de la société Sphere, on se demande comment il se fait qu'il ne soit plus à son poste, ou qu'il n'occupe pas une position importante au sein de l'empire Thomson. Il y a plusieurs explications possibles. Fisher est un homme intelligent et charmant, mais d'après ceux qui l'ont bien connu à la Sphere, il sait aussi être « très sec, dur et exigeant ». Ce n'est sûrement pas Bryan Llewelyn, qui devint directeur de la Thomson Publications en 1977, qui a la meilleure opinion de Fisher. Ses projets de centralisation n'avaient jamais été endossés par Fisher et le torchon brûla entre les deux hommes lorsque Llewelyn décida de fusionner les services d'entreposage de la Sphere avec ceux des autres maisons d'édition de l'empire, ce que Fisher avait qualifié de « rationalisation irrationnelle ». Pourtant, l'inventaire de la Sphere était beaucoup trop élevé, ce qui explique en partie que, bien que ses revenus aient triplé entre 1975 et 1980, ses pertes étaient, cette dernière année, à leur plus haut niveau en six ans.

De toute façon, Fisher quitta la société en 1979 pour accepter un poste chez British Printing and Communications Corporation, de Robert Maxwell. Là, il dirige la filiale Futura. Francis Bennett prit alors sa place. Ce dernier venait juste de quitter son poste de directeur chez W.H. Allen, une autre maison d'édition qui, comme Sphere, perdait beaucoup d'argent. Elle n'avait réalisé des bénéfices qu'en 1976 et en 1979. Bennett n'occupa le poste de directeur que six mois, le quittant pour prendre celui de directeur général puis, pour diriger ensuite la division de l'édition commerciale. Son successeur, Michael Goldsmith, n'avait que 34 ans ; c'est un comptable qui a une solide formation en informatique.

Même la plus vénérable de toutes ces maisons d'édition, la société Thomas Nelson & Sons, fondée il y a 204 ans et acquise en 1962, a connu une période difficile. Le problème venait de la diversification suggérée par Gordon Brunton, selon laquelle la société devait ajouter à son programme traditionnel, qui ne comportait que des livres scolaires, plusieurs titres plus commerciaux. Mais il fallait pour cela accroître les dépenses de mise en marché et les frais de distribution. Ce fut une erreur coûteuse qui provoqua à la fois des pertes financières et des disputes entre les directeurs de la société, dont la plupart s'étaient opposés aux changements proposés, et la haute direction de l'empire. Si c'est Brunton qui avait fait l'erreur, ce sont les administrateurs de la Thomas Nelson qui ont été pénalisés et ont dû quitter leurs postes.

Les difficultés de la Thomas Nelson étaient le principal sujet de préoccupation de Robin Denniston lorsque celui-ci prit la tête de la division des maisons d'édition en 1975. Il nomma deux comptables pour s'occuper spécialement de l'affaire : Jack Fleming, président de Thomas Nelson Canada, et John Jermine, directeur financier de Thomas Nelson au Royaume-Uni, qui avait avant cela occupé le poste de vérificateur dans plusieurs sociétés de presse de l'empire Thomson. Selon Denniston, Fleming était le candidat idéal. N'avait-il pas en effet connu des succès importants chez Nelson Canada ? Fleming, à l'âge de 53 ans, préférait le monde de l'édition à celui de la comptabilité parce que, dit-il, « j'ai réalisé que je préférais les gens et les choses aux chiffres, que je trouvais ennuyeux ».

Il devint président de Nelson Canada en 1971, à une époque où la société était en pleine période de croissance. « On avait de sérieuses difficultés financières à la suite des dépenses que nécessitait l'expansion, d'autant plus que la Thomson Organisation ne pouvait nous fournir les fonds nécessaires parce que ses marges de crédit étaient entièrement utilisées. » La solution que proposa Fleming était de vendre l'édifice où se trouvait le siège social de la Thomas Nelson et de louer ensuite les locaux au nouveau propriétaire. Les revenus de la vente, une fois déduits les frais de location, servirent à payer une partie des dettes et à financer l'expansion. En plus, Fleming retint les services d'un nouveau directeur financier et accrut le nombre des membres de l'équipe éditoriale. En 1980, Nelson Canada avait réalisé un redressement financier spectaculaire, si bien qu'on put faire construire un nouveau siège social.

À la demande de Denniston, Fleming déménagea en Grande-Bretagne en acceptant de tenter un redressement identique pour le compte de la maison mère. Selon lui, il fallait trois ans pour ce faire, bien qu'on ne lui eût imposé aucun temps limite. Finalement, les

151

choses reprirent leur cours normal en moins de deux ans. Fleming resta toutefois au poste deux années de plus, faisant un court séjour à la tête de la division des livres avant de revenir à Toronto parce que sa famille avait le mal du pays. Il est aujourd'hui directeur du service des opérations internationales chez Nelson Canada, et travaille à Toronto sous la direction de Michael Brown qui, lui, est à New York.

John Jermine, malgré son jeune âge (il avait 28 ans en 1974), devint l'adjoint de Fleming à Londres. Il faut dire qu'il avait été directeur de la perception dans une firme comptable réputée et qu'il avait assumé la direction de plusieurs filiales. Les deux hommes se retrouvaient à la tête d'une société en bien mauvaise posture. La plupart des membres de la haute direction avaient donné leur démission et la société avait perdu quelque 500 000 £ au cours de l'année fiscale 1973-74. La division des livres commerciaux est celle qui avait les plus mauvais résultats financiers. Les bureaux de la société Thomas Nelson étaient à Londres. C'est là que se trouvait l'équipe administrative, alors que les entrepôts étaient situés à Sunbury-on-Thames, dans le Middlesex County, à 25 km à l'ouest de Londres. Fleming chercha d'abord à éliminer tout ce qui était superflu. Il limogea une soixantaine de personnes, ferma le bureau de Londres et déménagea tous les administrateurs à Sunbury après avoir fait ajouter un étage à la bâtisse, ce qui fut fait en moins de trois mois. Le programme éditorial fut réduit et l'on revint aux livres scolaires. On céda tous les droits des livres commerciaux. On fit un tri soigné des titres à venir, préférant les livres de mathématiques, de sciences et de linguistique, qui étaient voués à un succès assuré, à ceux qui présentaient un certain risque.

Avant 1974, à la société Thomas Nelson, le programme d'édition de livres scolaires destinés au niveau primaire ne comportait aucun livre de mathématiques ou de lecture. Quant au programme du secondaire, il ne comportait que quelques titres qui se vendaient bien. La société était divisée en huit services : les livres scolaires de niveau primaire et secondaire, les livres de tests, le marché des Caraïbes, le marché africain, les livres pour l'apprentissage de l'anglais langue seconde, l'édition universitaire et collégiale. Le nouveau conseil de direction décida de concentrer ses efforts dans les secteurs les plus rentables, c'est-à-dire ceux des écoles primaires et secondaires, et la publication de méthodes d'apprentissage de l'anglais langue seconde. Le marché des méthodes d'enseignement de l'anglais était de loin le plus prometteur. Selon les statistiques, il y aurait eu jusqu'à 200 millions de personnes à travers le monde qui suivaient, la même année, des cours d'anglais langue seconde. En Chine seulement, on évaluait à dix millions le nombre d'auditeurs des programmes de la B.B.C. chaque semaine.

En 1975, la société Thomas Nelson lança un programme éditorial de cinq ans pour chacune de ses divisions. Ce principe de projection quinquennal fut adopté par l'I.T.O.L. en 1980. Parmi les titres proposés aux institutions d'enseignement primaire, Fleming et Jermine inclurent des livres de lecture et de mathématiques. Pour les institutions secondaires, on concentra les efforts sur les mêmes sujets, en plus de la langue anglaise, du français langue seconde et de la physique (parce que les statistiques montraient que c'était dans ces disciplines qu'il y a avait le plus grand nombre d'élèves inscrits). Fleming et Jermine décidèrent de ne publier que des livres de classe, de ceux qui doivent être utilisés simultanément par tous les élèves d'une classe, de préférence aux livres de référence et autres dictionnaires, imprimés en petites quantités et toujours en quatre couleurs. Dans ce dernier cas, le nombre de copies vendues n'est jamais suffisamment grand pour couvrir les frais de production.

On fit autant d'efforts dans le domaine de la mise en marché. Le nombre de vendeurs au Royaume-Uni fut triplé ; on en comptait maintenant vingt-cinq. On établit une équipe comparable pour les ventes outre-mer, afin de gagner des marchés que Fleming et Jermine jugeaient prometteurs. Au Royaume-Uni, on retint les services d'anciens enseignants car on croyait que leur expérience de pédagogues pouvait leur être utile et faciliter leurs rapports avec leurs anciens confrères. Afin de mieux faire face à la concurrence, on accrut aussi la qualité de la production, en retenant même les services d'une firme de graphistes-conseils pour fixer le nombre de mots par page, la grosseur des caractères et la dimension des livres. On mit sur pied un service photographique et l'on engagea plusieurs photographes professionnels à qui on commanda un catalogue d'illustrations, ce qui était préférable au rachat des droits pour la reproduction de photos existantes.

En 1983, alors que le sauvetage de la Thomas Nelson était complété depuis longtemps, Jermine quitta son poste et fut remplacé par Timothy Sherwen. Ce dernier est l'un des directeurs les plus remarquables qui se soient jamais trouvés à la tête d'une maison d'édition de l'empire Thomson. Il a étudié l'histoire et l'archéologie, fut membre de la Royal Navy et enseigna l'anglais en France, vendit des produits chimiques et agricoles, fit du journalisme à la pige et dirigea sa propre maison d'édition (spécialisée en livres éducatifs), qu'il quitta pour rejoindre les rangs des administrateurs de la Thomas Nelson.

Les sociétés Thomas Nelson au Royaume-Uni et Nelson Canada avaient largement réduit leur programme éditorial afin de se limiter aux livres éducatifs. Pourtant, la filiale australienne de la société mère restait hybride. Cela cause encore certains problèmes à Barney Rivers, le directeur général, qui se trouve pris entre deux feux. Il est sur la corde raide mais se tire bien d'affaires puisque cela fait six ans qu'il occupe son poste. En effet, il est rare qu'un directeur d'une maison d'édition appartenant à l'empire Thomson reste aussi longtemps en place.

La société Thomas Nelson Australia publie en majeure partie des livres commerciaux (65 p. 100 de son chiffre d'affaires) déjà publiés par les sociétés Hamish Hamilton, Michael Joseph et Sphere. Rivers rend des comptes à Jack Fleming et, par son intermédiaire, à Michael Brown. Les directeurs des sociétés Hamish Hamilton, Michael Joseph et Sphere dépendent de Francis Bennett puis, selon la hiérarchie, de David Cole. L'ennui, c'est que Cole et Brown ne s'entendent pas bien, du moins selon ce que disent leurs proches collaborateurs. Par ailleurs, Cole souhaitait prendre la succession de Gordon Brunton. Maintenant que Brown a remporté la victoire, on peut se demander si la Thomas Nelson Australia sera obligée de restreindre sa production aux livres éducatifs, comme la filiale canadienne ou la maison mère britannique.

Les ennuis qu'ont connus les maisons d'édition les plus importantes de l'empire Thomson, comme la Thomas Nelson, n'ont pas servi de leçon aux autres directeurs des filiales, dont la T.B.L. Book Service, créée il y a à peine cinq ans dans le but de centraliser les services d'entreposage. La fondation de cette société relève de la plus pure fantaisie. Un groupe de directeurs ont décidé, du jour au lendemain, qu'il était *nécessaire* de réunir les différents services d'entrepôt des sociétés d'édition ; malheureusement, ils durent bien admettre que, dans cette aventure, c'est la loi de Murphy qui prévalait, c'est-à-dire que tout va au plus mal chaque fois que c'est possible. Mais comme dans le plus classique des scénarios, les ennuis de la T.B.L. se réglèrent au dernier moment et, le jour de sa création, tout sembla fonctionner à merveille.

C'est Michael Goldsmith, directeur financier chez Hamish Hamilton, qui eut la responsabilité de mettre sur pied la nouvelle société. Goldsmith retint les services de Desmond Clarke, qui avait produit un rapport prônant la centralisation des services de distribution au sein de l'I.T.O.L. en 1977. Selon Clarke, « n'importe quel autre directeur aurait exigé une série de rapports, deux ans de planification et trois ans d'essais ; mais chez Thomson, on décida que l'idée était bonne et qu'il fallait la réaliser en 18 mois afin que le rythme soit assez rapide pour qu'aucune des sociétés concurrentes ne puisse le suivre. »

Les directeurs des maisons d'édition n'avaient aucune raison de se réjouir car ils perdaient toute responsabilité dans la distribution de leurs propres livres, la préparation des commandes, la perception des sommes dues, la production des données statistiques, etc. C'est qu'on était habitué à disposer de beaucoup d'autonomie et chacune des sociétés avait établi son propre système. D'ailleurs, cela représenta un véritable cauchemar pour Clarke et Goldsmith : « La société Hamish Hamilton, par exemple, faisait faire la plupart du travail par des sous-traitants et n'avait qu'un petit entrepôt à Londres, qu'on allait devoir agrandir un jour ou l'autre, explique Goldsmith. La société Michael Joseph donnait à des sous-traitants tous les services informatiques et de gestion des entrepôts. Chez Sphere, on s'occupait de la distribution. Le but que nous visions lors de la création de la T.B.L. était d'exercer un parfait contrôle sur la gestion des inventaires et d'accélérer le plus possible le système de distribution. »

La Sphere était la seule société à posséder un entrepôt suffisamment vaste pour satisfaire ses besoins. Il était situé à une cinquantaine de kilomètres de Londres, à Camberley, sur la route de l'académie militaire Sandhurst. Sa situation géographique présentait quelques avantages ; en effet, loin de Londres, les syndicats étaient moins puissants et il était plus facile de traiter avec eux. La route entre Camberley et Londres est agréable et la W.H. Smith, l'une des maison d'édition les plus importantes du Royaume-Uni, a fait le même choix (et son siège social est situé à peu de distance de celui de la Sphere).

Les premiers pas furent très difficiles pour Clarke et Goldsmith : « Il n'y avait pas de bureaux, pas d'ordinateurs, aucun employé ; nous aurions eu un édifice vide si l'on n'y avait pas trouvé un classeur, seul et unique, rappelle Clarke. Notre premier achat fut une bouilloire car nous n'avions rien pour préparer le café. » Les deux hommes devaient d'ailleurs faire bonne consommation de café car ils passaient souvent seize heures par jour au bureau pour terminer leur travail. Au départ, on prévoyait déménager l'inventaire de chacune des maisons d'édition, en commençant par la société Sphere. Mais les beaux projets furent rapidement oubliés lorsque les entrepôts des sociétés Michael Joseph et Hamish Hamilton durent fermer leurs portes, ce qui obligea à déménager sans délai leurs inventaires aux nouveaux entrepôts, dont la construction n'était même pas achevée.

Et ce n'était que le début des difficultés. Le système informatique qui avait été installé temporairement n'a pas fonctionné à la satisfaction des responsables, ce qui provoqua la perte d'un mois complet de données comptables. L'augmentation constante des livres en inventaire nécessita de nombreuses modifications au système informatique, si bien que le directeur de l'entrepôt et son adjoint donnèrent leur démission le même jour. À l'entrepôt de la Sphere, un incendie criminel causa la perte de 90 p. 100 de l'inventaire, soit quelque sept millions de livres de poche. À la T.B.L., on souhaitait réimprimer les livres tout en cherchant à cacher aux libraires l'étendue des pertes encourues, car on craignait que ceux-ci ne réduisent l'espace réservé en librairie aux livres des maisons d'édition de l'empire Thomson. Selon Clarke, « Francis Bennett, qui venait tout juste de prendre la direction de la Thomson Book Service, expliqua aux employés ce qu'il fallait qu'ils disent aux clients et menaça de mettre à la porte quiconque contreviendrait aux instructions. Nous avons caché l'affaire pendant plus d'un mois, puis avons émis un communiqué de presse précisant qu'il s'agissait d'un incendie mineur. Nous avons fait imprimer les livres par différentes imprimeries afin que personne ne puisse se douter de l'ampleur du désastre. »

Malgré tout cela, on s'attendait à ce que Clarke et Goldsmith atteignent les objectifs qui avaient été fixés pour la T.B.L. Ce n'était pourtant pas chose facile. « Ce n'est que le 30 juin, à une heure du matin, rappelle Clarke, que nous avons été en mesure d'apprendre que nous pourrions compléter la facturation par ordinateur. » La pression qu'avaient subie les deux hommes était intense, mais la récompense fut aussi considérable. Clarke, par exemple, se vit offrir une semaine de vacances en Crète, dans un hôtel de première classe, avec une automobile gracieusement fournie par la société.

La guerre des livres eut de fâcheuses conséquences non seulement pour les filiales, mais aussi pour la maison mère. La vague de dissensions finit par atteindre les plus hautes sphères de la direction. La Thomson Publications, société qui devait chapeauter les activités de toutes les maisons d'édition, fut au centre de la controverse. Son premier directeur, George Rainbird, était un vendeur talentueux et un éditeur de génie, mais n'entendait rien à la tenue de livres et à l'administration. Il dirigea la société avec un laisser-aller notable sur le plan comptable, si bien que la plupart des maisons d'édition connurent des difficultés financières ; cela causa aussi le départ de nombreux administrateurs, car dans toute bataille, il y a toujours un perdant.

La réputation de Rainbird eut aussi à souffrir de la manie qu'il avait d'annoncer sa démission prochaine et de revenir sur sa décision, ce qu'il fit plusieurs fois jusqu'à son départ définitif, en 1974. Il avait alors 69 ans. Chaque fois qu'il annonçait son départ, cela se soldait par une série d'articles critiques dans la presse. L'un de ceux-ci, publié dans le *Spectator*, le 9 novembre 1974, quelque temps avant le départ effectif de Rainbird, est caractéristique :

Les bons hommes viennent et s'en vont, mais M. Rainbird semble être là pour rester. Puis, la nouvelle arriva jeudi dernier. Alors que tout Fleet Street était à déjeuner, un communiqué de presse nous parvint du bureau de M. Rainbird. La nouvelle était importante et allait avoir de sérieuses conséquences... Mais non. Moins de quatre heures plus tard, l'un des commis du bureau de M. Rainbird multipliait les coups de téléphone pour annoncer que le grand patron avait encore changé d'avis, que le communiqué de presse était annulé et qu'il ne fallait plus en tenir compte.

Une semaine plus tard, il y eut un nouveau communiqué de presse annonçant cette fois que Rainbird laissait son poste à Robin Denniston, directeur adjoint de Weidenfelds, une autre maison d'édition britannique. Certains critiques ont prétendu que « la vie devait être insupportable chez Weidenfelds », ce qui était une façon de souligner que le monde de l'édition s'était rendu compte des difficultés auxquelles faisaient face les filiales de l'empire Thomson. Même la société Michael Joseph passait une période difficile et la haute direction de Thomson Publications commençait à croire que certains directeurs faisaient preuve de beaucoup trop d'indépendance : « Cette société était dirigée selon la méthode D.U.I., dit Denniston, c'est-à-dire *déclaration unilatérale d'indépendance.* »

Denniston se mit à la tâche, puis connut à son tour son lot de difficultés. Geoffrey Parrack, son supérieur immédiat, fut remplacé par Bryan Llewelyn. À l'inverse de Parrack, qui laissait Denniston agir à sa guise, Llewelyn voulut s'engager directement dans ses affaires, apportant ses propres idées — dont celle qui mena à la création de la filiale Albany, chez Rainbird. Il était aussi convaincu qu'il fallait séparer les maisons publiant des revues des maisons d'édition proprement dites, séparer aussi la division des livres éducatifs de la société Thomas Nelson des autres maisons d'édition commerciale. Tout cela ne convenait pas du tout à Denniston, qui finit par remettre sa démission : « Llewelyn avait certaines raisons d'agir comme il le faisait, mais je devais assumer la direction des maisons d'édition. » Il trouva un poste chez Oxford University Press, où il devint éditeur.

Aujourd'hui, la guerre des livres a beaucoup perdu de son importance. Pourtant, personne ne considère les maisons d'édition de l'empire Thomson comme des exemples en leur genre. Le manque de cohésion dans leur administration continue à poser de sérieux problèmes. Selon Clarke, « il est difficile d'attirer des administrateurs de talent et ce n'est que tout récemment qu'on s'est intéressé à ce problème ». Il affirme qu'il y a peu de gens chez Thomson qui ont le calibre des directeurs des grandes maisons d'édition internationales. « Il nous faudrait aussi beaucoup d'experts en mise en marché. Nous n'avons pas fait suffisamment d'efforts pour redorer notre image auprès du grand public. Nos personnes ressources n'ont aucune expérience dans le domaine littéraire ou dans le monde de l'édition, ce qui est une faille importante. »

Puis il ajoute : « Si les sociétés Thomson ont si piètre réputation au point de vue administratif, c'est à cause des politiques de décentralisation à la suite desquelles des gens comme Denniston et Bennett ont peu de pouvoirs ; en plus de cela, les différents directeurs manquent du feu sacré qui anime les grands entrepreneurs. On a centralisé les services de distribution mais on n'a pas cherché, en même temps, à rationaliser l'exploitation de chacune des sociétés. »

C'est à Bennett qu'il revient de s'assurer que les prophètes de malheur qui prédisent un sombre avenir à la Thomson Book Service soient dans l'erreur. On dit en effet que si l'on ne réussit pas à régler les problèmes actuels, l'entreprise est vouée à la faillite. En réponse à cela, Bennett présente tout un programme d'expansion. Bien qu'il permette à chacune des filiales de garder toute son individualité, c'est-à-dire de conserver sa propre liste de publications, il impose des coupures importantes sur le plan des frais administratifs et tente de normaliser les principes d'exploitation. Bennett, qui a un faible pour les graphiques, affirme que l'erreur la plus grossière dans le monde de l'édition est de multiplier les titres dans un genre précis parce qu'on a un jour publié un livre en ce domaine qui a connu un certain succès. Ce qu'il cherche en fait, c'est à changer la mentalité qui prévaut chez Thomson.

« Hamish Hamilton, dit-il, est une société qui publie trois types de livres : des livres commerciaux destinés aux adultes, des livres pour enfants et la collection Elm Tree, spécialement conçue pour les jeunes lecteurs. En 1982, les ventes de livres pour enfants ont atteint des niveaux record grâce à un seul titre. Si l'on se fie aux pratiques habituelles du monde de l'édition, la société aurait dû accroître le nombre de livres pour enfants en 1983, mais cela signifiait qu'il fallait trouver un autre titre à succès, ce qui n'est pas facile. À partir du moment où l'on se fie aux résultats d'une année précédente pour choisir le programme d'édition de l'année courante, on est presque assuré d'aller droit à l'échec. »

Selon Bennett, il vaut mieux conserver l'importance proportionnelle de chacun des genres retenus par une maison d'édition. Ce qui est nécessaire, c'est d'accroître le tirage et d'améliorer les techniques de mise en marché tout en limitant le nombre des « ratés », c'est-à-dire de livres à petit succès. « Nous préparons notre liste de publications dix-huit mois à l'avance. C'est ainsi que nous savions, dès 1981, que les livres pour enfants ne rapporteraient pas autant à la Hamish Hamilton en 1983 que ce qu'on prévoyait pour 1982. C'est pourquoi la collection Elm Tree a gagné en importance en 1983. Quand on est dans l'édition, ce sont les livres qui doivent travailler pour nous, et non l'inverse. »

Tout en mettant fin aux pratiques habituelles en matière d'édition, Bennett imposa son point de vue quant aux politiques administratives et à la réduction des coûts de production. Les différentes maisons d'édition achètent maintenant le papier en groupe, ce qui permet d'obtenir de bien meilleurs prix. On a aussi réduit le nombre de formats de livres, ce qui s'est encore une fois soldé par une baisse des coûts de production. En avril 1982, la T.B.L. a décidé de facturer à chacune de ses filiales les coûts d'entreposage et de distribution qu'elle avait jusque-là absorbés. Selon Bennett, cela suffit à réduire de façon importante le nombre de livres en inventaire. En mars 1983, il a aussi imposé la normalisation des formulaires pour la production des états financiers, ce qui facilite le traitement des données et les comparaisons entre sociétés. En juillet 1983, les services d'exportation des sociétés Michael Joseph et Hamish Hamilton ont fusionné, toujours par souci d'économie.

Quant au contenu du programme éditorial, on n'a pas changé grand-chose chez Michael Joseph, Rainbird Publishing Group ou Hamish Hamilton. À la société Sphere et chez Thomas Nelson, on a par contre étendu la gamme des publications. On a voulu faire renaître la collection Abacus en préparant une série de livres de poche de qualité supérieure. Le tirage de tels livres n'est jamais aussi important que celui des livres de poche ordinaires, mais les bénéfices sont proportionnellement plus élevés parce que le prix de vente est beaucoup plus haut. On a aussi multiplié les éditions spéciales, publiant des livres « historiques », entre autres pour célébrer des événements important. L'un de ces livres, lancé à l'occasion du mariage du prince Charles et de la princesse Diana (*Not the Royal Wedding*), atteignit 550 000 copies en deux mois et demi.

Alors que les ventes dans les boutiques, les bureaux de tabac et les agences diverses stagnent, les administrateurs de la Sphere cherchent à accroître leurs ventes dans les librairies. Les livres de la collection Abacus ne sont d'ailleurs distribués que dans les librairies, ce qui a forcé le service de mise en marché de la société à augmenter le nombre des représentants. On a aussi éliminé l'éternel problème des droits d'auteurs, que les sociétés Michael Joseph et Hamish Hamilton ne voulaient jamais céder à la Sphere, en traitant directement avec les auteurs. Parmi ceux-ci, on retrouve Irving Wallace, qui a préféré la société Sphere même si d'autres filiales de l'empire Thomson détiennent les droits pour la publication de l'édition reliée.

La société Thomas Nelson, quant à elle, a cherché à accroître son marché en créant un service de produits vidéo et de logiciels. La Nelson Filmscan, créée à la suite du voyage au Japon d'un administrateur de la Thomas Nelson, vend sa production à travers le monde. On songe à utiliser le vidéo pour l'enseignement de l'anglais langue seconde et à produire des bandes vidéo d'accompagnement pour certains des grands titres publiés par la maison d'édition. Les films produits se vendent surtout au Japon, dans les pays arabes et en Europe. À la suite de la décision du gouvernement britannique de subventionner l'achat d'ordinateurs par les institutions scolaires, on décida de se lancer dans la production de logiciels éducatifs. Jusqu'à ce jour, la Thomas Nelson a investi quelque 500 000 £ mais cela n'a encore rapporté aucun bénéfice.

Les affaires vont beaucoup mieux aussi à la T.B.L. À la grande surprise de tous, Cleve Vine, qui avait été directeur de la Sphere à la suite de Fisher et avant Bennett, fut nommé directeur de la T.B.L. en 1979. Goldsmith prit sa place à la tête de la Sphere. Vine s'intéresse beaucoup à l'expansion de la T.B.L. sur tous les fronts, c'est-à-dire de la distribution de livres au traitement de données et à la facturation. De nos jours, le temps de distribution des livres est passé de plusieurs semaines à quelques jours. Pour réaliser ce tour de force, on a éliminé la filiale qui se chargeait de la distribution pour le compte des maisons d'édition et on a fait appel à une société spécialisée ; selon Vine, cette formule est bien moins coûteuse.

Grâce à un nouveau système informatique, on a réussi à porter le pourcentage des factures impayées de 40 p. 100 à 5 p. 100. En 1983, les spécialistes de la mise en marché à la T.B.L. ont mis sur pied un système de commandes par téléphone grâce auquel les libraires peuvent passer directement leurs commandes en communiquant par téléphone avec l'ordinateur central de la société. Avec un tel système, on peut traiter jusqu'à 600 commandes par jour. Au cours de l'été 1983, on a réuni l'ensemble des inventaires dans un seul entrepôt, à Camberley, alors qu'ils étaient disséminés dans cinq bâtiments.

Si l'empire a acquis la grande majorité de ses maisons d'édition à coup de prises de contrôle, Bennett assure que la croissance sera dorénavant assurée par l'expansion des filiales actuelles plutôt que par l'achat de nouvelles sociétés. Les bénéfices de la Thomson Book Service ont été huit fois plus élevés en 1983 qu'ils ne l'étaient en 1982. C'est pourquoi Bennett peut respirer un peu : « Les gens de chez Thomson nous laissent faire à notre guise, sans jamais s'immiscer dans nos affaires, et font preuve d'une grande patience. Mais ce n'est pas facile pour autant. » La guerre des livres est-elle terminée chez Thomson ? C'est à voir...

8

La guerre des voyages

Lorsque Jules César conquit la Gaule, on salua son exploit mais il lui fallut pourtant 10 ans pour s'assurer une victoire définitive. Il fallut presque autant de temps à la société Thomson Travel — neuf ans au total — pour atteindre le seuil de rentabilité. Pendant toutes ces années, il fallut s'accommoder des luttes intestines à la suite desquelles des administrateurs partaient en claquant la porte ou étaient limogés ; ce fut aussi une époque qui vit la pire guerre des prix de toute l'histoire de l'industrie britannique des voyages.

Mais la patience a porté ses fruits. Aujourd'hui, la société Thomson Travel est la plus importante en son genre dans tout le Royaume-Uni. Ses revenus sont le triple de ceux de sa plus proche concurrente. Elle est propriétaire de la plus grande flotte privée d'avions de Grande-Bretagne et transporte quatre millions de passagers par an vers 50 destinations avec ses 33 appareils. Son système informatique de réservation est l'un des plus perfectionnés au monde. Quand on compare sa marge de bénéfices à celles des quotidiens de l'empire Thomson au Royaume-Uni et des maisons d'édition, on constate qu'elle est deux fois plus élevée. Disposant des capitaux suffisants, elle s'engagea dans le marché américain il y a quatre ans et devint rapidement l'une des trois plus importantes sociétés de voyages d'Amérique.

Il y a 20 ans, la société Thomson Travel n'était pas promise à un brillant avenir. Cette filiale était administrée de la même façon que les sociétés d'édition, avec de meilleurs résultats toutefois. Roy Thomson avait décidé de diversifier ses intérêts et a choisi l'industrie des voyages, se disant prêt à acheter une société — n'importe laquelle — quelles que soient sa stabilité et sa force. Il valait mieux, selon lui, faire l'acquisition d'une société en difficultés et la remettre sur pied que de passer des mois à chercher la perle rare. C'est comme si quelqu'un qui est à la recherche d'une auto neuve se moquait de comparer la puissance des moteurs et la consommation d'essence, préférant s'en tenir à la couleur ! Dans le cas des sociétés de voyages, le choix de Thomson était beaucoup plus réduit que dans celui des maisons d'édition parce que les entreprises de ce genre étaient plutôt rares.

Mais pourquoi Roy Thomson avait-il choisi d'investir dans le domaine des voyages ? Parce que les coûts d'exploitation étaient réduits d'une part, mais aussi parce que ce type d'entreprise vend un produit de consommation, les voyages n'étant pas tellement différents des livres sur ce plan. En plus, les exigences techniques sont à peu près nulles dans l'industrie des voyages et le cycle annuel des périodes creuses est différent de celui des maisons d'édition. En fait, les sociétés de voyages connaissent une recrudescence d'activité au cours des premiers mois de l'année, alors que les revenus des quotidiens et des autres journaux sont au plus bas. Au début des années 60, au Royaume-Uni, la concurrence était particulièrement faible dans le domaine des voyages. Pourtant, les gens avaient de plus en plus les moyens de se payer ce genre de luxe. Selon Brunton, la triste température qui sévit la plupart du temps en Angleterre était un atout : « Le climat britannique fait le cauchemar des météorologues et les gens se laissent facilement gagner par l'idée d'aller passer quelques jours en Espagne, au soleil, à un coût moindre que celui des vacances au pays. Le choix est facile à faire et on présumait que beaucoup de gens se laisseraient tenter. »

Lorsque Brunton reçut le feu vert pour son projet de société de voyages, en 1964, il renoua avec un confrère de collège, Vladimir Raitz, qui avait créé la société Harrison Travel en 1949. Celle-ci était devenue la plus importante société de voyages du Royaume-Uni. Raitz et Brunton se connaissaient depuis l'âge de 17 ans. Ils avaient été inscrits à la même époque à la *London School of Economics* et logeaient dans le même édifice. Après leurs études, ils sont restés en relation puis se sont associés pour faire l'acquisition d'un cheval de course, avec lequel ils n'eurent pas grand succès. En 1964, l'Horizon Travel possédait des bureaux dans la plupart des pays européens. Le succès de son ancien confrère faisait l'envie de Brunton, qui offrit d'acheter sa société. Raitz refusa mais proposa en échange d'agir comme intermédiaire et de trouver, pour le compte de Brunton, quelques sociétés cibles.

Raitz fit ainsi deux suggestions. Il proposa d'abord l'achat de la société Skytours, qui était presque aussi importante que Horizon Travel, et dont le chiffre d'affaires atteignait 10 millions de livres sterling par an. Si l'affaire ne pouvait être conclue, Brunton pouvait tenter de prendre le contrôle de la Riviera Travel, plus petite cependant car son chiffre d'affaires se situait autour de deux ou trois millions de livres sterling par an. Brunton apprit que les deux sociétés étaient à vendre et en fit l'acquisition le 30 avril 1965. Raitz raconte : « Lors des négociations pour l'achat de Skytours, Ted Langton, fondateur de la société, rencontra Roy Thomson et les comptables de la société Thomson Travel (en compagnie des représentants de la firme Price Waterhouse & Company). Roy Thomson s'imposa immédiatement. Il affirma que l'associé principal de Waterhouse n'avait rien compris aux livres comptables, car il en était profondément convaincu. Peu de temps après, Thomson fit l'achat des sociétés Skytours et Riviera Travel, puis de la Gaytours of Manchester and Liverpool, propriété de Norman Corkhill. Il lui fallut débourser à peine un million de livres sterling pour l'ensemble de ces sociétés.

Les fondateurs des sociétés Skytours et Riviera Travel étaient des hommes assez singuliers. Langton, aujourd'hui décédé, avait l'allure d'un capitaine de navire. Il avait 60 ans à l'époque où il vendit ses intérêts à Thomson. Il était aussi propriétaire d'un cabaret, le *Blue Angel*, où Danny La Rue fit ses débuts. Langton était au bureau six jours par semaine ; il arrivait à 10 h 30 précises et se rendait au club tous les soirs vers 20 h. Il ne s'entendait pas avec son épouse, pas plus d'ailleurs qu'avec sa maîtresse. Selon Raitz, « il y avait toujours de la cendre sur son veston et il passait son temps à se plaindre de sa santé. Il lui arrivait de se soûler de temps à autre et de se disputer vertement avec son amie. »

Si Langton n'avait pas de succès dans sa vie amoureuse, c'était tout à fait l'inverse en affaires. Il vouait un amour effréné à la société qu'il avait créée, voyant à tout, de la liste de prix aux dépliants publicitaires. Il fut le premier à utiliser les principes de mise en marché de masse pour promouvoir la vente des voyages organisés, amener les gens à réserver leur places — achat des billets et chambre d'hôtel — à l'avance. Les contrats de Skytours, qui étaient signés avec les « fournisseurs » pour cinq ou dix ans, en principe avec de petits hôtels de construction récente, permettaient aux propriétaires de ces derniers de disposer d'argent liquide alors que la société bénéficiait naturellement, en payant si rapidement, de tarifs réduits. C'est aussi Langton qui eut l'idée de mettre sur pied sa propre société de transport aérien pour éviter d'être à la merci des transporteurs privés ou nationaux quant aux prix des billets. Il réalisa son projet à l'époque où la British Airways cherchait à vendre neuf avions turbo devenus désuets à la suite de l'achat d'appareils Boeing 707. Langton acheta cinq des avions, payés un prix plus que raisonnable, mais cela faisait tout de même l'affaire de la British Airways. La société Britannia Airways, nouvellement formée, permit à Skytours d'accroître de façon prodigieuse son chiffre d'affaires : le nombre de ses clients quintupla en deux ans.

La société Riviera Travel avait été créée par deux associés, Aubrey Morris, ancien chauffeur de taxi, et Joe Morrison, comptable de son métier. Selon Raitz, ils étaient en constante dispute. Morrison quitta d'ailleurs la société Riviera peu de temps après la fusion avec la Thomson Travel. La société Skytours avait des bureaux à Londres, à Manchester et à Glasgow. La Riviera Travel, pour sa part, n'avait pignon sur rue qu'à Londres.

La lune de miel entre les anciens et les nouveaux propriétaires ne dura guère. En moins d'un an, Langton, Morris et Corkhill se succédèrent à la tête de la Thomson Travel, avant d'être limogés tour à tour. Ils n'avaient pas su, entrepreneurs qu'ils étaient, devenir du jour au lendemain des administrateurs organisés, de ceux qui travaillent plutôt avec des ordinateurs qu'en se fiant à leur intuition.

Langton fut le premier à partir, fâché de constater qu'il avait cédé son entreprise à un prix presque dérisoire. Thomson considérait pourtant que la somme de 775 000 £ qu'il avait payée était énorme. Au moment où la transaction fut négociée, Langton, qui faisait ses calculs au dos de son paquet de cigarettes d'après ce que l'on raconte, aurait été à la fois flatté et obnubilé par l'offre qui lui était faite et se serait trompé en calculant la valeur de ses actifs, omettant d'y ajouter la survaleur. Il fut presque estomaqué le jour où il prit connaissance des états financiers consolidés, un an plus tard environ. C'est alors qu'il prit conscience que les bénéfices dépassaient le prix de vente qu'il avait accepté !

La fureur de Langton n'avait d'égale que la haine que lui vouaient les administrateurs de la Thomson Travel : « Il était très difficile de traiter avec lui, raconte Robert Smith, parce que c'est un autocrate qui ne sait pas prendre part au travail d'équipe. » Smith, qui était alors l'adjoint de Brunton, était aussi son homme de confiance, selon ce que racontent d'anciens employés de la Thomson Travel. Cependant, si c'est lui qui s'est chargé de limoger les indésirables, c'est toujours Brunton qui prenait la décision. Le départ de Langton se fit avec la rapidité de l'éclair, mais pas sans heurts. Selon les témoins, on fit changer les serrures du bureau de Langton le vendredi soir, puis on retira tous ses dossiers.

Morris fut la seconde victime. Il avait eu le malheur de se trouver à la direction à l'époque la plus difficile, alors que le marché des voyages était en pleine crise. Le Premier ministre Harold Wilson venait de dévaluer la livre sterling et avait imposé une stricte limitation des fonds que les voyageurs pouvaient emporter hors du pays. La difficulté venait du fait que les nouveaux règlements devinrent effectifs alors que les dépliants publicitaires de la Thomson Travel venaient tout juste de sortir de presse. Dans un tel contexte, il était impossible de corriger la liste des prix. L'affaire tourna rapidement au désastre parce que les clients annulaient leurs réservations, ce qui obligea la société à régler, à ses frais, le coût des réservations d'hôtel, sans compter les coûts accrus du transport à cause des avions à demi vides. En plus de cela, les sociétés Riviera Travel et Skytours continuaient à se faire une concurrence acharnée, chacune d'elle cherchant à protéger son marché. Naturellement, Morris avait un faible pour la société Riviera Travel.

C'était trop de défis simultanés pour un seul homme. Mais Morris ne fut pas mis à la porte comme Langton. On lui offrit plutôt un autre poste au sein de la société Thomson Organisation, ce qui se compare à l'exil en Sibérie. Norman Corkhill vint le rejoindre peu de temps après, au service de la planification à long terme. Il n'avait occupé le poste de directeur que pendant neuf jours. Corkhill obtint par la suite le poste de président de la Thomson Travel et, à ce titre, multiplia les voyages autour du monde jusqu'en 1979. Lorsque Roger Davies prit sa place, il se retira à Majorque.

Après Morris et Corkhill, l'atmosphère qui régnait au sein de la direction de la Thomson Travel devint encore plus turbulente, la lutte pour le pouvoir se faisant âpre et les employés ne sachant plus, d'un jour à l'autre, qui menait la barque, qui allait partir, ignorant même s'ils n'allaient pas être mis à la porte le lendemain ou le surlendemain. Corkhill fut remplacé par Hilary Scott, un comptable qui n'avait aucune expérience dans l'administration d'une société de voyages. Selon un ancien administrateur de la Thomson Travel, Scott avait obtenu le poste parce qu'il était appuyé par plusieurs directeurs de la Thomson Organisation, dont Robert Smith, l'adjoint de Brunton, et Alan Todd. Scott ne resta pas longtemps au poste et fut lui aussi muté au service de la planification à long terme, y rejoignant Morris et Corkhill.

Alan Todd prit la succession de Scott, mais ne conserva pas son poste plus longtemps. Son erreur, selon certains employés, fut de préparer des rapports ultraconservateurs dans l'espoir de pouvoir prétendre, un an plus tard, qu'il avait facilement dépassé ses objectifs. L'un des témoins de la discussion qu'eurent Brunton et Todd à propos de l'un de ces rapports raconte que Brunton déchira le document en précisant qu'il ne lui était d'aucune utilité. Peu de temps après, Todd fut limogé. Il trouva un poste à la tête de la filiale sud-africaine du conglomérat britannique Slater Walker. En 1970, Smith devint directeur de la filiale canadienne de la société Slater Walker. (La maison mère vendit sa part des actifs de cette filiale en 1974 et la société fut rebaptisée « Talcorp » deux ans plus tard.)

En 1970, la Thomson Travel était connue dans l'industrie non pas pour ses succès, mais plutôt pour le nombre étonnant des directeurs qui s'étaient succédé à son siège social ; ils avaient été cinq à prendre la barre en cinq ans. La seule décision judicieuse qui fut prise à cette époque de chaos administratif fut de remplacer les avions turbo par des Boeing 737. En 1970, la situation s'améliora quelque peu avec la nomination de Bryan Llewelyn. Il fut le premier à garder son poste suffisamment longtemps pour faire sa marque et aplanir la plupart des difficultés. Il mena ensuite la société de victoire en victoire dans une âpre guerre des prix, puis la hissa en première place de l'industrie.

Le succès de Llewelyn fut probablement dû à sa volonté de fusionner le service des voyages organisés et ceux de la société d'aviation. De cette façon, chacune des filiales faisait partager sa clientèle à l'autre. Il fit aussi bon usage de son expérience de directeur des services de mise en marché des sociétés de presse de l'empire Thomson au Royaume-Uni. Comme il avait toujours considéré que l'édition quotidienne d'un journal ne valait plus rien le lendemain, Llewelyn prit pour acquis qu'un siège vide n'avait aucune valeur, car c'était pure perte. Il accrut le volume des affaires en réduisant les prix, sans pour autant réduire la marge de bénéfices puisqu'un avion rempli à pleine capacité coûte à peine plus cher à faire voler qu'un avion à demi vide. Une fois que le nombre de passagers atteint un certain seuil — et rapporte assez pour couvrir les réductions offertes aux voyageurs —, les places additionnelles vendues rapportent des bénéfices nets. Et si la société Thomson Travel ne parvenait pas à remplir ses appareils avec ses clients seulement, elle n'avait qu'à louer ses appareils à d'autres sociétés d'aviation.

C'est grâce à de telles pratiques que Llewelyn parvint à vaincre la société rivale de la Thomson Travel, Clarkson, dans une guerre des prix sans merci qui dura de 1970 à 1974. L'affaire se solda par la faillite de la société concurrente, et de plusieurs de ses filiales, dans ce qui est encore à ce jour la faillite la plus importante de toute l'histoire économique britannique. Ceint des lauriers de la gloire durement gagnés à la direction de la Thomson Travel, Llewelyn passa au service de la Thomson Publications, non sans avoir pris soin de désigner son successeur : Roger Davies. Sous la direction de ce dernier, la division des voyages organisés continua à prospérer. Il ajouta aussi de nouveaux services, dont la vente de voyages à forfait par l'intermédiaire de deux chaînes de magasins, ce qui ne plut pas aux directeurs d'agences de voyages, qui voyaient d'un mauvais oeil un grossiste leur couper l'herbe sous le pied. Mais comme la Thomson Travel domine le marché des voyages organisés au Royaume-Uni, les agences de voyages n'avaient d'autre choix que de traiter avec elle. Cependant, il n'était sûrement pas nécessaire de se mettre tant de gens à dos, les intérêts en jeu n'en valant même pas la peine.

Davies est le type même de l'administrateur à la fine pointe du progrès, qui ne se fie qu'aux rapports informatisés pour déterminer les tendances du marché. Il est l'antithèse d'un administrateur comme Langton, qui avait tout en mémoire et qui orchestrait ses affaires aux limites du raisonnable parfois. Un jour, paraît-il, un groupe de voyageurs arriva dans un hôtel dont la construction venait à peine d'être achevée et où régnait encore une forte odeur de peinture !

Petit, l'air juvénile malgré ses 39 ans, Davies est respecté de ses concurrents, qui admirent sa perspicacité. Bien à l'aise à la tête d'une grande société, il a volé de succès en succès et est voué au plus brillant avenir.

Après avoir obtenu un diplôme en histoire à l'Université Exeter, Davies entra au service de la mise en marché de la société J. Lyons & Company, spécialisée dans les produits d'alimentation et réputée pour ses thés et ses gâteaux. Lorsque Llewelyn offrit un poste au directeur du service de la mise en marché de la J. Lyons, il accepta que Davies suive son ancien patron chez Thomson. Au début, ce dernier était responsable de la production des dépliants publicitaires. Il devint rapidement l'adjoint de Llewelyn. C'est chez Thomson qu'il fit la connaissance de celle qui devint son épouse, Adele Biss, qui était commis. Elle est aujourd'hui propriétaire de la firme Biss-Lancaster, qui s'occupe de relations publiques, et dont l'un des principaux clients est l'*Association of British Travel Agents*.

C'est Davies qui mit sur pied la filiale Portland Holidays en 1979, pour la vente au détail de billets de voyages organisés. Les affaires débutèrent en 1980. Davies voulait ainsi réduire la dépendance de la société envers les petits revendeurs et offrir une concurrence directe aux Scandinaves, qui envahissaient le marché du Royaume-Uni depuis 1977. Il n'oubliait pas non plus la société Martin Rooks, qui avait été acquise par la British Airways en 1977. « Leur chiffre d'affaires croissait constamment, dit Davies, et comme nous étions les meneurs dans l'industrie des voyages, nous craignions que cette nouvelle méthode de mise en marché se développe au point de constituer une sérieuse menace pour nos propres affaires. »

Aujourd'hui, les ventes directes comptent pour 15 p. 100 des recettes de la Thomson Travel. Selon Davies, la Portland Holidays, qui prend 4 p. 100 du marché, se place au second rang derrière la société Martin Rooks. Cependant, il doute que la nouvelle filiale puisse un jour produire plus de 20 p. 100 des recettes de la Thomson Travel — ou 200 000 contrats parmi le million de billets que vend la Thomson Travel chaque année. Pourtant, les clients qui traitent directement avec la société Portland Holidays n'ont pas à payer la commission de 10 p. 100 normalement versée à l'agence de voyages. En 1983, Davies n'avait pas encore atteint son objectif, la Portland Holidays n'ayant vendu que 160 000 billets.

Selon Davies, la Portland Holidays ne pourra pas accroître sa part de marché au-delà de ce chiffre parce qu'elle a bien peu à offrir à ses clients en regard de l'ensemble des programmes que présentent les agences de voyages. À part cela, les deux tiers environ des agences qui revendent les voyages organisés de la Thomson Travel ont maintenant accès au système de réservation par vidéotex, ce qui devrait accroître leur part du marché au détriment de la filiale du grossiste. Quelle que soit la réaction des agences de voyages, cela ne semble pas encore avoir nui à la progression de la Portland Holidays. La Thomson Travel a des chiffres d'affaires record depuis la création de cette dernière filiale. En 1982, celle-ci a proposé un nouveau produit, un service de voyages de camping-caravaning en France, avec équipement fourni. On offre des rabais substantiels à ceux qui réservent longtemps à l'avance. En 1983, on donnait aussi en prime un atlas de France et six bouteilles de vin. L'idée fit son chemin et le tiers des premières places disponibles fut vendu en quelques jours.

Après un an seulement d'existence, la Portland Holidays réalisait des bénéfices. Mais le montant, astronomique dans les circonstances (il s'agit de 500 000 $ can.), fait dire aux observateurs que l'I.T.O.L. a dû intervenir. John Carter, de la B.B.C., affirme : « Je ne crois pas que la Portland Holidays vende assez de billets pour couvrir des dépenses de publicité qui atteignent plusieurs millions de dollars. »

Si la société Portland Holidays s'adresse à la masse, il y a une autre filiale de la Thomson Travel qui se satisfait de la clientèle des hommes d'affaires. Nénamoins, son chiffre d'affaires est trois fois plus élevé que celui de la Portland Holidays. Mais elle n'est pas connue du grand public. La Lunn Poly est née de la fusion de la société de Sir Henry Lunn, rival du magnat des voyages Thomas Cook, et de la Polytechnic Touring Company. Elle fut acquise par la Thomson Travel de la société Cunard Group en 1972. En achetant, en 1984, deux autres agences de voyages du Royaume-Uni, la Lunn Poly passa de la quatrième à la deuxième place du marché. Mais Davies admet volontiers qu'elle ne détient même pas 5 p. 100 du marché de la vente au détail de voyages organisés. Parmi ses clients, on compte la société Shell Oil et la banque Barclay.

C'est le système vidéotex de la Thomson Travel qui fait la fierté de Davies. Il fut mis à l'essai en 1982 dans la région de Londres et son réseau est fonctionnel depuis 1983. On l'appelle T.O.P. (de l'anglais *Thomson Open-line Programme*). On calcule que la Thomson Travel a investi entre 500 000 et 1 000 000 £ pour sa mise au point, mais Davies affirme qu'il n'a pas d'égal au Royaume-Uni. T.O.P. peut gérer le nombre étonnant de 1,3 million de réservations et offrir des solutions de rechange quand les places ne sont plus disponibles, comme par exemple de proposer un hôtel différent ou une nouvelle date de départ. Selon Davies, T.O.P. est un outil merveilleux, d'une efficacité remarquable et particulièrement utile lors du boom des mois de janvier et de février ; on parvient aussi, grâce à cela, à mieux distribuer les passagers aux heures de pointe, ce qui présente de nombreuses possibilités d'économie pour le service du personnel.

Des idées de la valeur de celles qui ont mené à la création de T.O.P. font la joie des administrateurs de la Thomson Travel. La réponse des sociétés concurrentes a provoqué une guerre des prix généralisée, depuis 1982. Celle-ci devient particulièrement épique à l'approche de Noël. Cela vient du fait que Davies prit conscience que si la Thomson Travel occupe de loin le premier rang dans l'industrie des voyages au Royaume-Uni, elle a malgré tout perdu une partie du marché. Entre 1979 et 1982, selon des statistiques officielles, les ventes de la société ont grimpé de 33 p. 100, ce qui est bien en dessous des 50 p. 100 atteints par ses deux plus proches rivales : Horizon et Intasun. Du coup, la Thomson Travel mit fin au contrat qui la liait depuis 12 ans à la firme Leo Burnett, en 1981, pour octroyer un nouveau contrat de 1,5 million de livres sterling à la firme publicitaire J. Walter Thompson.

Bien que l'Intasun soit sept fois plus petite que la Thomson Travel, elle a réussi à s'imposer dans le marché britannique en particulier à cause de ce que Roy Thomson appelait « le problème des fèves Heinz ». Selon lui, lorsqu'un produit, quel qu'il soit, domine le marché de façon aussi totale que la société Heinz avec ses *fèves au lard*, les sociétés concurrentes n'ont d'autre choix que de se lancer dans une guerre des prix. C'est ce qui est arrivé au Royaume-Uni dans l'industrie des voyages. Avant 1982, Thomson Travel et Horizon étaient les deux premières sociétés à offrir leurs dépliants publicitaires ; quelques semaines plus tard, l'Intasun et d'autres sociétés secondaires, dont les prix ont toujours été plus bas, abattaient à leur tour leurs cartes. Chez Thomson Travel, on fait chaque fois l'impossible pour que les dépliants soient distribués avant la fin du mois de septembre afin de tirer le meilleur parti possible de la bonne habitude qu'ont les Britanniques de réserver leurs places longtemps à l'avance (50 p. 100 des voyageurs procédant de la sorte).

En 1981, l'affaire tourna mal. Ce qui s'est produit, c'est que l'Intasun, alors que la société Thomson Travel avait déjà commencé à distribuer ses dépliants, proposait des prix beaucoup plus bas. Les effets de cette politique ne tardèrent pas à se faire sentir. En septembre 1982, puis au cours de l'été 1983, le nombre d'exemplaires des dépliants de la Thomson Travel étaient trois fois moindres qu'à l'habitude. Naturellement, quelques semaines plus tard, l'Intasun publiait ses dépliants, avec, chaque fois, une différence de prix considérable. On offrait des réductions allant jusqu'à 30 £, c'est-à-dire 7 p. 100 de moins que le prix régulier. La Thomson Travel risquait donc de perdre une bonne partie du marché, menace qui vaut en tout temps mais qui était particulièrement grave en 1982 alors que l'industrie était en pleine période de récession.

Davies avait cependant plus d'un atout dans son jeu. Pour répondre à la première offensive de la société Intasun, il fit publier une nouvelle série de dépliants qui furent prêts en moins de deux semaines. Si Davies était fier de son coup, ses concurrents affirmèrent qu'il avait caché l'importance du coup qu'ils lui avaient porté. Selon eux, la société de l'empire Thomson avait perdu beaucoup plus que les 300 000 £ dépensés pour la publication des nouveaux dépliants, sans compter qu'il avait fallu, en plus de tout cela, réduire les prix. Le nombre supplémentaire de billets vendus à la suite de cela ne fut sûrement pas assez important pour couvrir la totalité des dépenses encourues. L'un des concurrents de la Thomson Travel dit : « Ce qui fait leur force, c'est qu'ils ont les moyens de se payer des annonces publicitaires à la télévision, diffusées aux meilleures heures d'écoute. »

Ce petit jeu, si coûteux qu'il soit, est toutefois moins onéreux que l'administration des hôtels. C'est pourquoi la Thomson Travel s'est aujourd'hui débarrassée de la totalité de ses hôtels, à l'exception d'un seul d'entre eux. Elle avait fait l'acquisition de la chaîne Langton en 1965. En 1983, il ne restait plus qu'un hôtel à Malte, propriété de la société, et un autre en Sicile, en location. La chaîne Langton possédait plusieurs hôtels en Espagne. Davies explique qu'il préféra s'en débarrasser parce que leur administration était trop risquée : « Il faut y investir beaucoup d'argent et rien ne garantit que la station où se trouve l'hôtel sera éternellement populaire. Les hôtels dont nous étions propriétaires nous venaient de Skytours et il y en avait de tous les genres. De toute façon, nous offrons des voyages à tous les prix, et il serait difficile de posséder des hôtels pour répondre à l'ensemble des exigences de nos clients. » Le contrat de location de l'hôtel sicilien venait à échéance à la fin de 1983 ; il ne reste donc plus qu'un hôtel à Malte, qui restera sans doute une sorte de symbole de la gloire passée — malgré qu'on le conserve parce qu'il présente une caractéristique exceptionnelle : il est rentable.

C'est en 1979 que la société Thomson Travel ouvrit une succursale à Chicago. La nouvelle filiale s'appelait Thomson Vacations. La société prenait ainsi pied en Amérique en même temps que la société mère. Elle est toutefois indépendante de sa contrepartie britannique, ses directeurs devant rendre des comptes à Michael Brown. Comme la plupart des administrateurs des filiales de l'empire Thomson, Richard Roberts-Miller, président de la Thomson Vacations, est un homme jeune. Il a tout juste 40 ans. C'est un gros fumeur qui porte des lunettes et ne paie pas de mine ; c'est pourtant un magicien de la mise en marché qui a réussi, paraît-il, à populariser l'idée de voyages exotiques à Tombouctou, Pékin et, ce qui est encore plus inusité, en Sibérie en hiver ! Le choix de destinations aussi originales est toujours déterminé à l'aide de statistiques, d'études et de questionnaires compilés par ordinateur.

Roberts-Miller fit ses débuts chez Thomson pour le compte des sociétés de presse, où il s'occupa de recherches en mise en marché. Il obtint ensuite un poste au sein du bureau d'administration de la société Thomson pour le Royaume-Uni, qui compte neuf employés. Lorsqu'il fut décidé, en 1973, de diviser le service de recherches en deux secteurs, l'un pour les maisons d'édition et l'autre pour les sociétés de voyages, Roberts-Miller se vit confier la responsabilité de la seconde section. C'est lui qui eut l'idée de proposer aux clients de la société de voyages de remplir un questionnaire, de façon à pouvoir juger de leur satisfaction. On établit aussi de nouveaux points de départs pour les voyages organisés partout où cela était possible, c'est-à-dire dans toutes les villes qui possèdent des aéroports aux pistes suffisamment longues pour recevoir des Boeing 737.

On établit aussi de nouveaux voyages d'hiver, saison morte entre toutes au Royaume-Uni au contraire de ce qui se passe en Amérique du Nord. Roberts-Miller explique : « Au lieu d'attendre que le marché évolue et que l'hiver devienne un jour, par miracle, une saison haute, nous avons décidé de modifier notre approche et de préparer des destinations hivernales en choisissant les îles Canaries, par exemple. » Alors que les vols à destination de l'Espagne et de la Méditerranée comptaient 275 000 personnes pendant toute la saison hivernale, Roberts-Miller affirme que dès 1978, ce nombre avait grimpé à 350 000 voyageurs. C'est cette même année qu'il fut nommé à la tête de la nouvelle filiale américaine. Les voyages en Sibérie étaient une idée originale, selon laquelle la société devait offrir, chaque année, une nouvelle destination hivernale qui sorte de l'ordinaire. Lorsque le coup de la Sibérie perdit de son intérêt (qui ne fut jamais très fort, on s'en doute !), Roberts-Miller proposa une nouvelle destination : la Mongolie.

Ce ne fut pas un succès, car la Mongolie n'est pas une destination très attrayante l'hiver. On réussit mieux en proposant des voyages de ski. En se servant au mieux de la technique du questionnaire, Roberts-Miller parvint à pointer les sites les plus populaires auprès des skieurs amateurs. Il décida ensuite de tenter de prendre une bonne part du marché britannique, monopolisé par Ingram, société qui offre surtout des voyages organisés de luxe pour skieurs avancés. Le programme de la Thomson Travel contenait plusieurs destinations, offertes à prix très bas, sans qu'on ait coupé pour autant sur la qualité des hôtels. On avait simplement réduit la marge de bénéfices en souhaitant que la quantité fasse la différence.

On s'occupa aussi de renouveler l'ensemble du programme estival, changeant non pas les destinations, mais le genre des voyages proposés aux vacanciers. On augmenta le nombre de voyages bon marché, réduisit les services de restauration et la longueur des séjours, qui passait à 10 jours au lieu des deux semaines traditionnelles. Il ne s'agissait pas seulement de modifier les services offerts à la clientèle, mais aussi d'accroître le nombre des voyageurs au cours des mois d'été, ce qui fait toute une différence pour les sociétés de transport.

En 1979, c'était la seconde fois que la Thomson Travel tentait de prendre pied en Amérique, le premier essai ayant été plutôt timide au milieu des années 70. À ce moment-là, on avait ouvert un bureau à New York où l'on se contentait d'offrir des voyages organisés par la société britannique et destinés, à l'origine, aux clients du Royaume-Uni. Selon Roberts-Miller, cela n'a pas marché « parce que les destinations qui conviennent aux Britanniques ne sont pas nécessairement les mêmes que celles qui plaisent aux Américains. » Cependant, il reconnaît que l'augmentation du nombre de chômeurs enlève autant de clients possibles aux sociétés de voyages et que cela rend le marché américain de plus en plus intéressant. On songea un temps à faire de même en Europe, mais on préféra finalement les États-Unis à cause de la stabilité politique qui les caractérise par rapport aux pays européens et parce que le contexte économique y était plus favorable.

Pour ce second essai, les administrateurs de la Thomson Travel choisirent Chicago pour y établir leur base américaine et cela, pour deux raisons. D'abord parce qu'il y a l'aéroport O'Hare à proximité, qui est le plus achalandé des États-Unis, et parce que Chicago est surnommée la ville des vents, ce qui explique que beaucoup de gens cherchent à la fuir en hiver. « Il n'y a rien de mieux pour décider les gens à voyager, affirme Roberts-Miller, que la mauvaise température qui sévit chez eux. » Enfin, le climat économique était plutôt favorable : « On y trouve beaucoup moins de sociétés de voyages qu'à New York et jusqu'en 1979, la ville n'avait pas été touchée par la récession, surtout grâce à la diversification de son industrie. »

Mais l'arrivée de la Thomson Travel aux États-Unis correspondit avec la pire récession que le monde occidental avait connu depuis plusieurs dizaines d'années. Aux États-Unis mêmes, le Midwest était la région la plus touchée. De toute façon, il ne fallait pas croire qu'on puisse appliquer les mêmes méthodes aux États-Unis que celles qu'on appliquait au Royaume-Uni. Selon Roberts-Miller, « les agences de voyages, en Amérique, sont plus opposées encore que celles de Grande-Bretagne à ce que les grossistes traitent directement avec les clients. C'est pourquoi nous avons décidé de passer nécessairement par l'intermédiaire des agences de voyages. Les Américains sont plus exigeants quant à la qualité des services hôteliers, mais ne veulent pas des repas inclus dans les forfaits. Quant aux petites sociétés d'aviation, elles sont la plupart du temps peu fiables et manquent des moyens financiers nécessaires pour rivaliser avec les gros transporteurs. » Au lieu de tenter de mettre sur pied une version américaine de la société Britannia Airways, la Thomson Vacations fit plutôt appel aux services de trois grandes sociétés de transport aérien.

Il y a enfin un dernier détail qui a son importance, et qui n'a pourtant pas été pris en considération par les directeurs de la maison mère. La création de la société Thomson Vacations coïncidait avec la déréglementation du trafic aérien aux États-Unis. Même si la marge de bénéfices est réduite chez Thomson, où l'on compte sur le volume des ventes pour atteindre un rendement minimal, il était difficile de rester concurrentiel au pire de la guerre des prix. À ce moment-là, quelque 70 p. 100 des ventes se faisaient à rabais, principalement à cause de la déréglementation. Afin d'éviter d'être boutée hors d'un marché qui comptait beaucoup pour son avenir, la Thomson Vacations baissa encore sa marge de bénéfices sous le niveau minimal tolérable. Il en fut ainsi pendant trois ans, mais cela eut des conséquences désagréables : les agences de voyages se liguèrent contre la nouvelle société, qui ne réalisa par ailleurs ses premiers bénéfices qu'en 1984. Le directeur de l'une des principales agences de voyages de Chicago dit : « Ils nous mettent parfois dans de drôles de situations en offrant des rabais de dernière minute. En de telles circonstances, qu'advient-il de ceux qui ont déjà vendu des billets et dont les clients, parlant avec des amis plus longs à se décider, apprennent que ces derniers ont payé moins cher pour les mêmes billets? Ce n'est pas comme ça que les gens de Thomson pouvaient se faire aimer. »

Si au moins le tout s'était soldé par une augmentation importante des ventes, on pourrait prétendre avoir payé le prix qu'il fallait, mais ce ne fut pas le cas. La récession et la guerre des prix ont nui à la Thomson Vacations et sa croissance était loin d'atteindre les objectifs que s'étaient fixés ses directeurs avant de tenter leur percée dans le marché américain. La première année, le montant des ventes n'atteignit que 60 p. 100 de l'objectif fixé ; en 1981, le chiffre des ventes augmenta de 42 p. 100 alors que l'objectif était de 60 p. 100 ; en 1982, l'indice de croissance était de 44 p. 100 mais encore une fois, l'objectif était de 50 p. 100.

L'année 1983 fut sans contredit la meilleure. En effet, le montant des ventes passa à 120 000, soit une augmentation de 100 p. 100 par rapport à 1982. Selon Roberts-Miller, la Thomson Vacations est aujourd'hui le plus gros client de Holiday Inns aux États-Unis et vend surtout des voyages au Mexique et à la Jamaïque. L'augmentation du nombre des employés est le reflet fidèle du succès de la société. Alors qu'il y en avait 36 en septembre 1979, il y en avait 190 à la fin de 1984, dont 60 représentants locaux. On prévoit multiplier les bureaux régionaux. Le premier, ouvert à Los Angeles en octobre 1983, dessert toute la Californie.

On ne s'attendait pas à ce que la croissance de la Thomson Vacations soit seulement interne, mais il fallut revenir sur la politique des acquisitions à la suite de deux expériences malheureuses. La société fit d'abord l'achat de Arthurs Travel, une agence de Philadelphie spécialisée en voyages d'affaires, et dont elle voulait faire une version américain de la Lunn Poly. Rien n'a fonctionné comme prévu. La seconde société, Unitours de Los Angeles, a été restructurée. Unitours vend au détail et une nouvelle filiale, Club Universe, est grossiste. Malgré cela, les difficultées sont loin d'être aplanies. En effet, les intérêts des nouvelles filiales sont tellements différents qu'il est impossible d'établir une structure permettant le partage des frais d'exploitation. Unitours offre des vacances au soleil tandis que

Club Universe organise des voyages à l'étranger, en Chine entre autres.

L'implantation d'une société de voyages aux États-Unis fut donc plus longue que prévue. Pourtant, la Thomson Vacations tenta une percée au Canada en septembre 1982. On devait sûrement miser gros et escompter un succès assuré, puisque la manoeuvre avait lieu au pire de la crise économique. La société Sunflight-Skylark, la plus grande dans le domaine des voyages au Canada, avait fait faillite quatre mois plus tôt. En plus, les statistiques montraient que la clientèle avait sérieusement baissé cette année-là à cause de la récession économique. Ronald Dawick, directeur général de la filiale canadienne de Thomson Vacations, explique que l'implantation au Canada fut tout de même décidée parce qu'on pouvait compter sur « la bonne réputation de la société et une expérience de quelque 27 ans ».

Les Canadiens sont plus portés à faire des voyages, surtout l'hiver, alors qu'ils sont à la recherche du soleil, ce qui n'est pas le cas des Américains des États du Sud. Au départ, la Thomson Travel avait boudé le Canada, préférant tenter sa chance aux États-Unis : « Au cours des années 70, alors qu'on cherchait un moyen de pallier le fort déclin du marché au Royaume-Uni qui était dû au climat économique, la Thomson Travel a envoyé quelques-uns de ses spécialistes au Canada et aux États-Unis, explique Dawick. C'est ainsi qu'on s'est rendu compte que l'industrie était mieux organisée au Canada, ce qui laissait croire qu'il serait plus facile d'atteindre nos objectifs aux États-Unis. »

Avec Kenneth Thomson et David Thomson, Dawick, qui a épousé la nièce de Ken, est le seul membre de la famille qui travaille pour le compte d'une société de l'empire Thomson. Il s'est joint à l'équipe de direction de la Thomson Travel en 1970, alors qu'il était frais émoulu de l'université. Il demeura à Londres jusqu'en 1974, alors que son épouse et lui décidèrent de retourner à Toronto. Voulant prouver que son succès n'avait rien à voir avec ses attaches familiales, Dawick quitta l'empire Thomson et travailla pour le compte de la société Wardair pendant six ans. Il participa à la mise sur pied du service des voyages organisés et obtint le poste de directeur des ventes, ce qui le mit en contact avec d'autres sociétés de voyages, ainsi que de nombreuses agences de voyages. En quittant

Wardair, il lança sa propre société d'administrateurs-conseils spécialisée dans le domaine des voyages, puis se vit offrir un poste au sein de la filiale canadienne de Thomson Vacations. Dawick, aimable et intelligent, affirme que le fait qu'il ait dirigé d'autres sociétés après avoir d'abord travaillé pour le compte de l'empire, a facilité son intégration dans la nouvelle société de voyages, ce qui s'est fait « sans aucune jalousie ».

La société Thomson Vacations connut un départ modeste au Canada, limitant ses frais d'exploitation en restant très liée à la maison mère américaine. Le budget de la première année dépassait toutefois le million de dollars. Tous les vols partaient de Toronto, mais les destinations étaient exactement les mêmes que celles qui étaient offertes aux Américains, ce qui permettait d'accroître simplement le nombre de clients par destination et d'obtenir de meilleurs prix. Cela présente aussi un autre avantage, celui de réduire les frais de représentation, la même personne pouvant à la fois servir de délégué de la société américaine et de sa filiale canadienne. Ce sont les bureaux de Chicago qui préparent la version canadienne des dépliants publicitaires. On normalise en conservant les mêmes illustrations, et en changeant à peine les textes.

Les billets sont préparés à Toronto mais l'achat des services dans les principales stations de tourisme sont la responsabilité du bureau de Chicago. La première année, les bureaux de Toronto, situés près de l'aéroport, n'avaient même pas de commis aux réservations. Le numéro donné dans l'annuaire du téléphone était celui du bureau de Chicago. Si cela permit d'économiser beaucoup au départ, Dawick reconnaît que ce n'était pas le meilleur moyen de se faire « des amis. Certains agents de voyage, par nationalisme sans doute, n'aimaient pas téléphoner aux États-Unis. Si la communication était mauvaise ou si la ligne était occupée, ils se plaignaient de la qualité du service. »

En plus de tenter de maintenir les coûts d'exploitation à leur niveau minimal, Dawick a cherché à éviter que la croissance de la filiale canadienne ne soit trop rapide, ce qui avait été la cause de nombreuses faillites dans le domaine des voyages au Canada. Aujourd'hui encore, la société n'a qu'un seul bureau, à Toronto, et ne vend pas de voyages à l'extérieur de l'Ontario. Ce n'est que lorsque l'implantation des nouveaux services sera achevée en

Ontario qu'on tentera une percée dans les autres provinces canadiennes.

Les bureaux de Chicago et de Toronto font donc bon ménage quand il s'agit de partager les coûts d'exploitation ou les frais d'administration, mais on s'est malgré tout rendu compte qu'il y avait de sérieuses différences dans les goûts des Canadiens et des Américains en matière de voyages. « Les Canadiens ne visitent pas leur pays l'été, dit Dawick. Ils préfèrent se rendre en Europe ou passer des vacances tranquilles chez eux. À Chicago, on vend beaucoup de voyages vers le Mexique l'été. La concurrence est plus dure à Toronto, où il existe une douzaine de firmes semblables à la nôtre. Si à Chicago on peut exiger des clients qu'ils confirment leurs réservations au plus tôt en les menaçant de ne pas leur garder de place, nous sommes obligés d'offrir un délai de 24 heures aux clients de Toronto. Même au Royaume-Uni, où la concurrence est très dure, nous avons plus de liberté pour imposer nos conditions aux revendeurs. »

L'une des surprises qui attend les directeurs de la filiale canadienne de la Thomson Vacations c'est que les voyages à forfait ne semblent pas intéresser les Canadiens, qui n'ont pas l'engouement des Britanniques ou des Américains pour ce genre de voyages. Ils préfèrent se voir offrir des billets d'avion, sans que les taxes ou les services ne soient compris. Toutefois, cela amène les clients à penser que la Thomson Vacations n'a pas d'aussi bons prix que les sociétés concurrentes, ce qui est faux. « En janvier 1984, par exemple, nous offrions, à 729 $, un séjour au Ross Hall Resort, avec taxes non incluses (60 $). Pour le même voyage, la société C.P. Air demandait 699 $ et 97 $ additionnels pour les taxes, explique Dawick. Notre forfait coûtait donc 7 $ de moins. Mais au premier coup d'oeil, le prix de notre concurrent semble plus bas. Par conséquent, nous avions de la difficulté à percer au Canada parce que nous appliquions une politique des prix qui avait jusque-là fonctionné parfaitement aux États-Unis ou au Royaume-Uni. »

Parce que la préoccupation principale des voyageurs canadiens semblait être les prix, il fallut revoir la mise en marché. La première année, alors que la société Sunflight-Skylark venait de faire faillite, on avait surtout accordé de l'importance à la stabilité de la société mère.

Le contexte canadien est bien différent de ceux des États-Unis ou de Grande-Bretagne, d'autant plus que la Compagnie de la baie d'Hudson et la société Simpsons Limited, qui font toutes deux partie de l'empire Thomson, possèdent leur propre agence de voyages. Selon Dawick, « puisque tout cela appartient finalement à Kenneth Thomson, nous avons toujours peur qu'il y ait un certain ressentiment de la part des autres agences de voyages, ce qui nous a poussés à garder nos distances par rapport aux agences des deux chaînes de magasins. Il y a un millier d'agences en Ontario, et ce marché devrait nous suffire. »

La forte concurrence et les limites du marché ontarien n'ont pas permis à la Thomson Vacations d'atteindre son objectif de 15 000 contrats la première année. Heureusement, on n'eut pas à payer pour des sièges d'avion vides, puisqu'on réussit à les vendre à d'autres grossistes. On s'attendait à atteindre l'objectif de 15 000 contrats au cours de la saison 1983-1984. Cependant, on sait pertinemment bien que la part maximale qui puisse revenir à la Thomson Vacations est à peine 20 p. 100 du marché. Mais comme elle n'en détient que 5 p. 100 pour l'instant, il y a encore de l'espoir.

Il y aura bientôt 20 ans que l'empire Thomson possède des sociétés de voyages. Aujourd'hui, sur le plan administratif, tout est beaucoup plus paisible qu'au début. Mais tout n'est pas rose pour autant, car la concurrence est dure et il faudra travailler ferme pour ne pas perdre de terrain.

IV
Les médias
d'information

9
Les journaux
nord-américains

La poule aux oeufs d'or de l'empire a perdu quelques plumes à l'occasion, mais elle n'en continue pas moins à pondre et à grossir. En effet, l'empire Thomson est propriétaire de 52 journaux au Canada, et de 84 aux États-Unis. Néanmoins, l'ensemble de ces sociétés de presse est décrié pour la piètre qualité des équipes éditoriales et leur réputation n'est pas enviable. Plusieurs d'entre elles ont aussi fait l'objet d'enquêtes de la part de différentes commissions du gouvernement canadien.

Aujourd'hui, les sociétés de presse de l'empire Thomson sont au faîte de leur puissance, même si elles ont reçu, en 1980-1981, le « prix » de la commission royale d'enquête sur les journaux... pour la faible qualité de leurs publications. La commission, qui bénéficiait d'un budget de trois millions de dollars, recommanda que l'on démantèle la chaîne des quotidiens de l'empire, ce qui n'est pas encore fait. On proposa aussi de voter une loi pour limiter la croissance des sociétés Thomson Newspapers et Southam Press, sa principale concurrente. Le gouvernement Trudeau, d'abord favorable à l'idée, finit par la reléguer aux oubliettes. La dernière menace qui pesait sur les sociétés de presse de l'empire s'évanouit en 1983 alors que la Thomson Newspapers, comme la Southam Press, était reconnue non coupable face à des accusations de collusion pour l'établissement d'un monopole, les poursuites ayant été engagées à la suite de la fermeture de deux quotidiens dans des villes où ces sociétés se faisaient concurrence.

Les sociétés de presse ont passé plutôt bien que mal à travers la tempête et représentent aujourd'hui des investissements sûrs, car on les dit bien protégées contre une possible récession. Quel que soit le contexte économique, elles ont les marges bénéficiaires les plus élevées de tous les journaux et revues d'Amérique du Nord, c'est-à-dire entre 14 et 25 p. 100 selon que les temps soient durs ou qu'on soit en période de regain économique. En fait, la marge de bénéfices la plus basse des sociétés de presse de l'empire Thomson équivaut aux meilleurs résultats obtenus par les autres journaux canadiens et américains. Statistiquement, les résultats sont même meilleurs que ceux de la chaîne Southam, qui est la plus importante au Canada quant au nombre de copies, et supérieurs à ceux de la chaîne Gennett, la plus importante aux États-Unis.

La société Thomson Newspapers a grandi en pensant petit. Le nombre total de copies vendues chaque jour est de 2,5 millions (140 sociétés en Amérique du Nord). Cela est tout juste supérieur aux 2 millions de copies du *Wall Street Journal* et à moins de la moitié du tirage hebdomadaire de la revue *Time*. Au Canada, il n'y a que 12 quotidiens de l'empire qui aient un tirage dépassant les 20 000 copies ; aux États-Unis, leur nombre est de 17. Mais chez Thomson, tout le monde s'en trouve heureux. La question du tirage importe peu, puisque dans la plupart des cas, les quotidiens sont sans concurrence car ce sont les seuls journaux de petites villes, ce qui leur permet d'exercer un véritable monopole auprès des annonceurs locaux. Cela présente aussi un autre avantage, celui de ne nécessiter qu'un nombre réduit d'employés, naturellement non syndiqués et prêts à accepter un salaire bien au-dessous de la normale. Il faut dire que la Thomson Newspapers ne porte pas une grande estime aux syndicats. Il n'y a que très peu de ses quotidiens nord-américains où les employés soient syndiqués et, dans tous les cas, on y a connu des grèves sauvages portant, le plus souvent, sur la question salariale.

En Amérique du Nord, la Thomson Newspapers compte sur le marché américain pour assurer sa croissance parce qu'il ne reste plus de journaux indépendants au Canada. En ce sens, les perspectives sont beaucoup plus intéressantes aux États-Unis : des 9 396 quotidiens et hebdomadaires, il n'y en a que 3 422 qui fassent partie d'une chaîne. Jusqu'en 1983, année où la société *Toronto Sun* (qui appartient à la société Maclean-Hunter Limited de Toronto, éditeur de revues et de journaux et propriétaire de sociétés de câblodiffusion) fit l'achat du *Houston Post*, la Thomson Newspapers était la seule société canadienne du secteur de la presse à avoir percé le marché américain. Elle était passée outre-frontière au cours des années 60 et sa croissance s'était faite à un rythme accéléré. Le premier directeur de la société canadienne, Ed Mannion, avait pris l'habitude de ne plus corriger ceux qui lui faisaient remarquer qu'il avait un accent virginien, dans l'espoir que ses interlocuteurs croient finalement qu'ils traitaient avec un Américain !

Le succès nord-américain des sociétés de presse de l'empire est étonnant quand on le compare aux difficultés que connaissaient les journaux du Royaume-Uni, où les revenus des annonces classées avaient baissé à des niveaux record, ce qui laissait présager une véritable catastrophe.

Aujourd'hui, l'I.T.O.L. ne possède plus aucun journal d'envergure national au Royaume-Uni, alors qu'au Canada on a investi des millions de dollars pour augmenter les ventes du *Globe and Mail* de Toronto d'un océan à l'autre. C'est en 1980 qu'on publia la première édition nationale. La société Thomson venait tout juste d'acquérir le quotidien, où l'on avait dépensé cinq millions de dollars pour informatiser les services d'impression. De nos jours, c'est 20 millions de dollars par an qu'on dépense pour cette seule édition nationale, dont on ne vend pourtant que 90 000 copies par jour environ.[1]

Il est évident que les dépenses pour la publication d'une édition nationale du *Globe and Mail* sont encore bien supérieures aux recettes. Le fait que l'on continue à appuyer financièrement l'expansion du quotidien est le reflet d'un curieux paradoxe qui caractérise les sociétés de presse de l'empire Thomson. En général, ces quotidiens ont mauvaise réputation, à l'exception de quelques journaux comme le *Globe and Mail*. Ce qui est curieux, c'est que chaque fois

---

1. Depuis juin 1984, le *Globe and Mail* publie une seconde édition quotidienne.

que Roy ou Ken Thomson prenaient le contrôle d'un quotidien important, que ce fût le *Times* ou le *Globe and Mail*, ils étaient prêts à investir l'argent de l'empire pour préserver la réputation du journal. C'était cependant exceptionnel et c'est ce qui explique la mauvaise réputation que s'est taillée la Thomson Newspapers tandis qu'elle accumulait les prises de contrôle.

On n'a jamais semblé s'inquiéter des conséquences de cette mauvaise réputation. Les directeurs de l'empire ont toujours considéré les journaux et quotidiens comme des sociétés ordinaires, devant se plier aux règles du commerce et produire un bénéfice. Pourtant, les journalistes aiment croire que leur métier a quelque chose de particulier qui le distingue de toutes les autres professions. Le directeur d'un grand journal canadien qui ne fait pas partie de la chaîne Thomson dit : « On administre la Thomson Newspaper comme s'il s'agissait d'une manufacture de chaussures. Les journalistes, qui ne connaissent rien aux problèmes financiers que pose la direction d'une société de presse, prennent Thomson pour un avare parce qu'il impose un budget serré. Ces journalistes oublient que si la société qui les emploie ne fait pas de bénéfices, ils risquent de perdre leur emploi. Je crois que le problème que connaît la Thomson Newspapers vient en partie du fait que Kenneth Thomson ne se rend pas compte que la mauvaise réputation faite à ses journaux sur le plan des relations publiques et des relations de travail provient simplement de leur trop grande visibilité : quand on est sur la sellette, on devient une cible privilégiée. »

Les administrateurs de la Thomson Newspapers ne sont pas sourds aux critiques, mais ils ne cherchent pas pour autant à corriger tous les problèmes qu'on leur signale. C'est Brian Slaight, vice-président du conseil d'administration de la Thomson Newspapers, qui dit : « Nous nous plaisons à croire que nous dirigeons des journaux de premier ordre. Certains nous critiquent parce que nos quotidiens sont des journaux de petites villes, mais on sait que les gens des grandes métropoles ne comprennent rien à ce qui se passe hors de leur zone urbaine. Il ne sera jamais possible de publier l'équivalent du *New York Times* dans un village ! » Néanmoins, quoi qu'on dise sur la qualité de leurs publications, les journaux de la chaîne Thomson se tirent bien d'affaire. C'est ainsi que le *Daily Gazette* de Xenia, en Ohio, s'est mérité le prix Pulitzer à la suite de la publication d'un reportage, en 1974, sur une tornade qui avait frappé cette petite ville du Midwest.

Kenneth Thomson est président et directeur de la Thomson Newspapers, et John Tory en est directeur adjoint. On connaît moins Slaight qui, à 50 ans, dirige les opérations quotidiennes de la société. Il précise que Thomson et Tory sont « très engagés » dans l'administration du quotidien mais se contredit quelque peu en disant du même souffle qu'«ils s'engagent mais ont aussi d'autres préoccupations, ce qui n'empêche pas qu'ils soient toujours prêts à donner leur avis ».

Le père de Brian Slaight, Jack, était rédacteur en chef du *Moose Jaw Times-Herald*, qui appartient à l'empire Thomson ; quant à son épouse, Annabel, elle est cofondatrice de la revue pour enfants *Owl*. Le frère de celle-ci, John Allan, ancien annonceur de radio, est à la tête de plusieurs sociétés de diffusion en Ontario.

Tout jeune, Brian travaillait pour le compte du journal de Moose Jaw. Il était employé à temps partiel parce qu'il étudiait le journalisme au Ryerson Institute of Techonology de Toronto. Il fut ensuite journaliste, rédacteur, puis représentant pour plusieurs quotidiens de la chaîne Thomson avant de se joindre à quelques équipes de direction et de devenir directeur général adjoint au siège social, directeur général pour le Canada, directeur général pour l'Amérique du Nord, puis vice-président du conseil d'administration de la Thomson Newspapers.

Il n'a jamais été difficile pour les Thomson d'acquérir de nouveaux quotidiens car s'ils ont toujours été chiches sur les salaires, ils savaient payer le prix nécessaire pour prendre le contrôle d'une société. On leur a rarement refusé une offre. Il n'y a qu'une exception de taille, celle de la société Speidel Newspapers, qui remonte à 1977. La Speidel possédait 18 journaux dans neuf États américains et décida de vendre ses intérêts à la Gannett Company parce qu'on craignait une prise de contrôle par Thomson, qui en était à ce moment-là le plus important actionnaire.

La Speidel Newspapers était une société d'avenir parce que, partout où elle était présente, elle possédait le seul quotidien et le seul hebdomadaire de la ville, et en plus, elle réalisait de substantiels bénéfices. En 1972, à la mort du fondateur de la société, l'Irving Trust Company de New York, exécuteur testamentaire, décida de vendre à l'insu des administrateurs les 6,9 p. 100 des actions que détenait le défunt à la Thomson Newspapers. Les titres furent liquidés et l'argent fut réinvesti dans un autre secteur de l'économie. En tant que principal actionnaire, Roy Thomson demanda un siège au conseil d'administration, ce qui lui fut refusé. De la même façon, le président de la Speidel Newspapers, Rollan Melton, rejeta l'offre de Thomson d'acheter le reste des actions. Devant le refus catégorique de négocier, la Thomson Newspapers céda ses actions à la Gannett Company en échange du quotidien que cette dernière détenait à Newburg, dans l'État de New York, l'*Evening News*.

Lorsqu'on demande à Rollan Melton si la réputation d'avare de Roy Thomson a joué dans sa prise de décision, il rit et répond : « Il ne faut pas faire les innocents. Je ne veux pas dénigrer Thomson, mais Gannett avait bien meilleure réputation. Il a été plus prompt à investir son argent pour accroître les budgets que nous ne l'avons fait nous-mêmes. Il a aussi contribué aux programmes de revenus de retraite. » La société Gannett avait aussi un autre avantage important sur la société Thomson Newspapers : ses actions se transigent sur le parquet du New York Stock Exchange tandis que celles de la Thomson Newspapers ne sont inscrites qu'à la Bourse de Toronto. Comme les administrateurs de la Speidel Newspapers possédaient la plupart des actions, ils ont fait une bonne affaire en les cédant à la Gannett Newspapers, d'autant plus que les titres de cette dernière ont beaucoup progressé ces dernières années et que les dividendes versés sont bien plus élevés que ceux de la Speidel.

Si les quotidiens de l'empire Thomson n'ont pas bien bonne réputation, ils n'ont jamais non plus beaucoup fait parler d'eux, en partie parce qu'il s'agit de journaux de petites villes, où les monopoles sont inévitables. C'est au début de 1960 que cette situation a changé radicalement. À ce moment-là, la Thomson Newspapers fit l'acquisition de la société F.P. Publications, qui possédait des quotidiens dans la plupart des grandes villes canadiennes. La transaction de 164,7 millions de dollars donnait à la Thomson Newspapers la propriété des journaux suivants : *Globe and Mail*, *Winnipeg Free Press*, *Lethbridge Herald*, *Victoria Times*, *Victoria Daily Colonist*, *Vancouver Sun*, *Ottawa Journal* et *Calgary Albertan* (qui fut bientôt revendu).

Le 27 août 1980, à quelques heures d'intervalle et sans avoir donné de préavis aux employés, les sociétés Thomson Newspapers et Southam Press mirent respectivement la clé dans la porte des quotidiens *Ottawa Journal* (375 emplois de perdus) et *Winnipeg Tribune* (370 emplois). Cela posait de façon radicale le problème de la monopolisation dans l'industrie canadienne de la presse. Les deux quotidiens disparus étaient depuis belle lurette en situation difficile et perdaient chaque jour du terrain par rapport à leur concurrent direct, un journal appartenant à la Thomson Newspapers à Winnipeg et à Southam Press à Ottawa. Cependant, leur tirage augmentait régulièrement. Les deux fermetures furent annoncées le même jour. La Thomson Newspapers vendit à Southam Press sa part des actions de deux autres sociétés de presse, la Gazette Montreal Limited, propriétaire du journal *Montreal Gazette*, et Pacific Press Limited, propriétaire des journaux *Vancouver Sun* et *Vancouver Province*. Deux jours plus tard, la Thomson Newspapers abandonnait la société F.P. News Service, pourtant réputée, qui produisait des reportages sur les activités au Parlement fédéral.

Selon Kenneth Thomson, la décision qui amena la fermeture du *Ottawa Journal* était purement économique. Le quotidien perdait constamment de l'argent et la Thomson Newspaper n'avait aucun intérêt à en rester propriétaire. Il y avait cinq ans qu'on n'avait pas réalisé de bénéfices, et l'on prévoyait une perte de cinq millions de dollars en 1980, qui allait s'ajouter à la perte de sept millions de dollars enregistrée en 1979. Bien sûr, les directeurs de la Thomson Newspapers, comme ceux de Southam Press, prétendirent que la simultanéité de leurs décisions était pure coïncidence. Pourtant, on a nettement l'impression qu'il s'agissait de distribuer les sphères d'influence.[1]

Six jours plus tard, le gouvernement Trudeau créait la Commission royale d'enquête sur les journaux. Celle-ci avait un mandat très large, celui d'éclaircir non seulement l'affaire de la fermeture des journaux d'Ottawa et de Winnipeg, mais aussi de faire la lumière sur la croissance des grandes sociétés de presse au pays. On craignait que la Thomson Newspapers ne tente de prendre le contrôle de la Southam

---

1. Sur le plan du tirage, la société Southam Press publie 27,6 p. 100 des quotidiens canadiens, tandis que la Thomson Newspapers en publie 21 p. 100.

Press, ce qui aurait été possible parce que cette dernière n'a pas d'actionnaire majoritaire. Le gouvernement fédéral engagea des poursuites contre les sociétés Thomson et Southam, qu'il accusait d'avoir conspiré pour l'exercice d'un monopole lors de la fermeture des deux quotidiens.

La commission royale devint la commission Kent, du nom de son directeur de 58 ans, Thomas Kent, dont l'expérience est aussi imposante que la taille (il mesure 1,91 m). Il fut sous-ministre de la Main-d'oeuvre et de l'immigration, ainsi que du Développement économique et régional sous Lester B. Pearson et Pierre Trudeau. Il fut aussi président de deux sociétés maritimes, la Cape Breton Development Corporation et la Sydney Steel, et a aussi dirigé des sociétés de presse. Né en Angleterre, il a été éditorialiste au *Manchester Guardian* avant de venir au Canada, où il fut rédacteur du journal *Winnipeg Free Press.* Il aime rappeler les négociations qu'il engagea dès son arrivée au poste de rédacteur en chef avec les Sifton, propriétaires du journal : « J'avais toute la latitude voulue même si les propriétaires n'étaient pas toujours heureux des décisions que je prenais. Je leur ai dit que je voulais une participation aux bénéfices avec la garantie que le montant ne serait jamais inférieur au salaire moyen d'un ministre du cabinet fédéral. »

Avec son expérience, surtout dans le domaine de la presse où il sut faire preuve d'indépendance à la tête de journaux réputés, Kent avait un certain mépris pour les journaux de second ordre. À l'inverse de bien des commissaires qui cherchent à ménager la chèvre et le chou, Kent mena son enquête comme il l'entendait. Il en avait surtout contre la Thomson Newspapers. Kent n'était pas seulement étonné de la piètre qualité des quotidiens de l'empire Thomson, mais dénonçait aussi le fait que la Thomson Newspapers semblait tenir le rôle d'une société de financement au sein de l'empire. Selon lui, il aurait été préférable que les bénéfices produits par les sociétés de presse soient réinvestis dans le même secteur, et non dans d'autres domaines de l'économie. À ce sujet, on lit dans le rapport de la commission :

> On ne peut presque rien dire sur le conglomérat. Ce genre de sociétés est rarement propriétaire de quotidiens de prestige ; c'est presque une règle générale. La société Thomson Newspa-

pers, importante au Canada, n'est qu'une partie, petite de surcroît, d'un conglomérat international dont elle est la fidèle représentante. Sa collection de quotidiens de petites villes constitue une source de capitaux, sans plus... Les propriétaires de chaînes de journaux, de Southam à Thomson, en passant par Irving (du Nouveau-Brunswick), se plaisent à répéter qu'ils laissent toute liberté aux éditeurs et aux rédacteurs quant au contenu éditorial de leurs journaux.

Si c'est vrai, et ce n'est pas nécessairement une vertu, cela signifie que le propriétaire n'a plus grand-chose à tirer d'une telle société, si ce ne sont les capitaux. En laissant ainsi les directeurs immédiats prendre les décisions, on prétend qu'on maintient la dimension locale ou régionale de chacun des quotidiens, qui restent alors vraiment la voix de la communauté. Mais peut-on le croire quand la plupart de ces directeurs, comme c'est la règle, viennent de l'extérieur? La direction exerce son contrôle de deux façons: d'abord en nommant des directeurs, et ensuite en préparant les budgets d'exploitation. Dans les deux cas, ce sont les gens du siège social, les directeurs de la maison mère qui s'en occupent. Naturellement, c'est l'évidence même, cela a une importance énorme sur les caractéristiques et l'orientation des différentes filiales.

En s'opposant vivement à ce que des conglomérats soient propriétaires de journaux, la commission Kent dénonçait la société Thomson Newspapers car c'est la seule qui soit filiale d'une multinationale. On était plus conciliant à l'égard de la Southam Press. Celle-ci avait par ailleurs plusieurs avantages sur la Thomson Newspapers. Elle possède une chaîne de journaux, mais ses quotidiens sont publiés dans de grandes villes, ce qui permet de varier le contenu éditorial. Southam Press possède des journaux d'importance secondaire, dont le *Ottawa Citizen*, fort critiqué par l'ensemble des journalistes, mais Kent était prêt à passer l'éponge sous prétexte que la qualité du contenu s'était bien améliorée depuis le début des travaux de la commission. Jamais il n'a fait de compliment comparable à l'égard d'un seul des quotidiens de l'empire Thomson.

La société Southam Press, comme la Thomson Newspapers, est en réalité plus qu'une chaîne de journaux. Ces deux sociétés sont de véritables empires des communications, possédant des revues, des librairies et des sociétés de câblodistribution. Il est curieux que la commission Kent ait prêté plus d'attention à l'empire Thomson, hautement diversifié, qu'à cette concentration du pouvoir au sein de l'industrie des communications au Canada. Cela vient sans doute de certaines convictions de Kent, selon qui « l'industrie de l'acier devrait être dirigée par des magnats de l'acier, et les journaux... par des journalistes ». Les membres de la commission étaient convaincus que parce que les actifs nets de la Southam Press étaient en baisse alors que ceux de la Thomson Newspapers s'accroissaient...

les directeurs de la Southam Press n'ont pas que les bénéfices en tête... Au sein d'un conglomérat, comme celui de la société Thomson Newspapers, il n'y a qu'une façon d'évaluer le résultat financier, et c'est de façon quantitative, par l'accroissement de l'actif net. Dans ce contexte, les sociétés de presse sont de véritables vaches à lait dont les revenus servent non seulement à faire l'acquisition d'autres quotidiens, mais aussi à financer d'autres entreprise.

Les directeurs de la société Southam Press ont réussi à gagner des appuis au sein des critiques du monde de la presse grâce au minimum de conscience dont ils font preuve face aux exigences du métier de journaliste. Chez Southam Press, par exemple, on accorde plus d'importance que chez Thomson Newspapers à la formation du personnel. Chez cette dernière société, la typographie, le tirage et la publicité ont plus d'importance que la formation du personnel. C'est l'inverse chez Southam Press. Il est vrai qu'au cours des années 70 on a retenu les services de plusieurs éditorialistes-conseils chez Thomson afin d'accroître la réputation des quotidiens, mais sans grand succès. La plupart de ces conseillers démissionnèrent rapidement sous le coup de la frustration, car il est bien entendu qu'il leur était impossible de mener leur travail à bien tant les contraintes financières imposées par les directeurs nuisaient à leur tâche.

Selon Thomas Kent, à la lumière des résultats d'une étude portant sur la période 1978-80, huit des quotidiens appartenant à l'empire Thomson dépensaient plus que la moyenne des autres journaux canadiens dont le tirage dépasse 25 000 exemplaires pour accroître la qualité de leur publication, tandis que les 29 autres dépensaient moins. Parmi les huit premiers quotidiens, il y en avait trois qui avaient appartenu au groupe F.P. Parmi les journaux de la société Southam Press, il y en avait quatorze qui dépensaient plus que la moyenne des sociétés de presse pour accroître la qualité de leur publication, et trois qui se situaient sous le niveau moyen.

Depuis 1962, la société Southam Press a accordé plus de 100 000 $ en bourses universitaires à ses journalistes. Le président de la société, Gordon Fisher, petit-fils du fondateur, se refuse à parler du rendement des quotidiens comme le faisait Roy Thomson et comme le fait son fils aujourd'hui. Au lieu de cela, Fisher se plaît à décrire sa société comme une véritable entreprise familiale et aborde la question de l'importance sociale des journaux au Canada. Par conséquent, même si la Southam Press fit la même chose que la Thomson Newspapers le 27 août 1980, Thomas Kent avait toutes les raisons d'être beaucoup plus conciliant envers la première société. Si la Thomson Newspapers fait figure de mouton noir du monde de la presse au Canada, la société Southam Press, du moins aux yeux de Kent, passait pour un bon diable : « En comparaison avec la chaîne Thomson, Southam Press a de quoi être fière », affirme celui-ci, qui ne semble pas avoir encore changé d'opinion.

Kent recommanda que l'on prenne des moyens radicaux pour réduire la concentration des sociétés de presse au Canada, dont le vote d'une loi qui réglementerait les fusions dans l'industrie. Visant directement la chaîne Thomson, il souhaitait qu'on oblige cette dernière à vendre le *Globe and Mail* ou, au choix, l'ensemble des autres quotidiens. Comme il s'agit du seul journal canadien d'envergure nationale, Kent jugeait que la propriété du *Globe and Mail* représentait à elle seule l'exercice d'un monopole, ce qui semblait d'autant plus intolérable que la Thomson Newspapers possède en outre le tiers des quotidiens du Canada. Il recommandait par ailleurs que la société ne cède pas le quotidien torontois à un autre conglomérat, à moins que ce soit inévitable.

Avec le recul, Kent explique qu'il souhaitait en fait que le *Globe and Mail* devienne une propriété en fiducie, comme c'était le cas du *Manchester Guardian*, où il avait travaillé. Au *Guardian*, les actionnaires ont droit à une partie seulement des bénéfices ; le reste est automatiquement réinvesti. Quand au rédacteur en chef, il est employé par contrat. Au Canada, il n'y a que *Le Devoir*, de Montréal, qui ait un système comparable. L'éditeur est nommé à vie et contrôle la majorité des actions. Par conséquent, il n'est pas à la merci du conseil d'administration et peut à volonter disposer des postes existants.

Le rapport de la commission Kent leva une véritable tempête de protestations au pays lors de son dépôt, en août 1981. Il n'y a que l'éditorialiste du *Chronicle Herald* de Halifax qui fit un compliment à Kent, soulignant que c'était un bon néo-écossais (Kent était le doyen de la faculté d'Études administratives de l'Université Dalhousie, à Halifax, depuis 1980). Trois ans plus tard, la tempête s'était calmée, ce qui était normal après tout puisqu'il n'y avait aucune des recommandations du rapport Kent qui avaient été suivies.

Le gouvernement fédéral avait décidé de poursuivre les sociétés Southam Press et Thomson Newspapers parce qu'elles auraient enfreint les lois antimonopole canadiennes. De cela, on ne put jamais faire la preuve. Les lois antimonopole n'empêchent pas les fusions de sociétés, les prises de contrôle et les ententes pour limiter la concurrence parce que, pour cela, il faudrait que les procureurs de l'État prouvent qu'il y a illégalité, dans chaque cas, hors de tout doute. En ce qui concerne la double fermeture du *Winnipeg Tribune* et du *Ottawa Journal*, la cour jugea que c'étaient des décisions administratives tout à fait défendables, compte tenu des pertes encourues par les deux quotidiens, et que les négociations entre la Thomson Newspapers et la Southam Press avaient été menées « au grand jour ».

Quelques semaines après le rendu du jugement, Tom Kent, tirant une bouffée de sa pipe, faisait le bilan des événements qui s'étaient suivis pendant les trois ans et demi d'existence de la commission. Il n'était pas le moins du monde surpris par le jugement de la cour et ne croyait pas que le gouvernement fédéral veuille renforcer les lois antimonopole : « La décision de la cour prouve une fois encore que les lois antimonopole canadiennes ne sont pas adaptées à la réalité économique actuelle. Il n'y a pas grand-chose que l'on puisse faire pour renforcer ces lois parce que l'économie canadienne est relativement réduite et que l'action de la concurrence est toujours limitée. Le cas des journaux n'est qu'un exemple, extrême, de cet état de fait. Il y a très peu de communautés qui puissent, au Canada, soutenir l'existence de deux quotidiens concurrents. S'il y en a trois à Toronto, cela n'empêche pas que dans la plupart des autres villes où il y a plus d'un quotidien, l'un de ceux-ci finira bien par être acculé à la faillite. »

Sans la moindre amertume, Kent ajoute : « J'ai l'impression d'avoir été roulé par la cour parce que le jugement enlève toute raison d'être à la commission. » Kent n'a pas non plus changé d'opinion au sujet des quotidiens de la chaîne Thomson, ou de tous les journaux qui appartiennent à des conglomérats. « Chez Thomson, il n'y a personne qui s'intéresse vraiment aux journaux. Ils sont dirigés par des comptables qui ne s'intéressent qu'aux chiffres des bilans et ces sociétés ne servent qu'à financer les nouvelles entreprises de l'empire. On aurait dû voter une loi des journaux, comme il existe une loi des banques, pour éviter que ceux-ci ne soient dirigés par des gens ou des sociétés dont les intérêts dans d'autres domaines ou industries sont plus grands. »

Même si Kent admet que la décision de la cour enlève ni plus ni moins toute valeur à son rapport, il prétend que le temps joue en sa faveur et que les journaux seront bien obligés de gagner en qualité. Il explique : « Si les choses restent ce qu'elles sont, les journaux seront remplacés par les revues et les médias électroniques. Même l'empire Thomson, qui soutient financièrement ses plus petits quotidiens, doit faire face à la concurrence des hebdomadaires et des chaînes de télévision communautaires où l'on annonce à la fois les emplois disponibles et les soldes des magasins locaux. Pour l'instant, les journaux des petites villes ne diffusent pas toute l'information qu'ils pourraient apporter. Ce qu'ils donnent aux petites communautés qu'ils desservent n'a rien à voir avec l'ampleur des bénéfices qu'ils en retirent. Ils disposent pourtant de tout l'argent nécessaire pour offrir un produit de meilleure qualité. On peut croire que si la concurrence se fait plus dure, les bénéfices de ces quotidiens de piètre qualité finiront par baisser. Pour l'instant, il est vrai que les journaux ont gagné une première bataille en cour, mais à long terme, je crois qu'ils perdront la guerre parce qu'ils recherchent trop le pouvoir.»

L'année 1983 fut à la fois bonne et mauvaise pour la Thomson Newspapers. La décision de la cour était évidemment une bonne nouvelle, de même que le refus, par le gouvernement fédéral, de préparer un projet de loi sur les journaux. Par ailleurs, les événements survenus dans deux quotidiens appartenant à la société avaient fait des gorges chaudes au Canada, à la suite de l'intervention du *Globe and Mail*. Les journalistes accusaient la société de brimer leur liberté professionnelle. Les administrateurs de la Thomson Newspapers accusèrent les sociétés de presse qui couvrirent les événements de rapporter les faits de façon très subjective, voire biaisée, parce qu'il y aurait eu, selon eux, une hostilité presque traditionnelle envers les sociétés de presse de l'empire Thomson au Canada.

Le premier des deux événements dont le *Globe and Mail* s'était fait l'écho s'était produit à Lethbridge, en Alberta, ville de 56 500 habitants. Le quotidien de la ville, le *Lethbridge Herald*, avait été acheté en 1981 par la Thomson Newspapers parce qu'il faisait partie des quotidiens du goupe F.P. La Thomson Newspapers décida d'imposer un nouvel éditeur. Selon plusieurs citoyens de Lethbridge, ils s'agissait là d'un parachutage inutile, comme l'étaient d'ailleurs les nombreux changements apportés au personnel du quotidien, de même que la fermeture du bureau du journal au Parlement provincial. Ces gens créèrent le « Commitee for Quality Journalism » afin d'exercer des pressions sur la direction du journal.

Ce comité, appuyé par d'anciens journalistes, accusa la nouvelle direction d'avoir considérablement réduit la qualité du journal local en donnant la priorité à des événements secondaires au détriment des sujets importants. Un journaliste qui travaillait au *Lethbridge Herald* depuis quatre ans a été mis à la porte parce qu'il refusait de faire une quatrième tentative pour réaliser une entrevue avec les parents éprouvés d'un adolescent victime d'un accident. Les photographes se plaignaient de ne plus savoir ce que l'on attendait d'eux. La direction eut elle aussi des raisons de se plaindre, tout autres pourtant. Des vandales ont barbouillé les murs de l'édifice du journal de graffitis faisant allusion aux croyances religieuses de John Farrington, le nouvel éditeur, que l'on disait mormon.

Ce conflit amena l'affaire jusqu'à l'Alberta Press Council qui entendit les parties en cause au cours de l'automne 1983. Les membres du conseil rejetèrent le blâme sur les deux parties. Ils prétendaient que le quotidien aurait dû continuer les lettres de critique ou de protestation concernant son contenu (alors qu'il en interrompit la publication après un mois), puis reprochaient aux plaignants d'avoir adopté une attitude radicale en refusant même de rencontrer les directeurs du *Lethbridge Herald* alors que ceux-ci leur avaient offert de tenter d'en arriver à une entente.

Brian Slaight avait son opinion personnelle sur la question : « L'éditeur a sans doute procédé rapidement pour effectuer les changements souhaités, mais il était sûrement convaincu que cela était nécessaire pour améliorer la qualité du journal. Les protestataires ne formaient pas un groupe important et si le conseil a reproché au journal de ne pas avoir publié les lettres de critiques au-delà d'un mois, il ne faut pas oublier que ce genre de correspondance, qu'il s'agisse de commenter le contenu d'un journal ou l'actualité, devient à tout coup répétitif. On a dit tellement de choses sur cette affaire ! Ainsi, un journaliste de la revue *Maclean's* affirme que le journal a annoncé la mort de Leonid Brejnev par un entrefilet dans les pages intérieures alors que l'événement avait fait la une du journal. En augmentant le contenu local, l'équipe éditoriale suivait à la lettre l'une des recommandations de la commission Kent concernant la responsabilité des journaux face à la communauté qu'ils desservent. » Selon Slaight, l'affaire de l'adolescent fut montée en épingle à cause des circonstances de son décès ; le jeune est mort au cours de ses vacances à Hawaï, en faisant du surf. Le journaliste qui a été mis à la porte n'a jamais refusé de téléphoner à la famille du défunt. En plus, selon Slaight, le journaliste a été mis à pied par un rédacteur qui avait été nommé par le prédécesseur de Farrington, et non par ce dernier. « Il existe un dilemme entre la pratique du journalisme et le respect de la vie privée des gens éprouvés à la suite d'un événement malheureux. Dans ce cas, il est difficile de trancher nettement la question. Il n'y a pas de politique déterminée chez Thomson qui dicte la conduite à suivre quand ce genre de problème se pose. Il revient au rédacteur en chef de chaque journal de prendre la décision qu'il juge la meilleure. »

À la même époque, la société Thomson Newspapers essuyait les critiques des rédacteurs du *Daily Times* de Brampton, localité située à 35 km à l'ouest de Toronto, pour avoir limogé l'éditeur du *Lethbridge Herald* et son épouse, qui y travaillait comme journaliste. Brampton est aussi la ville d'origine de l'ancien Premier ministre de l'Ontario, William Davis. Judi McLeod, journaliste, et son mari John, maintenaient qu'ils avaient été mis à pied à cause des pressions exercées par quelques politiciens locaux. Mme McLeod avait en effet écrit un premier article critiquant les membres du conseil de ville, puis un autre portant sur les membres locaux du Parti progressiste-conservateur de William Davis. John, pour sa part, signa un éditorial dans lequel il suggérait au Premier ministre de demander aux membres de son parti d'éviter de se mêler de politique locale. En ce qui concerne les membres du conseil municipal, Mme McLeod rapportait qu'au cours d'une réunion ils s'étaient voté une augmentation de salaire de 45 p. 100. Les directeurs de la Thomson Newspapers maintenaient que, quelles qu'aient été les pressions exercées par les politiciens concernés à Lethbridge, elles étaient contrebalancées par les représentations d'autres politiciens. Ils affirmaient donc que les mises à pied étaient justifiées (dans le cas de Judi McLeod, parce que ses textes manquaient d'objectivité). Son mari aurait été démis de ses fonctions parce qu'il aurait refusé d'obtempérer à l'ordre de l'éditeur, qui lui avait demandé de retirer le dossier à son épouse, alors qu'il lui confia le reste du dossier. En lisant les articles en question, on se rend bien compte qu'il y a certaines imprécisions et qu'on ne cite pas toutes les sources. Parlant d'une vague de protestation, par exemple, Mme McLeod cite un politicien et... deux citoyens, sans les nommer.

Les McLeod avaient déjà eu à se frotter aux gens de l'empire Thomson. John McLeod avait travaillé pour le compte de la Thomson Newspapers dès 1973, à l'époque où il était à l'emploi du *Ottawa Journal*. Il a aussi travaillé au *Oshawa Times*, où il fit la connaissance de son épouse ; là, pendant deux ans, il fut responsable du programme de formation des nouveaux administrateurs. Une fois en poste au *Daily Times*, il décida d'augmenter les salaires. « Lorsque je suis arrivé ici, raconte-t-il, le journaliste le mieux payé, qui avait

200

cinq années d'expérience, gagnait 265 $ par semaine, c'est-à-dire à peu près la moitié du salaire qu'il aurait obtenu dans une grande ville. C'est pour cela que j'ai porté son salaire à 450 $. »

En 1981 cependant, le journal eut un nouvel éditeur, Victor Mlodecki, un comptable qui avait occupé le même poste au journal de Kirkland Lake (Ontario) appartenant à l'empire Thomson. McLeod raconte que Mlodecki imposa un programme particulièrement sévère de coupures budgétaires : « Il fit remplacer le papier hygiénique par du papier de moindre qualité, et exigea que les employés rédigent une réclamation chaque fois qu'ils avaient besoin d'un article quelconque, même s'il s'agissait d'un stylo à 19 cents ou d'un bloc-notes. On dut réviser tous les formulaires utilisés au bureau afin de voir si l'on ne pouvait pas économiser de l'argent en utilisant du papier de moindre qualité. Dans le monde de la presse, on fait en général parvenir des copies de toutes les éditions du journal, dès la sortie de presse, au service des nouvelles. Notre service des nouvelles comptait 12 personnes et l'on envoyait, chaque jour, 10 copies dont certaines devaient être mises en réserve. On coupa ensuite ce nombre en deux, afin de réaliser des économies, même s'il ne nous en coûtait que 3 ½ cents par journal ! Lorsqu'un photographe avait besoin de piles pour son appareil, il fallait qu'il les achète et qu'il se les fasse ensuite rembourser, comme s'il s'agissait de frais de représentation. Et même lorsque les journalistes rencontraient un informateur au restaurant, ils ne pouvaient pas se faire rembourser les dépenses encourues. C'est pourtant une pratique courante. Tout ce qu'on remboursait aux membres de l'équipe de rédaction, c'étaient les frais d'automobile. Naturellement, certains joignaient les factures de restaurant à celles des stations-service. »

Et McLeod de poursuivre : « Les mesures imposées, même si elles étaient draconiennes, n'étaient pas exceptionnelles. En 1974, lorsque je visitai d'autres quotidiens appartenant à la Thomson Newspapers, j'ai trouvé un journaliste responsable de la politique locale assis à son bureau, le manteau sur le dos, en train de dactylographier son texte. On avait décidé de baisser les rhéostats tous les soirs pour réduire les coûts du chauffage. En plein été, dans l'atelier surchauffé où l'on prépare les plaques, les employés laissaient couler l'eau du robinet afin de rafraîchir l'air de la salle parce qu'il n'y avait pas d'appareil de climatisation d'air. L'éditeur eut vent de l'affaire et demanda à l'un des directeurs de service de se rendre à la salle de composition toutes les quinze minutes pour s'assurer que ce genre de pratique avait cessé.»

Pourtant, malgré toutes les critiques qu'il formulait, McLeod restait au service des sociétés de presse de l'empire. En plus, des directeurs de la Thomson Newspapers n'eurent aucune objection à formuler lorsque quelques mois après qu'il eut obtenu le poste au *Daily Times*, John leur demanda l'autorisation d'offrir à son épouse le poste convoité de correspondant à l'hôtel de ville pour le compte du journal. Judi, âgée alors de 35 ans, travaillait comme journaliste depuis l'âge de 18 ans. Elle avait longtemps été responsable de la section sur l'éducation dans le *Oshawa Times*. Malgré le conflit persistant entre les McLeod et l'éditeur, l'affaire n'aurait pas eu autant d'importance s'il n'y avait eu la publication d'un article qui *n*'était *pas* de Judi. Il s'agit d'un article publié en novembre 1982, quelques jours avant les élections municipales, dans lequel l'auteur écrivait que les deux membres du conseil qui avaient été absents du plus grand nombre de réunions au cours du dernier mandat étaient le candidat au poste de maire, que John critiqua vertement dans l'un de ses éditoriaux, et le membre du conseil qui était le véritable souffre-douleur de Judi. La publication de l'article eut beaucoup de répercussions. Le candidat à la mairie perdit l'élection et le conseiller décida de poursuivre le journal pour libelle diffamatoire. Il confia l'affaire à la firme d'avocats Davis, Webb — dont avait déjà fait partie le Premier ministre de l'époque, William Davis, et qui était alors dirigée par son fils, Neil, et Ronald Webb, le directeur du bureau local du Parti progressiste-conservateur. L'éditeur, John McLeod et Kerry Lambie, directeur général adjoint de la société Thomson Newspapers, tinrent une réunion à l'issue de laquelle il fut décidé que John McLeod devait retirer le dossier à Judi. Alors que Slaight prétend que les journaux de l'empire Thomson échappent à toute pression, le *Daily Times* était dans une position curieuse. Si, selon Slaight, le travail de Judi manquait d'objectivité, il y a longtemps qu'elle aurait dû perdre son poste. Il affirme que Mlodecki avait abordé la question à plusieurs reprises avec John McLeod.

De toute façon, deux mois plus tard, John et Judi furent tous deux limogés parce que John avait refusé d'obtempérer à l'ordre de l'éditeur, prétendant que c'était à ce dernier, et non à lui, qu'il revenait de s'occuper de la gestion du personnel. Une semaine avant cela, bien ironiquement, Judi avait reçu le Western Ontario Newspaper Award pour la qualité de son reportage. L'une des raisons qui explique sa sélection est sans doute le fait que l'un des juges du concours était l'ancien directeur des recherches de la commission Kent, qui avait tant critiqué la Thomson Newspapers.

Il fallut six mois aux McLeod pour trouver de l'emploi. Il y avait, à cette époque, une véritable crise de l'emploi dans le monde de la presse, encore que cela ne semble pas expliquer que leur candidature ait été rejetée au *Toronto Star*. Judi raconte qu'elle s'était entendue avec le directeur pour travailler à la pige, en espérant que cela lui permette de prendre pied au journal et lui assure, dans un avenir plus ou moins rapproché, un emploi stable. Comme aucun de ses textes ne fut publié, elle finit par s'en inquiéter, et l'un des rédacteurs lui expliqua qu'il avait été décidé qu'on ne publierait plus de textes de pigistes. Par la suite, elle s'adressa à l'une de ses connaissances, le rédacteur en chef du *Windsor Star*, Bob McAleer, pour lui demander d'intercéder en sa faveur auprès du rédacteur en chef du Toronto Star, Ray Timson. On publia donc l'un de ses textes, racontant l'histoire d'une dame âgée, veuve, qui vivait avec des moyens particulièrement réduits. Ce fut le seul de ses textes que le journal publia.

John McLeod affirme qu'il a rencontré le rédacteur en chef adjoint du *Toronto Star*, Gerry Barker, et que celui-ci, après avoir consulté Kerry Lambie de Thomson Newspapers, rejeta toutes ses demandes et finit par ne même plus rendre ses appels téléphoniques. À l'occasion de la préparation de ce livre, l'auteure a demandé à McAleer et à tous ceux du *Toronto Star* qui avaient été impliqués dans l'affaire McLeod, de confirmer ou d'infirmer toutes ces rumeurs. Les réponses des uns et des autres étaient totalement différentes. McAleer dit à propos de Judi : « Ce qu'elle dit est exact, maintenant, je ne sais pas pourquoi on ne s'est plus occupé d'elle au *Toronto Star*. » Quant à l'opinion des gens du *Toronto Star*, elle se résume à ce que dit Timson : « Toute l'information que vous possédez là-dessus est incorrecte. »

Après six mois de tractations, les McLeod trouvèrent de l'emploi au *Toronto Sun*, troisième quotidien de la ville-reine. Judi accepta un poste de journaliste et John fut nommé directeur adjoint à la section économique. Puis, un an exactement après leur renvoi du *Daily Times*, les McLeod lancèrent un hebdomadaire de 16 pages, le *Bramptonian*. Le tirage fut fixé à 40 000 copies et les revenus de publicité devaient suffire à couvrir les frais d'exploitation. Les McLeod détiennent 40 p. 100 des actions du journal. L'idée originale appartient à celle qui détient le reste des actions, une ancienne employée du *Daily Times* qui se plaignait du peu d'avancement qu'on lui offrait. Son époux, grossiste en alimentation, participait à l'affaire. John McLeod est rédacteur en chef du *Bramptonian*, tandis que son épouse est rédactrice adjointe. Ils prétendent — avec le sourire — que la date de lancement de leur journal n'était pas une coïncidence. À long terme, ils espèrent faire de leur hebdomadaire un journal quotidien, qui sera vendu et non distribué gratuitement.

Les incidents de Lethbridge et de Brampton apportaient de l'eau au moulin de ceux qui critiquaient la chaîne de journaux de l'empire Thomson. Malgré cela, le quotidien de Timmins, quelque 50 ans après avoir été acheté par Roy Thomson, en 1934 plus précisément, se porte particulièrement bien. La faillite effective de la commission Kent et l'absence de projet de loi pour réglementer les sociétés de presse au Canada laissent la porte ouverte à l'expansion. Brian Slaight explique que depuis 12 ans, et cela se poursuit encore de nos jours, on fait beaucoup d'efforts pour que les hebdomadaires deviennent des quotidiens, ce qui est une forme d'expansion. Quant à l'achat de nouveaux journaux, c'est un objectif plus facile à atteindre aux États-Unis. Avec le taux d'inflation et le rythme des acquisitions, il est à peu près certain que la société Thomson News-papers réalisera un chiffre d'affaires de plus d'un milliard de dollars, aux États-Unis seulement, avec les sociétés de presse, avant la fin des années 80.

10

La riposte

Ces dernières années, au sein de l'empire Thomson en Amérique du Nord, les souris se sont mises à rugir. Les employés, peu satisfaits des faibles salaires qu'on leur verse et frustrés par les efforts que font les directeurs des sociétés de l'empire pour empêcher la syndicalisation, ont riposté en déclenchant des grèves ou en lançant des journaux concurrents. Chaque fois que cela s'est produit, ce sont les employés qui ont vaincu, soit en obtenant une partie des augmentations de salaire demandées, soit parce que leurs journaux s'imposaient face au monopole de ceux de l'empire Thomson. Ces succès, somme toute épars, n'ont pas donné lieu à beaucoup de tentatives du même genre, sans doute parce que la plupart des employés de la société Thomson Newspapers sont heureux de leur sort, ou parce qu'ils ont réalisé que leurs confrères avaient bénéficié de circonstances particulières. De toute façon, ceux qui avaient fait la grève étaient les employés des quotidiens des zones urbaines, où la syndicalisation est répandue et où l'opinion publique prenait naturellement leur défense. Il y eut aussi la disparition de l'un de ces journaux « parallèles » après trois ans et demi de publication, au cours desquels on avait réussi à prendre un bon nombre de lecteurs au concurrent direct, qui était naturellement un journal appartenant à la Thomson Newspapers ; cette expérience prouve que sans les appuis financiers suffisants, les chances de succès à long terme sont plutôt minces.

La société Thomson Newspapers passe, auprès des syndicalistes, comme l'un des employeurs avec lesquels il est le plus difficile de traiter, tant au Canada qu'aux États-Unis. Selon eux, les directeurs de la Thomson Newspapers sont prêts à fermer un journal et à perdre des millions de dollars pour y empêcher la syndicalisation des employés parce que, selon eux, l'augmentation de salaire qu'on devrait accorder pour régler le litige coûterait plus cher à long terme et réduirait d'autant les bénéfices. John Bryant, directeur de la Southern Ontario Newspaper Guild, qui représente les journalistes de la province, abonde en ce sens : « Lorsque des employés se sont syndiqués chez Southam Incorporated, on est prêt à négocier avec eux, alors que chez Thomson... »

Robert Eccles, directeur de la filiale canadienne de l'International Typographical Union (I.T.U.), est d'accord avec Bryant. Ce syndicat, qui représentait au départ les employés des services typographiques, recrute aujourd'hui ceux de la rédaction et des services de la publicité dans plusieurs journaux régionaux au Canada. L'I.T.U. est présente dans la moitié des quotidiens appartenant à l'empire Thomson au Canada ; ce n'est toutefois que dans deux de ses sociétés seulement que le syndicat a recruté des membres parmi l'ensemble des employés et non pas seulement chez les typographes. Selon Eccles, « Thomson est le pire employeur avec qui on puisse avoir à traiter au Canada. Lorsqu'on doit traiter avec les représentants de la Southam Press ou de la chaîne Irving, ces sociétés répondent à nos demandes en faisant des contre-propositions sur tous les points. Quand il s'agit de négocier avec les gens de chez Thomson, ceux-ci dressent la liste de ce qu'ils sont prêts à discuter et refusent de parler du reste. Le rapport de la commission Kent n'a rien changé quant à cela. »

La réputation de la Thomson Newspapers aux États-Unis n'est guère meilleure. Selon un administrateur de l'International Printing and Graphic Communications Union, « si l'on dresse une échelle allant de un à dix quant à la facilité d'approche, Thomson se situerait entre les niveaux sept et dix ; il n'y a que la chaîne Gannett, qui possède beaucoup plus de journaux, qui est encore plus difficile d'approche. Il est facile, pour l'une et l'autre de ces sociétés, d'empêcher la syndicalisation parce que plusieurs de leurs journaux sont de petite dimension et les employés ont peur de perdre leur emploi, d'autant plus qu'il est courant que les quotidiens ferment leurs portes ou réduisent leur personnel. Il est tellement plus facile de remplacer un groupe de travailleurs par des briseurs de grève dans un petit journal, alors que c'est quelque chose d'impossible — ou presque — dans les quotidiens des grandes villes. »

Pourtant, malgré tout cela, il y a des souris qui ont voulu s'attaquer au lion. Ces récalcitrants forment un groupe remarquable. En général, ce ne sont pas des jeunes qui sont frais émoulus des collèges ou des universités, mais plutôt des gens d'âge moyen ou même des employés plus âgés qui étaient jusque-là assez conservateurs, votant traditionnellement pour les Républicains, croyant au rêve américain, n'ayant jamais réalisé ce que pouvait représenter la syndicalisation. On aurait été loin de penser qu'ils puissent être les premiers à rugir. Il ont fini par adopter une attitude radicale parce que leurs maigres salaires ne suffisaient plus à les faire vivre.

Le premier journal paralysé par la grève et dont les employés ont réussi à vaincre la partie patronale, c'est-à-dire la Thomson Newspapers, est le *Valley Independant*, de Monessen, en Pennsylvanie. En 1970, moins d'un an avant que la société Thomson ne fasse l'acquisition du journal, alors publié depuis 67 ans et dont le tirage atteignait 16 000 copies, les employés firent une grève qui dura sept mois et demi. Ils demandaient de meilleurs salaires et exigeaient que l'employeur s'engage à ne plus retenir les services de personnel non syndiqué. Une fois le conflit réglé, tout alla bien jusqu'en 1979, lorsque la question salariale revint à nouveau au centre des préoccupations. Cette fois, la grève dura quatorze mois, durant lesquels les grévistes lancèrent un nouvel hebdomadaire qui connut suffisamment de succès pour forcer les représentants de la Thomson Newspapers à négocier. Ceux-ci acceptèrent d'augmenter le salaire des journalistes et des représentants de 120 $ sur une période de trois ans, pour le porter à un maximum de 310 $, ce qui représentait une bonne augmentation, mais ne suffisait pas à porter les salaires au niveau moyen de ceux des journalistes des grands quotidiens métropolitains.

À Monessen, il n'y avait pas de syndicaliste radical pour mener les grévistes. Le directeur du syndicat local, Steve Menzler, travaillait comme représentant au journal depuis 37 ans. Bien qu'il soit d'une nature paisible, il s'emporte chaque fois qu'il parle de ses employeurs : « Ils ont préféré payer des briseurs de grève, quitte à payer le prix de l'hôtel, plutôt que de s'asseoir et de négocier. Chez Thomson, on est prêt à dépenser 1 000 $ pour empêcher qu'un employé gagne 10 $ de plus ! » Les moyens de pression et les méthodes employées par le syndicat à Monessen inspirèrent les syndicalistes du journal *Oswego Palladium-Times*, de la ville d'Oswego (dans l'État de New York, près de Syracuse). Là, la grève débuta au moment où les employés du journal de Monessen retournaient au travail. À Oswego, la conclusion fut différente. Alors qu'à Monessen les grévistes avaient repris le travail, ceux d'Oswego décidèrent de rejeter toute entente avec l'employeur et de poursuivre la publication de leur propre journal, le *Messenger*. C'était pourtant une cause perdue d'avance. Le *Messenger* était dirigé par des gens qui avaient très peu de moyens financiers et aucune capacité d'emprunt. En plus de cela, le journal avait été créé à une époque où plus d'un quotidien disparaissait, le nombre de villes ayant plus d'un quotidien aux États-Unis baissant à un rythme effarant. Finalement, la ville d'Oswego, qui compte 19 000 habitants, resta la seule ville américaine de sa taille à posséder deux quotidiens concurrents. L'*Oswego Palladium-Times*, qui appartenait à la Thomson Newspapers, avait les moyen de s'engager dans une lutte à finir avec son concurrent, qu'il allait être particulièrement facile de vaincre. Cependant, le *Messenger* tirait à 4 000 copies, mais cela n'était pas suffisant pour assurer la rentabilité du journal. C'est pourquoi, en avril 1984, il s'éteignit après quatre ans d'existence.

La grève de l'*Oswego Palladium-Times* ressemblait à un combat entre David et Goliath. Le directeur du syndicat, Don McCann, avait 58 ans à l'époque des premiers affrontements. Il n'avait pas de don particulier pour les discours, mais en 1979, alors qu'il y avait 25 ans qu'il était à l'emploi du journal, il sentit le besoin de se faire entendre, lui qui était pourtant le mieux payé des journalistes (bien que son traitement n'atteignait que 250 $ par semaine). Comme McCann, les deux tiers des 16 grévistes avaient passé leur vie au service du journal. C'étaient des natifs d'Oswego, nationalistes jusqu'à en être chauvins, mais pas fauteurs de trouble pour un sou. Leurs salaires ont toujours été très bas, même avant que Thomson

208

n'achète le quotidien en 1970, mais personne ne s'en est plaint parce que l'économie régionale était alors en crise et l'emploi était rare. Par ailleurs, il existait un véritable esprit de camaraderie entre les travailleurs et leur employeur, qui était un habitant d'Oswego.

Jusqu'à l'arrivée de Thomson, l'administration du journal était une affaire de famille. En 1972, le nouveau propriétaire instaura un régime de retraite... auquel les employés ne pouvaient pas participer avant 1982. Les « anciens » commencèrent à s'interroger sur leur sécurité d'emploi et leur retraite, car on avait laissé partir des employés qui avaient 40 ans de service, qui prenaient une retraite avancée, sans leur offrir le moindre avantage. La question salariale était un autre sujet de préoccupation, parce que la Thomson Newspapers offrait des augmentations de 4 et 5 p. 100 par année à une époque où le taux d'inflation moyen était de 9 p. 100 environ.

Les employés les plus jeunes, dont certains sortaient à peine du collège, avaient eux aussi des raisons de se plaindre. Leurs craintes semblaient justifiées, d'autant plus que la société mère nomma quelqu'un de l'extérieur au poste de rédacteur en chef, au lieu d'offrir de l'avancement à Russel Tarby, qui occupait de toute façon officieusement le poste depuis six mois. Pour sa part, Tarby se plaignait de la « manie » des grands patrons de compter les textes, pour évaluer ainsi la quantité d'information diffusée par le journal. Tarby explique : « Lorsque j'étais rédacteur en chef, j'utilisais un certain principe de calcul et il m'arrivait de sacrifier des textes lorsque cela me permettait de soigner la mise en page et la présentation. Quand mon successeur est arrivé (il avait joué les briseurs de grève pour le compte de la Thomson Newspapers en Pennsylvanie), il ne tint aucun compte de ce qui avait été fait et nous nous sommes retrouvés avec une centaine de textes par édition, tous très courts ; la qualité du journal eut naturellement à en souffrir, mais il obtenait ainsi un meilleur résultat que moi quant au nombre de textes publiés. Chez Thomson, on sait lire des chiffres, mais on n'entend rien à la qualité. »

Plusieurs autres employés du journal se plaignaient du contrôle financier serré qu'exerçait la société mère. Selon Carol Wilczynski, qui devint rédacteur en chef du *Messenger* et qui avait été en charge du bureau du *Palladium-Times* à Fulton, près d'Oswego, avant la grève, tout n'était pas rose : « Je ne pouvais établir aucun budget. Si j'avais besoin de quelque chose, il fallait que j'aille jusqu'à Oswego, où on ne me donnait qu'un crayon à la fois. Comme on considérait que les tablettes de papier à écrire coûtaient trop cher, il fallait se satisfaire de papier brouillon. Six ans après la vente du journal, j'étais l'un des journalistes les mieux payés et pourtant, je ne recevais que 225 $ par semaine. »

Cependant, les travailleurs du *Palladium-Times* s'y connaissaient peu en relations de travail et le syndicat qu'ils choisirent pour défendre leurs intérêts n'avait aucune expérience dans le domaine de la presse et, de surcroît, ne connaissait rien de l'empire Thomson. En général, les employés des sociétés de presse appartiennent à des syndicats affiliés à la Newspaper Guild, mais Tarby affirme n'avoir jamais eu de réponse de cet organisme malgré les nombreuses demandes qu'il a envoyées. McCann, qui s'occupait, en tant que journaliste, des relations de travail, proposa l'affiliation à la Service Employees International Union (S.E.I.U.), un syndicat de la fonction publique. La S.E.I.U. confia l'organisation du syndicat local à un homme sans panache, Chris Binaxas, qui était chanteur de son métier. Le premier souci de Binaxas fut de demander au siège social de la S.E.I.U. de lui donner le maximum d'informations sur la société Thomson Newspapers.

Binaxas fit bien son travail et les employés du *Palladium-Times*, à l'exception de six d'entre eux, devinrent membres du nouveau syndicat. Parmi eux, on retrouvait le fils de l'ancien propriétaire, qui était représentant en publicité. Quand au propriétaire, les directeurs de la Thomson Newspapers avaient décidé de lui laisser le poste d'éditeur ; naturellement, la syndicalisation des employés lui valut d'être limogé. Les négociations avec l'employeur commencèrent en avril 1980 alors que les avocats de la Thomson Newspapers, venus du siège social de Des Plaines, en Illinois, s'installèrent à Oswego, où ils restèrent six mois à négocier, sans enregistrer le moindre progrès. On discuta des salaires, de la sécurité d'emploi, de l'ancienneté et de l'arbitrage en cas de conflit. Cependant, on s'attardait à définir des termes plutôt qu'à négocier véritablement. (On resta longtemps bloqué sur le mot « ancienneté ».)

En fin de compte, en octobre 1980, le syndicat décida de déclencher une grève en s'inspirant de ce qui avait été fait à Monessen. C'est ainsi qu'on créa un journal concurrent, dont les bureaux furent installés dans un édifice qui avait été condamné à la démolition. Les employés investirent 12 000 $, puis empruntèrent 15 000 $ d'un homme d'affaires de la région. On leur donna une bonne partie de l'équipement de bureau dont ils avaient besoin, ou l'on échangeait de l'ameublement ou des accessoires contre de la publicité. « Nous avons déclenché la grève le samedi, raconte McCann, et notre première édition sortait des presses le lundi suivant. »

La moitié des grévistes laissèrent le *Messenger* le mois suivant, d'abord parce qu'ils ne pouvaient plus se satisfaire d'un salaire de 25 $ par semaine, mais aussi parce qu'il y avait des dissentions au sein de l'administration du nouveau quotidien. Les autres, qui s'étaient pourtant plaints des salaires de famine que leur versait le *Palladium-Times*, décidèrent de poursuivre la lutte d'abord parce qu'ils étaient heureux de publier leur propre journal, mais aussi parce qu'ils avaient réussi à trouver du travail d'appoint, le soir et les fins de semaines. En septembre 1981, alors que le *Messenger* avait près d'un an d'existence, les grévistes décidèrent qu'il valait mieux poursuivre leur effort collectif plutôt que de retourner au service du *Palladium-Times*. Ils cédèrent donc tous leurs droits à leur ancien employeur contre une somme de 45 000 $ en primes de séparation, ce qui faisait environ 3 000 $ par employé. « Cela ne représente vraiment pas grand-chose pour une société de l'ampleur de la Thomson Newspapers », dit Mimi Satter, avocate de la firme Blitman and King, de Syracuse, et porte-parole de la S.E.I.U. Les employés eurent aussi droit à leurs primes d'assurance-chômage, mais il fallut pour cela que les avocats de la S.E.I.U. fassent des représentations auprès de la New York State Unemployment Commission pour que celle-ci force la Thomson Newspapers à verser les sommes dues, auxquelles les grévistes avaient droit depuis la huitième semaine de grève.

Les syndicats ont la faveur du grand public à Oswego, ce qui explique que les recettes du *Messenger* furent en parties assurées par une décision de l'hôtel de ville de publier les avis légaux dans les pages du nouveau journal, au lieu de faire appel au *Palladium-Times*. Malgré cela, le tirage du *Palladium-Times* était supérieur à celui du *Messenger*. La publication du premier ne fut pas interrompue pendant la grève, puisqu'on fit d'abord appel aux services d'employés d'autres journaux de l'empire, avant de trouver de nouveaux employés sur place. Si le journal avait perdu la clientèle de la municipalité, il conservait celle de nombreux annonceurs locaux, qui refusaient de faire confiance au *Messenger*. Malgré tout, l'atout du *Palladium-Times* était sans contredit son appartenance à la Thomson Newspapers. Pour les sept grévistes qui avaient décidé de poursuivre l'effort du *Messenger*, la fermeture de leur journal était une véritable tragédie. Ils étaient fiers que l'aventure ait duré si longtemps, mais sa disparition marquait aussi la fin d'un beau rêve.

Au Canada, il y eut de nombreux conflits à cause des questions salariales au *Sudbury Star* et au *Oshawa Times*, deux journaux appartenant à la Thomson Newspapers. Dans les deux cas, les grévistes étaient bien appuyés par la population, Sudbury étant la capitale mondiale du nickel grâce à la présence de la société Inco Limited, dont les employés sont membres du syndicat des travailleurs unis de l'acier (United Steel Workers of America). Quant à Oshawa, elle est le site de la plus grande usine canadienne de la société General Motors; ses employés sont affiliés au puissant syndicat des travailleurs de l'automobile (United Auto Workers).

Ce n'est pas la même chose à Welland (Ontario), où 35 des 104 employés du *Welland Evening Tribune* sont en grève depuis le mois d'octobre 1982. On n'arrivera sans doute jamais à une entente parce que les employés dissidents ont décidé de lancer leur propre quotidien, comme cela avait été fait à Oswego, et qu'eux aussi semblent y prendre plaisir. Le *Guardian Express*, dont les bureaux sont situés à quelques rues de ceux du *Evening Tribune*, est appuyé financièrement par l'International Typographical Union. C'est la première fois que l'I.T.U. s'implique aussi directement dans un conflit, et c'est sans doute une habile manoeuvre pour pousser les employés des services éditoriaux ou ceux des bureaux à s'affilier au syndicat, dont les membres sont surtout, pour l'instant, typographes ou monteurs. (Avec l'avènement de la révolution informatique, il y a de moins en moins de typographes.) L'I.T.U. versa 5 000 $ par semaine au *Guardian Express*, ce qui représentait un salaire moyen de 250 $ par semaine par employé, et ce pendant un an, soit jusqu'à ce que le quotidien fasse suffisamment de recettes pour couvrir ses frais.

La direction du quotidien *Evening Tribune* affirme que le syndicat demande la parité salariale avec le *Peterborough Examiner*, qui appartient aussi à la Thomson Newspapers et dont les employés ont récemment signé une convention collective. Elle rejette toutefois cette demande tout en offrant une augmentation salariale de 10 p. 100, précisant que c'est là l'équivalent de ce qu'ont obtenu les travailleurs de Peterborough. Les grévistes ont rejeté l'offre en expliquant que leurs salaires étaient si bas que l'augmentation proposée devenait ridicule. Selon eux, le salaire d'un employé qui travaille au journal depuis 14 ans est d'à peine 185 $ par semaine. L'I.T.U. accuse en plus la direction du *Evening Tribune* de publier des chiffres trompeurs quant au nombre de ses employés qui sont en grève. Selon Eccles, de l'I.T.U., si l'on compte 104 employés au *Evening Tribune* aujourd'hui, il n'y en avait que 68 à l'époque où la grève fut déclenchée, et c'est la moitié d'entre ces derniers qui décidèrent de cesser le travail.

À Welland, l'antipathie que nourrit Ted Thurston, directeur du syndicat local, à l'égard de l'éditeur de l'*Evening Tribune*, John Van Kooten, ne vient pas arranger les choses. Thurston, qui était à l'emploi du journal depuis 12 ans, s'amuse à copier l'accent hollandais de Van Kooten pour dire que selon lui, l'éditeur « est à 70 p. 100 responsable de ce qui s'est passé ». Il reproche à la direction du journal, entre autres, de ne même pas fournir le matériel nécessaire aux employés de la salle de rédaction. « Les journalistes sont obligés d'utiliser du papier brouillon pour prendre des notes, n'ont pas le droit de faire de doubles de leurs textes (ce qui est pourtant pratique courante aux fins de vérification) parce que la direction fait preuve d'un certain souci d'économie. Au bureau, il n'y a qu'un seul dictionnaire, dont l'édition remonte à plusieurs années, et un vieil appareil photo. Quant aux frais de déplacement, la direction ne payait que la moitié du coût réel de l'essence, et offrait 1,50 $ par semaine pour les dépenses de restaurant. »

Thurston raconte aussi en riant comment le rédacteur sportif du *Evening Tribune* a été ridiculisé en écrivant, pendant plus d'un an, des comptes rendus de parties disputées par une équipe de football canadienne qui n'existait pas ! Un mauvais plaisant avait tout inventé, et le journaliste se fiait aux informations que celui-ci lui transmettait au téléphone. On découvrit le pot-aux-roses lorsque l'adolescent affirma qu'il avait marqué le but gagnant lors d'un match qui aurait opposé son équipe (fictive) à une équipe australienne ; un journaliste australien, interrogé sur le match en question, affirma ne pas savoir ce dont il s'agissait. Il est évident que le rédacteur sportif du journal aurait dû prendre la peine de vérifier l'information.

Van Kooten, comme Thurston, reconnaît que le fossé qui les sépare est infranchissable : « Ce qu'il a dit sur mon compte et à propos du journal est tout à fait faux. Il nous accuse, par exemple, de discrimination parce que nous ne payons pas le même salaire à un frère et une soeur qui travaillent tous deux pour nous. Ce qu'il oublie de mentionner, c'est que le garçon est à notre emploi depuis bien plus longtemps que sa soeur. »

Le duel qui oppose Thurston au *Evening Tribune* s'est depuis longtemps envenimé. Aujourd'hui, le champ de bataille principal n'est plus à Welland, mais à Toronto, où la commission des relations de travail de l'Ontario, auprès de laquelle Thurston s'est plaint d'avoir été victime de discrimination en passant du poste de rédacteur régional à celui de journaliste et en ayant été privé d'une augmentation de salaire qui lui avait été promise, parce qu'il a approché les représentants de l'I.T.U. pour créer un syndicat affilié. La commission rendit un jugement en sa faveur à deux contre un. Dans le rapport publié en janvier 1983, les commissaires dressent l'historique des faits : Thurston devint rédacteur régional en 1979. Il fut le premier à approcher les gens de l'I.T.U. en février 1982 et, le 29 mars 1982, à midi, il fut nommé représentant du syndicat local nouvellement formé. Trois jours plus tôt, alors que Thurston venait tout juste d'afficher les nominations au comité de négociation, le rédacteur en chef, James Middleton, lui fit parvenir une note interne dans laquelle il dressait la liste des erreurs qui avaient été oubliées dans un texte publié la veille, que Thurston avait dû corriger. Le 30 mars, le jour même de l'élection, Middleton annonça à Thurston qu'il perdait le poste de rédacteur régional et devenait simple journaliste. Van Kooten et Middleton justifièrent leur décision auprès de la commission en expliquant qu'ils l'avaient muté parce que son travail n'était pas satisfaisant.

Cependant, les commissaires font remarquer que les textes publiés le 25 mars ne sont pas les seuls qui comportent des erreurs. La page des affaires municipales, par exemple, comportait deux textes dont les titres avaient été inversés ; les pages sportives étaient remplies d'erreurs typographiques et d'erreurs grammaticales (sans compter que certains noms dans les légendes des photos étaient orthographiés différemment de ceux qui apparaissaient dans le texte). Il ne semble pas que les rédacteurs responsables de la correction de ces pages aient même été réprimandés. Par conséquent, les commissaires conclurent que les sanctions décidées à l'égard de Thurston s'expliquaient en partie parce qu'il avait appuyé la création de la Welland Typographical Union, et que la direction du *Evening Tribune* avait violé la loi des relations de travail de l'Ontario, qui interdit toute discrimination contre des employés syndiqués.

Pour être objectif, il faut aussi préciser qu'il y a des employés des sociétés de presse de l'empire Thomson qui sont contents de leur sort. C'est ainsi, par exemple, que depuis que la Thomson Newspapers a fait l'acquisition du quotidien de Waukesha (Wisconsin), le *Freeman*, les employés ne se gênent pas pour afficher leur satisfaction depuis qu'ils savent que le changement de propriétaire n'eut que des effets bénéfiques. Mais l'affaire étant toute récente, on peut se demander si ce ne sont pas là de fausses joies...

La Thomson Newspapers fit l'acquisition du *Waukesha Freeman* pour la somme de neuf millions de dollars américains. Le journal appartenait à la société Des Moines Register and Tribune. La Thomson Newspapers avait perdu la bataille contre cette société lors d'une tentative de prise de contrôle du même quotidien en 1979. Le journal ne manquait pas d'intérêt, car c'est une entreprise solidement établie, dans une région où le taux de croissance de la population est particulièrement élevé. Par ailleurs, le tirage de 25 380 copies le met au septième rang des 86 quotidiens américains que possède la Thomson Newspapers. Il y a aussi un autre avantage qui n'est pas à négliger : les employés du journal ne sont pas syndiqués.

Waukesha, qui compte 52 000 habitants, est située à une cinquantaine de kilomètres à l'ouest de Milwaukee. Aux premiers temps de son existence, la ville vivait de l'exploitation d'une source chaude ; c'était un centre balnéaire. De nos jours, ses habitants se targuent du fait que leur ville soit la plus occidentale des États-Unis à posséder des fonderies. La ville est aussi le chef-lieu du comté de Waukesha, dont le taux de croissance de la population est le plus élevé du

Wisconsin, et où le revenu moyen par habitant est le deuxième de l'État, à 32 000 $ par an. Ces dernières années, le coût des maisons a fortement augmenté à North-Milwaukee ; par ailleurs, les gens aisés boudent les faubourgs de South-Milwaukee, ce qui explique qu'ils déménagent en grand nombre à Waukesha, où les taxes municipales sont particulièrement faibles.

Waukesha est ainsi devenue une ville-dortoir, sans pour autant perdre son image de petite ville prospère du Midwest. Il y a très peu de feux de circulation et pas encore d'édifices à bureaux ou de tours d'habitation de plus de dix étages. Les rues sont larges, les maisons sont entourées de vastes terrains et le centre de la ville est planté d'arbres depuis qu'on a lancé une campagne d'embellissement, parrainée — du moins se plaît-on à le prétendre — par les employés du *Freeman*. La paix est quelquefois troublée par des groupes d'adolescents qui prennent la rue principale pour une piste de course.

Le *Waukesha Freeman* a pris part aux changements qui ont marqué la communauté. Depuis sa création, en 1859, le quotidien a évolué, comme la ville. Il fut créé tout juste avant que n'éclate la Guerre civile par des abolitionnistes républicains. Aujourd'hui, le comté de Waukesha est un bastion démocrate et son quotidien appui le Parti.

Dans quelques années, la population du comté atteindra 400 000 habitants, ce qui représente une augmentation de 80 000 personnes. Les employés du journal peuvent facilement comprendre pourquoi plusieurs grandes sociétés ont tenté d'en devenir propriétaires. Ils pouvaient, en même temps, s'interroger sur les raisons profondes qui poussaient les directeurs de la Thomson Newspapers à investir chez eux, car l'expansion de la ville présente certaines difficultés. On craint en effet que l'explosion démographique ne se manifeste que dans la partie sud, alors que Waukesha se trouve au Nord. L'augmentation de la population de la ville, provoquée en grande partie par l'arrivée d'anciens habitants de Milwaukee, pourrait amener la construction de centres commerciaux qui draineraient une grande partie des revenus des magasins et boutiques du centre de la ville. Si cela se produisait, ce qui affecterait naturellement le tirage du quotidien municipal, la Thomson Newspapers pourrait bien regretter son achat. Par ailleurs, les deux quotidiens de Milwaukee ont récemment décidé de consacrer plus d'espace dans leurs pages aux événements régionaux, couvrant ainsi l'ensemble du territoire du comté de Waukesha, ce qui accroît d'autant la concurrence pour *Freeman*. Mais cela ne suffit pas à inquiéter les directeurs de la filiale de l'empire Thomson, car ce n'est pas la première fois que leur société aura à travailler à l'ombre de grands journaux, puisque c'est ce qui se passe à Toronto, où elle possède plusieurs quotidiens de banlieue.

Aucune des craintes des employés du *Waukesha Freeman* n'étaient justifiées quant aux changements qu'auraient pu imposer les nouveaux propriétaires. L'équipe de journalistes, fiers des nombreux prix qu'ils avaient remportés pour la qualité de leurs reportages, s'inquiétaient de ce que la Thomson Newspapers aurait pu apporter des changements risquant de se solder par une baisse de la qualité du journal. Un quotidien de Milwaukee rapporta ce commentaire de l'un des journalistes du *Freeman* : «Thomson est le K-Mart du journalisme.» À Milwaukee, on chercha à savoir ce que Steve Hollister, éditeur parachuté par la Thomson Newspapers, qui avait été directeur adjoint au siège social américain de la société à Milwaukee, allait imposer comme changements. Il répétait qu'il n'était pas question de changer quoi que ce soit, mais personne, même au sein des employés du *Waukesha Freeman*, ne voulait le croire.

Les craintes se changèrent en peur panique lorsque la Thomson Newspapers délégua un groupe de spécialistes pour éplucher les dossiers comptables du quotidien. L'équipe d'analystes fit son travail sans faire de bruit et sans rien demander à personne. Il y avait, parmi eux, Frank Miles, directeur de la filiale américaine de Thomson Newspapers, qui ne s'est même pas présenté au personnel du journal, semblant plus intéressé à consulter les chiffres qu'à entamer un dialogue. Il est vrai que Hollister prit la peine de rassurer les gens du *Freeman*, en parlant de ce qu'il pensait faire, mais on douta quelque peu de sa sincérité, d'autant plus qu'il affirma qu'il n'était pas question qu'il déménage à Waukesha (alors qu'il habite à Chicago, à trois heures de route de là). Il était évident qu'il ne pouvait être au poste à plein temps. On redoutait les mises à pied et l'on pensait que les directeurs de la Thomson Newspapers confieraient les postes de direction à des gens de l'extérieur, que les postes de ceux qui partiraient seraient fermés et que Hollister couperait dans les services du quotidien en se débarrassant d'abord de ceux qui avaient participé à des activités syndicales. L'agence de presse de la Thomson Newspapers, située à Washington, ne faisait aucun effort pour offrir un service adéquat à la nouvelle filiale. On n'y envoyait en effet « que des vieilles nouvelles, qu'on pouvait faire traîner pendant quelques jours avant de les publier ».

Au cours de l'été 1983, la tension baissa. La catastrophe attendue ne se produisait pas. Un seul journaliste avait laissé son poste, et ce n'était pas la direction qui l'avait poussé à partir. Le poste fut comblé rapidement. Le directeur du service des nouvelles partit aussi, mais au lieu de nommer quelqu'un de l'extérieur à sa place, Hollister choisit l'un des membres de l'équipe du démissionnaire. Personne n'a été mis à la porte, ni parmi les journalistes ni au sein de l'équipe des nouvelles. Un an après la vente du journal, l'inquiétude s'était dissipée. Les anciens, qui avaient craint que « le ciel ne leur tombe sur la tête », purent constater avec satisfaction que rien de tout cela ne s'était produit. L'un d'entre eux, qui s'était vivement opposé à la vente du journal, affirme que « tout le monde est heureux du changement, mais on sait que cela n'est pas chose courante lorsqu'un journal est acheté par la Thomson Newspapers ».

Avec l'aide de Hollister, les membres de l'équipe de rédaction firent des pressions auprès du bureau de Washington pour obtenir des nouvelles valables. Lorsque Hollister prit la direction du *Freeman*, il demanda qu'on insère les annonces de la Chambre de commerce ou des différents clubs sociaux de la ville en première page, et l'équipe éditoriale, bien qu'opposée à cela, ne fit aucune difficulté. Pourtant, quelque temps plus tard, on décida de revenir à l'ancienne méthode et Hollister accepta de bonne grâce. On accrut aussi les sommes consacrées aux journalistes à la pige. Les employés avaient par ailleurs proposé à l'ancienne administration de lancer un journal entièrement publicitaire, qui devait être distribué une fois par semaine à tous les habitants de la ville, et non seulement aux abonnés. Hollister accepta de réaliser le projet. L'hebdomadaire devait contenir, en plus des nombreuses annonces publicitaires, quelques extraits d'articles publiés dans les éditions du *Freeman* de la semaine courante. C'était en fait une bonne façon de concurrencer les quotidiens de Milwaukee.

Des études montraient que les journaux de Milwaukee pouvaient accroître leur tirage aux dépens des quotidiens des villes voisines.

Malgré cela, on ne revint pas sur la décision d'augmenter les salaires. Le moral de l'équipe éditoriale en bénéficia et chacun était prêt à défendre l'achat du journal par la Thomson Newspapers. En 1982, le tirage du *Freeman* avait baissé de 298 copies par jour, en dépit de la croissance de la population. Un an plus tard cependant, on comptait 122 abonnés de plus. Puisque tout le monde semble satisfait du changement de propriétaire, on pourrait s'attendre à ce que les employés du quotidien de Waukesha soient heureux de se faire entendre sur la place publique ; ce n'est pourtant pas le cas. « Dans notre métier, dit l'un de ceux-ci, il est difficile de dire qu'on est heureux parce que notre journal a été acheté par la Thomson Newspapers, parce que cette société a vraiment une mauvaise réputation. » Plus personne n'est sur le qui-vive au *Waukesha Freeman*, mais cela ne signifie pas que toute crainte a disparu.

11

Rien ne va plus
à Londres

Ce qui s'est produit au *Times* et au *Sunday Times* entre 1978 et 1981 n'a rien d'extraordinaire dans l'industrie de la presse. Ce n'était pas la première fois qu'on interrompait la publication d'un journal pour contrecarrer l'action des syndicats, et c'est ce qu'a fait Kenneth Thomson aux deux journaux londoniens entre novembre 1978 et octobre 1979. Dans le même contexte, d'autres propriétaires de journaux ont vendu leurs quotidiens, ce qui sera la solution finale adoptée par Thomson en février 1981.

Le *Times* et le *Sunday Times* ne sont pas des journaux ordinaires. Ils ont de l'influence et du prestige, ainsi qu'une certaine tradition et l'on considère qu'ils font partie des cinq plus grands journaux du monde grâce à la qualité des articles qu'on y publie. À cause de cela, il était certain que les difficultés de ces deux journaux allaient faire les manchettes à travers le monde, alors que les grèves dans les quotidiens des petites villes d'Amérique du Nord passaient souvent inaperçues, même dans les villes voisines. L'âpreté des discussions n'a sûrement pas aidé la cause des deux parties. Les commentaires qu'on faisait de part et d'autre avaient quelque chose d'inhabituel et ont fini par envenimer le conflit. En plus de cela, dans un camp comme dans l'autre, on comptait des colombes, mais aussi des faucons.

En dépit des attaques menées par la direction ou les syndicats — formulées le plus souvent par écrit et dans un style poli —, et même si Kenneth Thomson en personne s'est mis de la partie, on pouvait deviner longtemps à l'avance l'issue du conflit. Les négociations se poursuivirent sans résultat pendant onze mois, en 1978 et en 1979. En fin de compte, on fit ce que veut la tradition en Grande-Bretagne en pareil cas, c'est-à-dire qu'on céda aux pressions des syndicats. Cette solution n'avait rien pour plaire à Kenneth Thomson, qui décida de se débarrasser de ces sociétés trouble-fête ; il annonça publiquement qu'il fermerait les deux journaux s'il ne trouvait pas un acheteur. Rupert Murdoch, magnat australien de la presse, était prêt à faire l'acquisition des deux journaux. Il possédait déjà plusieurs quotidiens au Royaume-Uni et aux États-Unis, et avait choisi l'affrontement brutal avec les syndicats, ce qui lui avait valu une réputation peu enviable. En Amérique du Nord, il possède plusieurs journaux à sensation, de qualité moindre que plusieurs des organes de presse de l'empire Thomson (lesquels, s'ils sont de piètre qualité, n'offrent rien de sensationnel !).

Au *Times* et au *Sunday Times*, les difficultés sont apparues après l'arrivée de Kenneth Thomson. Pourtant, ils prenaient leur source plus avant dans le temps, à l'époque de Roy Thomson, qui avait rejeté une demande d'augmentation de salaire de la part des employés qui voulaient obtenir la parité avec leurs confrères des autres journaux de Fleet Street. Il n'avait pas réussi, par ailleurs, à régler la rivalité qui existait entre les deux journaux. Roy mourut en 1976, avant la modernisation des deux sociétés. L'avènement des ordinateurs se solda par une réduction du personnel et les syndicats furent prompts à réagir. Kenneth Thompson avait fait comme tous les propriétaires de journaux à travers le monde, choisissant d'investir pour moderniser l'équipement afin de réduire les coûts de production. Chaque fois, partout et toujours, cela avait les mêmes conséquences et se soldait par des affrontements avec les syndicats. Au *Times*, certains employés qui ont gardé beaucoup d'admiration pour Roy se plaisent à croire que l'ancien patron n'aurait jamais fait les mêmes choix que son fils, mais on peut croire que les changements importants qui se sont produits dans le domaine de la presse entre 1976 et 1980 l'auraient sans doute forcé à suivre le courant.

Malgré le fait que le tirage du *Times* dépasse à peine 300 000 copies par jour, le quotidien a une influence disproportionnée par rapport au nombre de ses lecteurs. Le faible espace qu'on réserve aux annonces publicitaires a sans doute toujours nui au propriétaire, en limitant de façon importante la principale source de revenus, mais ce fut au bénéfice de la qualité. Le syle concis et recherché des articles qui y paraissent valurent au journal la fidélité de la plupart des politiciens, des fonctionnaires et des hommes d'affaires. Le *Times* a été fondé il y a deux cents ans, en 1785, sous le nom de *Daily Universal Register*. C'est trois ans plus tard qu'il prit son nom définitif. À cette époque, les journaux étaient financés par le gouvernement ou par les partis d'opposition. Les premières années, le *Times* n'avait rien qui le distinguait des autres journaux. Au début du XIXe siècle, le tirage et les revenus provenant de la publicité furent suffisants pour que le quotidien se passe des subsides de l'État. Sous le règne de la reine Victoria, le *Times* devint le plus grand journal du Royaume-Uni et son éditorialiste était considéré comme l'homme le plus puissant d'Angleterre ; ses textes étaient parfois si mordants qu'ils lui valurent le sobriquet de « tonnerre ». En 1861, le *Saturday Review* écrit ce qui suit :

On peut bien affirmer que ce pays est dirigé par le *Times*... Il est grand temps que nous réalisions à quel point la liberté anglaise est grande, alors que 30 millions d'individus sont gouvernés par un journal !

Le vent tourna quelque peu au XXe siècle. Le *Times* restait le journal le plus influent de Fleet Street, mais il eut à faire face à une concurrence croissante car d'autres journaux importants firent leur apparition. Il y eut le *Guardian*, puis le *Daily Telegraph*. Ensuite, le journal dut faire face aux syndicats. En 1966, le *Times*, qui appartenait alors à John Jacob Astor, était en difficulté financière. Néanmoins, le prestige du quotidien londonien avait quelque chose de magique pour Roy Thomson, un étranger qui voyait là un bon moyen de devenir membre de l'*Establishment* britannique. Quinze ans plus tard, on jouera une seconde fois le même scénario au moment où Rupert Murdoch deviendra propriétaire du journal. Puisque Thomson était déjà propriétaire du *Sunday Times*, qui n'a rien à voir avec le *Times*, la transaction fut soumise à l'approbation de la commission des monopoles du Royaume-Uni, qui ne fit aucune difficulté.

Le *Sunday Times* avait été créé en 1822 et avait acquis sa popularité en publiant des romans dont les personnages, toujours fictifs, évoluaient dans la haute société. On y dénotait aussi un parti-pris nationaliste pour le théâtre anglais, au détriment des pièces étrangères. Parmi la longue liste de ceux qui en furent propriétaires, on retrouve deux dames fort originales. La première était Alice Cornwell Whiteman, qu'on appelait « Princess Midas » parce qu'elle avait dirigé une mine d'or du même nom en Australie, où elle avait d'ailleurs fait fortune. C'est elle qui créa, à Londres, un club réservé aux dames propriétaires de chiens, qui fut le premier en son genre au Royaume-Uni. Alice C. Whiteman céda ses droits à Rachel Beer, une jolie femme dont l'époux devint propriétaire du *Sunday Times* et de son concurrent direct, l'*Observer*. C'est elle qui imposa le port de l'uniforme aux commis du journal, dont les boutons arboraient les armoiries de la famille Beer (représentant un pélican nourrissant son petit). Elle était si attachée à sa noblesse qu'elle faisait tailler la queue de son caniche aux formes de ses armoiries. Bien que le journal appartenait à son époux, c'était Mme Beer qui en assumait la direction, y publiant même ses propres articles.

Le *Sunday Times* étant un hebdomadaire, on n'avait nul besoin d'employés à la semaine. En plus, c'était devenu une tradition que de garder au poste les employés bien au-delà de l'âge de la retraite. Cela ne se fait plus tellement de nos jours aux autres journaux, mais rien n'a changé au *Sunday Times*, si bien que l'employé le plus âgé a 86 ans et que son adjoint en a 80.

Au *Sunday Times*, le prédécesseur de Roy Thomson fut Gomer Berry, mieux connu sous le nom de Lord Kemsley. Avec son frère William, Lord Camrose, il avait acheté l'hebdomadaire en même temps qu'une chaîne de journaux régionaux, dont le *Daily Telegraph*, entre 1915 et 1936. En 1936, les deux hommes décidèrent de diviser leur avoir afin d'éviter les problèmes d'héritage qui auraient pu naître à la suite de leur association, d'autant plus que chacun d'eux avait une famille nombreuse. C'est ainsi que Camrose resta propriétaire du *Daily Telegraph* et que Kemsley garda le *Sunday Times*.

Sous la direction de Kemsley, le tirage du journal atteignit près d'un million d'exemplaires. C'était un homme qui se faisait surtout remarquer par son train de vie. Il était d'humble origine, natif du pays de Galles. Il était cependant beaucoup plus collet monté que la plupart de ceux qui, d'humble origine, deviennent millionnaires. Il faisait toujours porter ses dossiers par un adjoint ou par son secrétaire. Sa Rolls-Royce, aux vitres teintées, l'attendait à l'entrée privée de l'édifice du *Sunday Times*. Si sa moustache était mince, on lui trouvait malgré tout une certaine ressemblance avec Groucho Marx. Il arrivait d'ailleurs qu'on l'appelle ainsi par moquerie, sans le lui faire savoir naturellement. Mais Kemsley s'en doutait, et cela ne lui faisait sûrement pas plaisir. Un jour, alors qu'un rédacteur suggéra qu'on réalise une entrevue avec Groucho Marx, qui était de passage à Londres, il entra dans une colère monstre. Il était pourtant extrêmement rare qu'il perde son sang-froid. Ian Fleming comptait parmi ses meilleurs amis. Il écrivait d'ailleurs, entre deux romans de James Bond, des articles qui paraissaient dans le *Sunday Times*.

Selon Denis Hamilton, qui a été l'adjoint de Kemsley de 1946 à 1959, année où ce dernier vendit sa chaîne de journaux à Roy Thomson, « Kemsley avait adopté les idées chères à l'époque victorienne ; c'était un Tory convaincu, même s'il est originaire d'un bastion du Parti travailliste au pays de Galles. » Il exerçait un pouvoir centralisateur au sein des journaux qu'il dirigeait, prenait parti pour la droite en politique et détestait le changement. Lorsque débuta l'ère de la télévision commerciale au Royaume-Uni, au cours des années 50, il fut surpris par l'ampleur des changements que cela produisit chez les annonceurs, qui préféraient naturellement la télévision aux journaux. À cause de ses enfants, de son épouse malade, et pour mille autres raisons, il décida de tout vendre à Roy Thomson.

La transaction se fit à la vitesse de l'éclair en 1959, alors que Kemsley ne prit même pas la peine de consulter les membres du conseil d'administration qui ne faisaient pas partie de sa famille. En 1967, le *Sunday Times* fusionna avec le *Times*, que Thomson venait tout juste d'acquérir, pour former la société Times Newspapers

Limited. Les deux journaux restaient toutefois très différents aux yeux du public britannique. D'abord, parce que le *Sunday Times* réalisait des bénéfices alors que le *Times* perdait de l'argent, ensuite parce que les employés du *Sunday Times* considéraient que le *Times* était le grand gagnant de la fusion, et enfin parce que les employés du *Times* devaient finir par se demander si leur journal ne fermerait pas ses portes un jour ou l'autre. La société Times Newspapers se composait donc de deux journaux très différents, d'autant plus que les employés du *Sunday Times* avaient des salaires plus élevés que ceux des employés du *Times.*

Il y avait là tout ce qu'il fallait pour provoquer un conflit. Les hostilités débutèrent en 1974 alors que le *Times* quitta les bureaux exigus de Fleet Street pour s'installer à un kilomètre, tout juste, du siège social du *Sunday Times.* Les journalistes restaient encore indépendants les uns des autres, d'un journal à l'autre, mais les typographes durent travailler pour le compte des deux sociétés. Naturellement, ces derniers étaient à même de comparer leurs salaires, et ce fut ce qui mit le feu aux poudres. Jacob Ecclestone, du Syndicat national des journalistes, affirme que « c'était courir après les difficultés et les directeurs de Thomson n'ont pas dû réaliser l'importance de la différence de salaire ou, s'ils le savaient, ils n'ont rien fait pour corriger la situation ».

Les ennuis venaient aussi du fait que les salaires, au *Times,* étaient non seulement moindres que ceux des employés du *Sunday Times,* mais étaient aussi bien en-dessous de la moyenne des sociétés de presse. En fait, les journaux de Fleet Street avaient offert à leurs employés des augmentations de salaire équivalant au double du maximum fixé par le gouvernement du Parti travailliste. Au *Times,* on craignait d'en faire autant parce que le gouvernement avait menacé de poursuivre les compagnies qui dépasseraient les limites imposées et l'on avait déjà mis cette menace à exécution dans le cas de sociétés d'import-export. Les directeurs de l'I.T.O.L. n'oubliaient pas que les sociétés pétrolières exploitant des puits de pétrole en mer du Nord étaient contraintes de respecter le programme gouvernemental, de même que les sociétés de presse dont les revenus dépendaient, dans une proportion élevée, de la commandite du gouvernement. Il y avait cependant une porte de sortie, car le programme prévoyait qu'une société qui pouvait augmenter sa marge de bénéfices sans augmenter les prix, de façon suffisante pour payer une augmentation de salaire de plus de 10 p. 100 à ses employés était libre de le faire. Les employés du *Times* étaient convaincus que c'était le cas du journal.

Le *Times* et le *Sunday Times* n'étaient pas les deux seuls journaux à connaître des difficultés ; c'était tout le monde de la presse qui était en crise en 1978. Aux États-Unis, les trois quotidiens de la ville de New York connurent une période de grève totale qui dura 88 jours, causant des pertes de 150 000 000 $ en revenus de publicité et en ventes. En Angleterre, la publication du *Daily Telegraph* fut interrompue pendant plusieurs semaines à cause de difficultés sur le plan des relations de travail et le *Guardian* enregistra des pertes se chiffrant en millions de livres sterling, et ce, année après année pendant une décennie. Dans tous les cas, les employés s'opposaient à l'implantation d'une nouvelle technologie qui, si elle permettait de réduire les coûts de production, provoquait inévitablement des mises à pied.

Les syndicats du monde de la presse au Royaume-Uni sont beaucoup plus puissants que ceux d'Amérique du Nord, en partie parce qu'ils sont plusieurs fois centenaires et qu'ils ont progressé au rythme de l'industrie. Aux États-Unis, les quotidiens d'envergure nationale sont beaucoup moins vulnérables, car ils sont imprimés en plusieurs points du pays, ce qui n'est pas le cas au Royaume-Uni. Là, la totalité de la production s'effectue à Londres, puis les journaux sont distribués par camion, par train ou par avion. En plus, comme les propriétaires des quotidiens de Fleet Street possèdent tous plusieurs journaux, ils craignent toujours qu'un règlement favorable aux employés dans une de leurs sociétés de presse ne se solde par une série de grèves dans les autres journaux. Au Royaume-Uni, tous les employés des sociétés de presse, secrétaires et commis compris, doivent être syndiqués. Il existe des syndicats d'imprimeurs, de typographes, de journalistes, d'électriciens, de techniciens, des commis à l'approvisionnement, etc. Chacun de ces syndicats est divisé en sections (certains en ont 70). Dans un tel contexte, les négociations sont un processus difficile, les ententes ne satisfaisant pas toujours également tout le monde.

Il y a beaucoup de sociétés de presse sur Fleet Street : on y compte cinq quotidiens du matin et quatre journaux importants. C'est pour cela que les propriétaires de ces sociétés ont de tout temps été prêts à offrir des salaires supérieurs à leurs employés et à céder aux pressions des syndicats, toute interruption de la production coûtant rapidement une véritable fortune. Hugh Lawson, directeur du *Daily Telegraph*, le plus important des grands quotidiens (dont le tirage atteint 1 200 000 copies alors que le *Times* compte 340 000 lecteurs), dit : « Chaque jour de grève où il serait impossible de publier le journal nous coûterait 150 000 £. » Par ailleurs, le tirage des journaux du dimanche a considérablement baissé ces dernières années alors que les lecteurs ont perdu l'habitude d'acheter trois ou quatre journaux différents. Cette vulnérabilité des propriétaires des journaux de Fleet Street a provoqué une croissance folle des salaires. Le traitement annuel moyen d'un journaliste est de 17 000 £, ce qui est deux fois plus élevé que le salaire moyen dans les autres quotidiens. Les linotypistes gagnent 734 £ *par semaine* et pourtant, le linotype est six fois moins rapide qu'une photocomposeuse.

La situation s'envenima soudainement à la société Times Newspapers mais le problème était ancien et les disputes entre la direction et les syndicats étaient devenues chroniques. En 1974, l'année où le *Times* déménagea ses bureaux dans le nouvel édifice, le directeur de la filiale de l'empire Thomson, Marmaduke Hussey, menaça de suspendre la publication du quotidien si l'on ne parvenait pas à une entente pour réduire le personnel. On en arriva à un compromis avant l'échéance fixée par le directeur. La période de paix dura jusqu'en janvier 1977, alors que la publication du *Times* fut interrompue une journée à cause d'une dispute au sujet du contenu d'un article. Puis, en mars de la même année, la publication fut cette fois interrompue pendant une semaine à cause d'un arrêt de travail des employés de l'imprimerie, qui ne retournèrent au travail qu'après avoir été menacés d'expulsion par le syndicat national. Il n'y eut pas d'autres interruptions par la suite, mais les mouvements de pression exercés par les syndicats finirent par nuire à la publication du journal, ce qui provoqua une baisse sensible du tirage. De janvier à novembre 1978, selon les directeurs de la société Times Newspapers, on aurait ainsi vendu 12 millions de copies de moins, ce qui représente une perte de 1,16 million de livres sterling. Au total, la publication du *Times* a été interrompue vingt et une fois à cause des disputes entre la direction et les syndicats, et celle du *Sunday Times*, neuf fois.

À la direction du *Times*, on était parfaitement conscient que ces interruptions avaient de fâcheuses conséquences. Il fallait donc traiter avec les syndicats, ce qui ne faisait pas l'affaire des propriétaires de Fleet Street, compte tenu de la situation particulière qui y prévaut. Les quotidiens concurrents risquaient d'avoir les mêmes difficultés et d'être, eux aussi, obligés de fermer leurs portes. En 1978, l'empire Thomson était bien différent de ce qu'il avait été à ses débuts au Royaume-Uni. Il était devenu un véritable conglomérat au sein duquel la société Times Newspapers, quel que fût son prestige, n'était qu'une partie négligeable. Lorsque Roy Thomson fit l'acquisition du *Sunday Times*, la société Thomson Organisation, qui allait devenir l'I.T.O.L., n'existait pas encore. À l'époque où il acheta le *Times*, la Thomson Organisation venait tout juste d'entamer son programme de diversification et se lançait dans le monde de l'édition et dans le domaine des voyages. En 1974, lorsque les bureaux du *Times* furent déménagés à proximité de ceux du *Sunday Times*, Roy Thomson investissait dans l'exploration pétrolière en mer du Nord. En faisant l'acquisition du *Times*, qui perdait chaque année de l'argent, Roy promit d'éponger personnellement les dettes du quotidien afin que ce nouvel investissement n'affecte pas les dividendes versés aux actionnaires de la Thomson Organisation. Selon les termes de l'entente, Roy Thomson se gardait le droit de se décharger de cette responsabilité financière, à condition de donner un préavis de six mois à la Thomson Organisation.

Deux événements qui se sont produits en 1977 furent l'indice d'un prochain remue-ménage au *Times*. D'abord, Ken Thomson porta la période convenue pour le préavis de six à un mois ; ensuite, Gordon Brunton prévint les administrateurs de la Thomson Organisation qu'il était fort possible que le *Times* et le *Sunday Times* interrompent leur publication pour une période prolongée en 1978 et en 1979 afin de contrecarrer l'action des syndicats. Au début de 1978, il y eut une accalmie temporaire à l'occasion de laquelle la famille Thomson remit à la Thomson Organisation la totale responsabilité financière des sociétés de presse. Il était alors clair pour les syndicats que la promesse de Roy Thomson d'absorber les pertes du *Times* ne tenait plus. (Si le journal était déficitaire, le *Sunday Times*, pour sa part, produisait des bénéfices.) Entre 1966 et avril 1977, les Thomson ont dépensé plus de 10 millions de livres sterling pour éponger les déficits du *Times* et l'on comprend que leur patience était à bout. Toutefois, en 1978, alors que Kenneth Thomson se décharge de sa responsabilité financière, le *Times* connaît une première année de bénéfices et la croissance du *Sunday Times* s'accélère.

La décision de la famille Thomson eut de fâcheuses conséquences car elle fit boule de neige. Elle fut suivie d'une série d'événements qui allaient se solder par la fermeture du journal. Par la suite, la société Thomson Organisation, qui était britannique, fut remplacée par l'I.T.O.L., dont le siège social était au Canada. Puis, au cours du printemps 1978, Marmaduke Hussey reçut l'ordre des directeurs de la société Thomson British Holdings (filiale britannique de l'I.T.O.L.) de mettre rapidement fin aux arrêts de travail. Le 10 avril, il écrivit une lettre adressée à tous les employés dans laquelle il présentait la situation comme « inquiétante ». Le 26 avril, il communiqua avec les secrétaires des différents syndicats pour leur annoncer que la publication des journaux serait interrompue le 30 novembre si l'on ne parvenait pas à régler les conflits latents, si l'on n'acceptait pas une réduction du personnel et si l'on s'opposait à une réévaluation des salaires.

Un tel ultimatum avait de quoi révolutionner le monde des relations de travail dans les sociétés de presse. Toutefois, Hussey ne faisait aucune suggestion quant aux moyens à prendre pour répondre à ses attentes. La direction des journaux et les syndicats se trouvaient confrontés à une mission impossible, d'autant plus qu'il aurait fallu que toute entente soit nécessairement endossée par la totalité des syndicats impliqués dans les négociations. Il fallait donc, en quelques mois, signer 54 protocoles d'entente entre la direction et les syndicats. C'est pour cette raison que les représentants des employés ont affirmé que l'ultimatum était en fait un moyen détourné utilisé par la Times Newspapers pour fermer le journal sans avoir à en prendre la responsabilité ni céder aux demandes des employés. De toute façon, il fut impossible de parvenir à des ententes avec tous les syndicats et la publication du *Times* et du *Sunday Times* fut interrompue comme prévu. Dans la dernière édition du *Times*, on annonçait que la fermeture du journal serait temporaire. Il était étonnant que les directeurs de la société Times Newspapers aient pris la décision de fermer volontairement leurs journaux au moment de l'année où les revenus dérivés des annonces publicitaires sont plus élevés que jamais, c'est-à-dire à l'époque de Noël. C'était donc là une preuve de leur détermination.

La fermeté avec laquelle la direction répondait aux syndicats n'était qu'illusoire car les dissensions au sein du groupe administratif se firent bientôt sentir. Ceux qui avaient adopté la ligne dure, c'est-à-dire Hussey, le directeur général Dugal Nisbet-Smith et William Rees-Mogg, rédacteur au *Times*, faisaient face aux conciliants : Sir Denis Hamilton, rédacteur en chef des deux journaux, et Harold Evans, rédacteur au *Sunday Times*. Quant aux deux acteurs principaux, Kenneth Thomson et Gordon Brunton, leur position n'était pas claire et ils semblaient hésiter entre les deux camps, finissant tout de même par prendre le parti des moins radicaux.

Marmaduke Hussey avait 55 ans à cette époque. Il était handicapé de guerre, ayant perdu une jambe à Anzio lors de la Seconde Guerre mondiale, ce qui lui avait valu de passer quelque cinq ans à l'hôpital. En 1949, il obtint un poste au *Daily Mail*, puis devint rédacteur. Il joignit la société Thomson Organisation en 1971. Son épouse travaillait pour le compte de la maison royale d'Angleterre, au service de la reine Elizabeth II. Hussey était vraiment la tête d'affiche du débat qui opposait la direction de la société Times Newspapers aux syndicats. L'impression qu'il faisait sur ses interlocuteurs variait passablement. Owen O'Brien, secrétaire général du Syndicat national des imprimeurs et des employés des médias d'information, dit de lui : « C'était un employeur assez respecté, mais on savait qu'il lui arrivait de se tromper à l'occasion. » Jacob Eccleston, directeur du Syndicat national des journalistes, attaché au *Times*, ne partage pas cette opinion : « Il appartient à la vieille école et n'a aucun sens commun. »

Dugal Nisbet-Smith était originaire de Nouvelle-Zélande. Il était venu en Angleterre au cours des années 50, puis travailla comme journaliste pour le compte de quotidiens du groupe Mirror, société pour laquelle il lança un nouveau journal en Jamaïque. Il devint ensuite directeur du *Glasgow Daily Record* au début des années 70. Dans une note datée de novembre 1978 et envoyée par les syndiqués du journal de Glasgow au directeur du bureau londonien du Syndicat national des journalistes, on lit :

Dugal Nesbit-Smith est dur, habile et arrogant... Il croit que l'on peut accroître les bénéfices en effectuant des coupures budgétaires. À court terme, cela a beaucoup de sens, mais ce n'est pas suffisant ; laissez-moi vous donner un exemple. Au *Glasgow*, nous avons cinq rotatives. Smith a trouvé le moyen de réaliser des économies en faisant tourner quatre rotatives à plein régime et en se servant de la cinquième comme réserve de pièces en cas de pannes. Cela fonctionna si bien qu'aujourd'hui le journal doit dépenser 1 000 000 £ pour acheter une nouvelle rotative. Naturellement, Smith n'est plus là.

Rees-Mogg dresse un portrait plus flatteur de Smith et affirme que c'était un directeur «dévoué, compétent et efficace».

Intelligent et si fin parleur qu'il est impossible de ne pas tendre l'oreille pour l'écouter, Rees-Mogg devait être l'homme le plus heureux du monde... jusqu'à ce que la vente du *Times* mit fin à sa carrière de journaliste. Lorsque Rupert Murdoch fit l'acquisition du quotidien, Rees-Mogg avait 53 ans. Il décida de laisser son poste au journal et d'ouvrir une boutique spécialisée en livres rares sur Pall Mall, à Londres. Il avait commencé sa carrière au *Financial Times*, puis avait accepté un poste de critique financier et politique au *Sunday Times*. En 1967, à l'âge de 36 ans, il devint rédacteur au *Times*.

Rees-Mogg a fait sa marque au *Times* et au *Sunday Times*. C'est lui qui a eu l'idée de créer une section financière au *Sunday Times*, et qui avait la responsabilité des éditoriaux au *Times*, ce qui lui donnait l'occasion d'afficher l'admiration qu'il vouait au Parti conservateur. C'est peut-être pour cela que Margaret Thatcher l'a récemment nommé au poste de directeur du Conseil britannique des arts. Eccleston, qui n'a aucun compliment à faire à qui que ce soit qui faisait partie de l'équipe de direction de la société Times Newspapers en 1978, ne ménage pas ses critiques à l'égard de Rees-Mogg : «C'est le représentant parfait de la classe dirigeante britannique, quelqu'un qui est né fortuné et qui a fait de brillantes études, mais qui est aussi incapable de comprendre les gens normaux qui n'ont pas eu de bonne ou ne sont jamais entrés dans une école privée. Il ne prend pas les transports en commun, alors qu'il dispose d'une voiture avec chauffeur. C'est un conservateur à l'ancienne mode. Il était de bonne compagnie, mais il savait vous remettre à votre place si vous n'étiez pas d'accord avec lui. »

Denis Hamilton, l'un de ceux qui avaient choisi la conciliation, avait eu beaucoup d'influence à la Times Newspapers. Fin diplomate, charmeur, arborant une petite moustache, il était déroutant avec ses sautes d'humeur. Il faisait de longues pauses lorsqu'il parlait, surtout au téléphone, au grand dam de ses interlocuteurs, qui pensaient toujours qu'on avait coupé la ligne. Selon les employés, c'était un homme courtois, galant, qui avait de bonnes idées et savait déléguer ses pouvoirs. Il est aujourd'hui directeur de la société Reuters et du British Museum. C'est à lui que l'on doit l'acquisition, par ce musée, de l'une des plus belles collections d'art égyptien du monde.

Hamilton est né en 1918. Il travailla pour le compte de plusieurs quotidiens appartenant à la chaîne Kemsley avant la Seconde Guerre mondiale. Après sa démobilisation, il fut promu au poste d'adjoint de Kemsley. Lorsque Roy Thomson acheta la chaîne de quotidiens, il convainquit Hamilton de demeurer au poste de rédacteur en chef du *Sunday Times*. Quand il acheta le *Times*, il lui offrit également le poste de rédacteur en chef du grand quotidien. Hamilton fit sa marque au *Sunday Times*, créant une nouvelle section consacrée aux affaires, préparant la première édition en couleurs (une première britannique), retenant les services de Lord Snowdon comme conseiller artistique en 1962 (ce qui fit toute une histoire mais fut un bon coup publicitaire), créant l'*Insight*, essai publié à chaque édition et traitant à fond d'un sujet d'actualité, et portant le journal de 16 à 30 pages. Tout cela se solda, comme il se doit, par une augmentation remarquable du tirage.

Hamilton, qui avait combattu avec le général Montgomery au cours de la Seconde Guerre mondiale — et qui garde précieusement une statue en bronze du général dans la bibliothèque de son appartement de Londres —, a gardé l'habitude de parler un langage de militaire, lui qui dit : « Depuis 1946, je tiens un conseil périodique avec tous les généraux de Fleet Street. » Au cours du conflit, Hamilton avait prétendu qu'un directeur de société devait, comme un officier militaire, prendre le temps de se reposer afin de donner le rendement que l'on attend de lui.

Il disait aussi que la fermeture des quotidiens aurait été insupportable pour Roy Thomson : « Quand il pressentait la révolution informatique, il n'imaginait pas que cela puisse faire perdre des emplois, mais voyait plutôt l'intérêt de la chose au niveau de la production. Les jeunes industries sont plus portées à dépendre de l'informatique, tandis que les industries établies depuis plus longtemps cherchent à résister aux changements technologiques et font souvent le pas en avant quand il est trop tard. L'opposition des directions des journaux aux ordinateurs est comparable à celle des pauvres gens face à l'implantation des rouets, au siècle dernier. »

Harold Evans, dont l'ascension avait été aussi fulgurante que celle de Rees-Mogg, préférait la conciliation à la ligne dure. C'est Hamilton qui lui offrit le poste de rédacteur au *Sunday Times* en 1967, alors qu'il avait 36 ans. Il avait été préféré à plusieurs candidats qui semblaient pourtant plus aptes à occuper le poste en question. Mais Hamilton l'avait choisi justement parce qu'il rompait avec la tradition, ce qui était un bon moyen d'apporter du sang neuf au journal. Evans était, à cette époque, rédacteur pour le compte de plusieurs journaux régionaux. Il était en poste au moment où le *Sunday Times* battit tout le monde de vitesse en annonçant que Kim Philby, un ancien membre des services secrets britanniques, était un espion soviétique. C'est Evans aussi qui décida de diffuser, sous forme de livres, les séries publiées chaque semaine dans le journal. Grâce à lui, la politique éditoriale devint plus souple que celle du *Times*. C'est ainsi que l'éditorialiste du *Sunday Times* prit officiellement position pour l'avortement, alors que celui du *Times* y était opposé.

Quand on compare leurs idées et l'opinion que leurs proches se font d'eux, on comprend que Rees-Mogg et Evans n'étaient pas faits pour aller ensemble. Au premier coup d'oeil, les différences ne trompent pas : Rees-Mogg est grand, mince, tranquille et toujours tiré à quatre épingles ; Evans, beaucoup plus petit, remonte les manches de ses chemises et déclenche une tornade partout où il passe. Rees-Mogg est né dans une famille riche ; le père d'Evans était mécanicien de chemin de fer. Hugh Lawson, du *Daily Telegraph*, ajoute : « Rees-Mogg était classique jusqu'au bout des doigts, tandis qu'Evans ne cessait de vanter ses propres mérites et ceux de son journal. » John Carter, ancien journaliste au *Times*, dit pour sa part : « Evans jouait le rôle du rédacteur. Tous les samedis soir, il corrigeait la page de l'éditorial du lendemain. C'est lui qui me nomma pour négocier avec Randolph Churchill, dont le livre portant sur son père devait être publié par épisodes dans le journal. Evans ne voulait pas s'en occuper lui-même parce que Churchill était soûl, la plupart du temps, lorsqu'il téléphonait au bureau. »

Lorsque Murdoch acheta la société Times Newspapers, Evans devint rédacteur au *Times*. Il étonna tout le monde en changeant la une du journal, y ajoutant des photos qui n'avaient parfois rien à voir avec les grands titres. Il abandonna son poste en juillet 1982 pour entrer au service de la société Goldcrest Films & Television, une filiale de la Pearson Longman, qui avait produit les films *Chariots of Fire* et *Gandhi* qui ont respectivement gagné, en 1981 et en 1982, l'Academy Award du meilleur film. Il est certain qu'Evans est parti en claquant la porte, ce qui explique qu'on attendit deux jours pour annoncer son départ, en publiant un entrefilet de tout juste deux lignes. Pourtant, Evans avait dit qu'il souhaitait continuer à diriger le journal pendant sept ans, ou jusqu'à ce qu'il ait 60 ans. « L'une des conséquences les plus tristes de toute cette affaire, conclut Hamilton, c'est que Rees-Mogg et Evans, deux grands rédacteurs, ne travaillent plus ni l'un ni l'autre au sein de l'industrie de la presse. »

Les deux personnes qui avaient le plus d'influence parmi toutes celles qui avaient pris part à l'affaire de la société Times Newspapers étaient aussi celles qu'on avait le moins vues : Kenneth Thomson et Gordon Brunton. Brunton avait d'abord choisi la ligne dure, mais finit par adopter un ton conciliant, tout comme Kenneth. Cependant, c'était surtout ce dernier qui était la cible des syndicats, qui lui imputaient la responsabilité de tous leurs maux. On l'appelait l'« homme invisible » parce qu'il n'avait jamais pris directement part aux négociations. Cela prouve néanmoins que la décentralisation n'était pas, chez Thomson, un vain mot. De toute façon, s'il avait voulu administrer directement les sociétés de presse britanniques, Kenneth Thomson aurait dû déménager en Grande-Bretagne, ce qui ne l'intéressait pas du tout.

Assis dans un fauteuil rose bonbon, dans l'étude située au-dessus de sa boutique, Rees-Mogg parle de Kenneth Thomson : « La première stratégie que nous avons adoptée remontait à Roy Thomson, qui était un homme vindicatif qui savait s'arranger pour que les situations tournent à son avantage. S'il était toujours vivant, il aurait sans doute réussi à moderniser l'équipement du journal sans en interrompre la publication pendant plus d'une semaine. Pour parvenir à un tel résultat, il fallait que le propriétaire demeure en Angleterre et adopte la ligne dure face aux syndicats. Les négociations ont finalement été menées par des gens qui avaient été formés par Roy ; cependant, l'approche de ce dernier ne convenait pas à Kenneth. Celui-ci aimait l'ordre et la paix, et voulait éviter les conflits directs, les épreuves de force avec les syndicats. Un jour, au milieu de l'après-midi il me dit : « Je n'arrive pas à comprendre comment vous, les Britanniques, pouvez vous haïr de la sorte les uns les autres. » Il faisait donc les frais d'un conflit qui se déroulait dans un pays étranger où, de surcroît, il avait choisi de ne pas vivre. Kenneth Thomson et John Tory étaient d'accord pour satisfaire les syndicats, mais ils auraient dû savoir qu'on ne peut pas offrir aux gens ce qu'ils veulent tant qu'on l'ignore, ce qui est le cas car il n'y a qu'une fois que la crise a éclaté que les employés ont été à même de dire ce qu'ils souhaitaient. J'admire Kenneth Thomson, mais je dois reconnaître qu'il n'était pas l'homme de la situation. En effet, il n'est pas très utile d'avoir un évêque quand on a besoin d'un général ! »

On critiqua Thomson pour son manque de solidarité lorsqu'il accepta, en juin 1979 — soit sept mois après la fermeture du journal —, que la question de la modernisation de l'équipement soit négociée à part et à une date ultérieure. Il a aussi fait cavalier seul quand il a avoué publiquement qu'il souhaitait que le journal cesse sa publication. Pourtant, on peut expliquer son attitude du fait qu'il savait que les autres directeurs de sociétés de presse de Fleet Street n'appuyaient en aucune façon la direction de la Times Newspapers. Les directeurs de la filiale avaient donc l'impression de mener seuls une lutte à finir avec l'ensemble de l'industrie de la presse.

John LePage, secrétaire adjoint de l'Association des éditeurs de journaux, explique : « Ils n'ont pas réussi parce que leurs concurrents n'étaient pas prêts à les appuyer en interrompant, à leur tour, leur production. On comprend leur décision puisque les quotidiens perdaient de l'argent et les directeurs savaient qu'ils ne pouvaient en aucune façon supporter les pertes qu'engendrerait l'interruption de la publication. L'ennui, c'est que les directeurs des autres quotidiens profitèrent de la situation et augmentèrent leur tirage au lieu d'interrompre la parution de leur journal. Cela mit les syndicats dans une position de force et prouve qu'il était impossible pour Thomson de vaincre sur un tel terrain.»

Owen O'Brien, qui est secrétaire adjoint de l'association des graphistes (Society of Graphical and Allied Trades), qui est le plus grand syndicat de la presse au Royaume-Uni, présente une opinion beaucoup plus radicale que celle de LePage. Avec rage, il dit: «Cela prouve combien l'employeur se fichait de l'implantation des nouvelles technologies. Lorsque la société Thomson a fermé les deux journaux pour accroître les pressions exercées sur les syndicats et les forcer à accepter la modernisation, les autres directeurs de journaux ont agi comme de véritables fauves à l'affût d'une proie. Ils ont accru leur capacité de production et augmenté leur tirage. S'ils avaient vraiment voulu appuyer la Times Newspapers, ils auraient au contraire réduit leur production. En augmentant le nombre de pages de leurs journaux, ils ont créé de nouveaux emplois, ce qui faisait bien l'affaire des grévistes du *Times* et du *Sunday Times*, mais ont aussi provoqué la fermeture des journaux.»

L'affaire se soldait par des gains pour les autres journaux de Fleet Street, mais ce n'était qu'un effet passager. À la fin du conflit, il leur fallut bien réduire leur tirage. Hugh Lawson, du *Daily Telegraph*, exprime l'essentiel de ce que pensaient les autres directeurs de Fleet Street quand il affirme que chaque journal doit mener sa propre bataille : « Il y a quinze ans, les directeurs de Fleet Street se seraient sans doute aidés les uns les autres, mais aujourd'hui, il ne leur est pas possible de perdre 150 000 £ par jour pour appuyer le *Times* alors qu'on sait que l'organisation Thomson gagne des millions grâce aux revenus de l'exploitation pétrolière en mer du Nord ou de la Compagnie de la baie d'Hudson, ou même de n'importe quelle autre de ses filiales. En novembre 1982, lorsque nous avons à notre tour interrompu la publication du journal, nous avons perdu 1 700 000 £ ; à ce moment-là, personne ne nous a aidés.»

Les pertes du *Daily Telegraph* étaient pourtant ridicules en comparaison des 30 millions de livres sterling qu'avait perdu la société Times Newspapers. Quand la publication des journaux reprit, la direction ayant finalement plié devant les exigences des syndicats, les salaires augmentèrent de quelque 100 p. 100. Cependant, il ne

237

s'agissait pas d'une lune de miel et la mésentente refit bientôt surface. En août 1980, Kenneth Thomson était à bout de patience. Les employés, qui demandaient une nouvelle augmentation de salaire, décidèrent de déclencher la grève. C'était la première fois de la longue histoire du *Times* qu'on employait de tels moyens pour appuyer des revendications. Ce fut la goutte qui fit déborder le vase.

Depuis 1971, Kenneth Thomson disait à qui voulait l'entendre : « Le *Times* est un véritable gouffre financier... Il n'est pas raisonnable de croire que nous endosserons indéfiniment de telles pertes. » Néanmoins, en dépit de son sens des réalités, sans doute par dévotion pour son père et par respect envers les objectifs que celui-ci s'était fixés, Kenneth continua à verser des millions de livres sterling pour garder les sociétés de presse de Fleet Street à flot. Les observateurs se rendirent finalement compte que ce n'était plus qu'une question de temps et que Kenneth allait, un jour ou l'autre, mettre la clé dans la porte. En 1979, il disait encore : « La vente du *Times* est une solution que je ne veux pas envisager. »

La grève des journalistes, de nouvelles interruptions de la publication et l'impossibilité de faire accepter aux syndicats l'informatisation des services de rédaction, tout cela finit par avoir raison de la patience, déjà faible, de Kenneth. C'est dans le *Financial Times*, et non dans l'un des journaux de l'empire Thomson, qu'on put lire l'annonce de la vente du *Times* et du *Sunday Times* : « Face à la dure réalité, c'est-à-dire des dépenses se chiffrant à 70 000 000 £ pour maintenir à flot la société Times Newspapers, et l'hostilité et l'ingratitude des travailleurs, Lord Thomson n'avait d'autre choix que celui d'appuyer la décision du conseil. » La décision en question, prise par les directeurs de la Thomson British Holdings, était de vendre la filiale. C'est pourquoi, le 22 octobre 1980, on annonça que les journaux de Fleet Street étaient à vendre et que, si personne ne manifestait l'intention de s'en porter acquéreur avant mars 1981, on cesserait de toute façon la publication.

Le 13 février 1981, à la surprise générale, un acheteur s'annonça. Rupert Murdoch paya 12 000 000 £, ce qui aurait été un prix intéressant si le *Times* n'avait pas accumulé des pertes. Le nouveau propriétaire signa aussi une promesse de ne rien modifier à l'orientation des deux journaux. Ce sont les syndicats qui avaient exigé que cette condition soit imposée parce que Murdoch avait la réputation d'acheter des journaux puis de chercher à tout prix à en accroître le tirage en en faisant des journaux à sensation. Une fois devenu propriétaire de la Times Newspapers, Murdoch, à 49 ans, était assurément l'un des plus puissants éditeurs de Fleet Street de ce siècle, plus encore que ne l'avait été Roy Thomson. Au Royaume-Uni, il est propriétaire des journaux *Sun*, *News of The World*, *London Week-End* et d'une douzaine de journaux régionaux. Le *Sun*, qui publie régulièrement en page 3 un nu intégral, annonça l'achat de la Times Newspapers par Murdoch en titrant sur six lignes, à la façon du *Times*. Dans ce dernier journal, pour répondre à l'ironie, on publia en page 3 un nu : une figurine de la déesse de l'extase. Il s'agissait en fait d'une page publicitaire payée par la société Rolls-Royce, dont les voitures portent, sur leur bouchon de radiateur, une figurine de la déesse depuis plus de 70 ans. L'idée venait de la firme publicitaire Dorland Advertising, dont la Rolls-Royce est cliente.

C'était une façon amusante de célébrer l'événement. Malheureusement, l'histoire ne finit pas sur le même ton. Les relations de travail sont toujours aussi mauvaises sur Fleet Street. Les directions des différents journaux n'ont pas réussi à corriger leur position de faiblesse. La plupart des quotidiens, dont le *Times*, continuent à accumuler les pertes tandis que les salaires sont ridiculement élevés, les syndicats sont toujours aussi nombreux et rien de significatif n'a été fait sur le plan de l'implantation des nouvelles technologies. La seule chose qui ait changé, c'est le nom du propriétaire du *Times* et du *Sunday Times*.

12

Volte-face
au Royaume-Uni

Il est rare qu'une société qui domine l'industrie ait des doutes à propos de son avenir. C'est pourtant ce qui s'est produit dans le cas de la société Thomson Regional Newspapers (T.R.N.), au Royaume-Uni. Kenneth Thomson continue à acheter des journaux aux États-Unis, au rythme de quatre par an. Au même moment, au Royaume-Uni, de nombreux quotidiens ferment leurs portes et l'on réduit constamment le nombre des employés. En Amérique, la nouvelle filiale de l'empire Thomson, qui est propriétaire des sociétés de presse, est en pleine période de croissance. À l'inverse, la T.R.N. est en période de stagnation. Il n'y a finalement que les services d'information en Grande-Bretagne qui connaissent une croissance comparable à celle de leur équivalent américain au sein de l'empire Thomson.

Kenneth Thomson est propriétaire de 60 sociétés de presse au Royaume-Uni. Le tirage total de ces journaux atteint 2,7 millions d'exemplaires, ce qui représente un revenu total de 125 000 000 £. Parmi eux, on retrouve les principaux journaux d'Écosse (*Evening News* et *Scotsman*), d'Irlande du Nord (*Belfast Telegraph*) et du pays de Galles (*South Wales Echo*). Les autres journaux importants sont ceux de Newcastle et d'Aberdeen. Plusieurs journalistes qui travaillent pour le compte de sociétés de presse de l'empire Thomson sont devenus auteurs de best-sellers ; c'est le cas de Ken Follett et de Anthony Holden, biographe du prince Charles et d'autres membres de la famille royale. En position de force au sein de l'industrie, la Thomson Regional Newspapers n'en connaît pas moins des moments difficiles. Ses revenus de publicité, qui représentent 70 p. 100 de son chiffre d'affaires, ont baissé de façon sérieuse à cause du chômage qui sévit en Angleterre. En 1979, la société avait réalisé des bénéfices de 14 millions de livres sterling. En 1980 et en 1981, elle enregistra des déficits, puis réalisa de maigres bénéfices en 1982 — grâce à la réduction de son personnel et non au redressement de ses affaires. Cependant, elle possède des actifs de valeur, dont 4,73 p. 100 des actifs de la société Reuters, agence de nouvelles, qu'elle vendit d'ailleurs en 1984 pour la somme de 50 millions de livres sterling.

Les quotidiens régionaux tirent, en général, la plupart de leurs revenus de l'espace publicitaire réservé aux offres d'emploi. Naturellement, avec l'augmentation du chômage en Grande-Bretagne, les recettes baissèrent de façon alarmante. Du début des années 60 à la fin des années 70, le nombre des chômeurs passa de 300 000 à 1,5 million. Puis, de 1979 à 1982, il grimpa à 3,3 millions. On ne prévoit pas de baisse du taux de chômage dans un avenir rapproché. Dans ce contexte, le nombre d'offres d'emploi publiées dans les journaux a subi une baisse équivalente et les difficultés financières des sociétés de presse régionales ont augmenté au même rythme. La société Thomson Regional Newspapers, qui publia 37 millions de lignes d'offres d'emploi en 1973, en publia cinq fois moins, soit 8 millions, en 1981-1982. Compte tenu de l'inflation, cela représente une perte de quelque 20 millions de livres sterling entre 1973 et 1982, ce qui se solda par un déficit de 15 millions de livres sterling. La chaîne de journaux perdit aussi 5 millions de livres sterling à cause des conflits de travail en 1979-1980.

Alors que les journaux américains et canadiens de l'empire Thomson sont souvent des quotidiens sans concurrence dans les villes où ils se trouvent, les journaux du Royaume-Uni, dans la même situation, n'exercent pas pour autant un monopole du marché de la publicité. C'est qu'en Grande-Bretagne la concurrence exercée par les journaux londoniens, distribués à travers le pays tout entier, est très importante. Cela serait impossible en Amérique du Nord à cause de l'immensité du continent, sans parler des problèmes que poseraient les fuseaux horaires, puisqu'il y en a cinq au Canada et quatre aux États-Unis.

Il existe aussi un problème particulier à la Grande-Bretagne, qui est le nombre croissant de journaux qui sont distribués gratuitement, lesquels offrent de l'espace publicitaire à prix réduit et dont le tirage est parfois supérieur à celui des autres journaux. Ils coûtent moins cher à produire parce qu'ils ne contiennent que 15 p. 100, en comparaison des 40 p. 100 de l'espace qu'occupent les articles dans les grands quotidiens. Il faut donc moins de journalistes. Ces journaux sont aussi imprimés par des sociétés indépendantes, par contrats, ce qui évite de traiter avec les syndicats. C'est ainsi qu'on parvient à offrir aux clients des taux de vente plus bas pour l'espace publicitaire.

Il y a vingt ans qu'il existe des journaux gratuits au Royaume-Uni ; c'est cependant en 1979 qu'ils se multiplièrent soudainement, en bonne partie à la suite des difficultés que connaissaient les journaux régionaux. Jacob Eccleston, secrétaire général du Syndicat national des journalistes qui compte 32 000 membres, explique : « Ils se sont multipliés comme des champignons. En 1980, il y en avait 100. Aujourd'hui, on en compte 600. Il y a trois ans, leurs revenus de publicité atteignaient 60 millions de livres sterling. Aujourd'hui, il est de près de 400 millions de livres sterling. » Il y a même des cas où les journaux distribués gratuitement ont été lancés par des sociétés de presse régionales. Mais le plus souvent, ils ont été créés par des hommes d'affaires locaux, ou des courtiers en immeubles qui trouvaient là un moyen idéal pour diffuser de la publicité à grande échelle.

C'est James Evans qui s'est chargé de diriger la Thomson Regional Newspapers pendant cette période troublée. Il en est devenu directeur en 1982, c'est-à-dire au pire moment. On ne peut pas dire qu'il soit dans une position enviable, mais son calme semble lui permettre de venir à bout de tout. En grignotant des biscuits et en serrant son cigare des lèvres, il dresse posément le bilan des difficultés auxquelles il a eu à faire face et des moyens mis en place pour les régler. Il obtint un certain succès puisque c'est lui qu'on a désigné, à l'I.T.O.L., pour diriger l'International Thomson Organisation

P.L.C. qui est la filiale britannique de l'I.T.O.L. En décembre 1984, Brunton a en effet abandonné son poste, de même que la présidence de l'I.T.O.L. Comme John Tory, Evans est avocat et cela transparaît dans sa façon de faire. Il abandonna la pratique privée en 1965 pour se joindre à la société Thomson Organisation comme spécialiste des droits d'auteurs. Il fut le premier avoca attitré du *Sunday Times*, qui traitait avec des avocats de l'extérieur depuis 1822. L'un des premiers dossiers qui lui furent confiés concernait la thalidomide, le *Sunday Times* ayant publié une série d'articles sur les effets secondaires graves de cette drogue tératogène. Le journal fit campagne en faveur de l'augmentation des compensations offertes aux victimes et, ce faisant, se mit en situation illégale. Evans défendit le *Sunday Times* en cour, « question d'ameuter l'opinion publique », mais la cause fut perdue devant la Chambre des Lords. Par la suite, Evans réussit à faire annuler la décision par la cour des Droits de l'Homme de Strasbourg. Il s'occupa plus tard des dossiers économiques, puis devint secrétaire de la Thomson Organisation en 1967, puis membre du conseil d'administration de la Times Newspapers, et directeur de la même société en juin 1980 jusqu'à la vente des journaux, en 1981. Il prit par la suite le poste de directeur adjoint de l'I.T.O.L. au Royaume-Uni, et passa au service de la T.R.N.

Comme l'économie britannique ne donne pas de signes de redressement, Evans prétend que le seul moyen d'assurer la stabilité financière de la T.R.N. est de limiter les augmentations de salaire (qui ont été de 4,25 p. 100 en 1983), de réduire le nombre d'employés et de lancer de nouveaux journaux distribués gratuitement. Il est normal que l'on songe à réduire le coût de la main-d'oeuvre avant toute chose, puisqu'au Royaume-Uni elle représente en moyenne 50 p. 100 du total des dépenses. Jusqu'à ce jour, 700 des 7 500 employés de la T.R.N., dont 200 des 300 employés du siège social ont perdu leur poste. Cela a permis une économie de 5 millions de livres sterling. En guise de prime de séparation, on a versé l'équivalent de quatre semaines de salaire par année de service, à chaque employé, pour un maximum de 25 000 £.

Selon Eccleston, du Syndicat national des journalistes, les conditions imposées par Evans sont malgré tout meilleures que celles qui prévalaient dans les autres journaux, où on limitait la prime de séparation à deux semaines de salaire par année de service : « Dans le milieu syndical, la Thomson Regional Newspapers a bonne réputation, car on la dit ouverte à la négociation. Cela ne signifie tout de même pas que ses directeurs ont une propension à jeter l'argent par les fenêtres. Ce qu'ils cherchent, c'est à atteindre leurs objectifs lors des négociations, le plus rapidement possible et avec un maximum d'efficacité. » Quand on connaît le contexte qui règne depuis des années dans le monde de la presse en Grande-Bretagne, lorsqu'on sait les difficultés qu'ont les employeurs et les syndicats à s'entendre, on comprend la sagesse qu'il y a dans une telle attitude.

Le bureau principal de la Thomson Regional Newspapers fut déménagé de Londres à Reading, à 60 km à l'ouest de la capitale, ce qui permet d'économiser 1 000 000 £ par an en loyer. Evans réussit à réduire plus encore le nombre d'employés en donnant aux bureaux des journaux régionaux la responsabilité de certains services qui étaient fournis par la maison mère. « De cette façon, dit-il, au lieu que ce soit le bureau de Londres qui s'occupe de faire effectuer le travail de publicité dans des agences spécialisées, chacun des journaux traite directement avec les graphistes. De même, lorsqu'une agence veut qu'une page publicitaire paraisse dans tous nos journaux, nous demandons à son représentant de traiter avec chacun des journaux concernés, ou du moins avec les représentants de chacune des régions, qui ont leurs bureaux à Londres. »

Evans, comme d'autres directeurs de journaux d'Angleterre, ne peut mener ses affaires comme il l'entend à cause des pressions exercées par les syndicats, qui ne reculent pas devant les grèves pour obtenir ce qu'ils veulent. Pourtant, il serait, selon lui, dans l'intérêt financier des journaux de l'empire que l'informatisation soit accélérée de sorte que les journalistes puissent travailler directement avec des ordinateurs, et qu'on mette au point des systèmes permettant le traitement par téléphone des annonces publicitaires. Mais cela se solderait évidemment par une réduction du nombre des employés, en particulier dans les ateliers de photocomposition. « Je crois que l'informatisation des services de rédaction est devenue une question de vie ou de mort pour les sociétés de presse », de dire Evans. Il suffirait de 12 à 18 mois pour que la totalité des sociétés de presse appartenant à la T.R.N. aient entièrement recours à l'ordinateur. On peut douter qu'il en soit ainsi dans la réalité à cause des pressions exercées par les syndicats.

La société Thomson Regional Newspapers n'est pas la seule à avoir lancé plusieurs journaux distribués gratuitement, même si cela fait concurrence à ses propres quotidiens. La raison d'un tel choix est simple : ainsi, on parvient à éviter que la création d'un journal rival, presque assuré du succès, soit effectuée par une chaîne concurrente. Dans l'ensemble, cela ne représente toutefois qu'une faible partie des revenus de la T.R.N. En 1983, le montant des revenus produits par ces nouvelles sociétés de presse s'élevait à 3 000 000 £, soit moins de 1 p. 100 des revenus totaux de la T.R.N.

Quand il s'agit de lutter contre la récession, la Thomson Regional Newspapers est avantagée par rapport à ses concurrentes parce qu'elle possède la plus grande chaîne de journaux au Royaume-Uni. En comparaison, l'International Thomson Publishing Limited, qui publie 32 revues (dont 19 sont destinées au monde des affaires), détient une faible part du marché dominé par l'International Publishing Corporation (I.P.C.), une filiale de la société Reed International. Cette dernière est aussi propriétaire de sociétés papetières et du Mirror Group of Newspapers, société de presse à laquelle appartiennent le *Daily Mirror*, le *Sunday Mirror*, le *Sunday People*, le *Scottish Daily Record*, le *Sunday Mail* et le *Sporting Life*. La société I.P.C. Magazines est la plus importante en son genre en Grande-Bretagne et draine 30 p. 100 du marché de la publicité dans les revues. Une autre filiale, l'I.P.C. Business Press, publie plus de 130 revues spécialisées, techniques et d'affaires, 22 annuaires et 13 guides de voyages. Elle détient aussi 40 p. 100 de la société Industrial and Trade Fairs Holdings, l'une des plus importantes au monde en son domaine.

La société International Thomson Publishing est sortie des difficiles années de la récession avec une nouvelle équipe de direction, une nouvelle raison sociale et connaît ce qui semble être un nouvel essor. Son premier directeur, Michael Mander, qui avait été directeur adjoint et directeur de mise en marché à la société Times Newspapers, est le fils et petit-fils de directeurs de sociétés de presse. Sa mère est à l'emploi de la société Reuters et son père a travaillé au *Morning Post*. Il a aujourd'hui 48 ans et a commencé sa carrière à l'Associated Newspapers, société qui est propriétaire du *Daily Mail*, du *Mail on Sunday* ainsi que de plusieurs journaux régionaux. Il avait, à l'époque, été impliqué dans un projet secret de fusion du

Daily Mail avec le *Daily Express*, et du journal *News* avec le *Standard*. Chacun de ces projets portait un nom code, mais aucun ne réussit. Il travailla ensuite pour le compte du groupe Mail comme directeur de la mise en marché. Il obtint finalement le poste d'adjoint auprès de Marmaduke Hussey, à la société Times Newspapers, et fit parler de lui à l'occasion au cours des années 1978 et 1979, au moment où la direction de la société de presse faisait face au radicalisme des syndicats. Mander s'occupait alors de rédiger, à la place de son patron, les lettres destinées aux représentants des syndicats.

Ceux qui ont travaillé avec Mander reconnaissent en lui un homme capable qui a un sens assez remarquable de la mise en marché. Certains rappellent, à juste titre, que Mander avait osé critiquer Roy Thomson alors que ce dernier essaya, de 1968 à 1970, d'accroître le tirage du *Times*. Il ne fut pas surpris de l'échec du projet de Thomson mais n'en perdit pas son poste pour autant. Il est aujourd'hui le plus vieil administrateur à l'emploi de l'empire Thomson qui ait fait partie du groupe de direction du *Times*. En 1984, il passa au service de la Thomson Information Services Limited (qui dirige les sociétés de communication et plusieurs revues), où il obtint le poste de directeur. Malcolm Gill prit sa place à l'International Thomson Publishing ; celui-ci était auparavant directeur de la Thomson Business Magazine.

Il ne faut pas accorder trop d'importance au changement de nom, de Thomson Magazines à International Thomson Publishing, la raison sociale n'ayant en rien modifié la réalité. Aujourd'hui encore, la société est la seule entreprise entièrement britannique de l'empire Thomson. Le changement d'orientation, quant à lui, a beaucoup plus d'effets. On cherche, par exemple, à lancer de nouvelles revues ou à en acquérir dans des industries de pointe, et à se débarrasser des revues trop spécialisées, dont le tirage diminue sans cesse. En 1981, l'International Thomson Publishing vendit 20 de ses revues les moins rentables.

Ce sont les revues d'affaires qui ont eu le plus à souffrir, ces dernières années, de la récession. Les revues destinées aux consommateurs, pour leur part, se sont mieux tirées d'affaire parce qu'elles sont vendues en kiosque au lieu d'être distribuées par la poste et par abonnement. Par ailleurs, la télévision prend une part toujours plus importante du marché publicitaire. Les sociétés de cosmétiques, en particulier, préfèrent le petit écran aux pages des revues destinées aux femmes. Chez Thomson, on a lancé plusieurs revues de loisirs en espérant que les annonceurs qui peuvent difficilement traiter avec les chaînes de télévision (parce que leurs produits ne sont destinés qu'à une faible partie du grand public) seront plus enclins à acheter de l'espace publicitaire dans de telles revues. En même temps, on a beaucoup investi dans les deux revues à succès de l'empire Thomson — *Family Circle* et *Living* —, qui sont toutes deux distribuées dans les supermarchés. Grâce à la publicité radiodiffusée, on a réussi à accroître de façon spectaculaire leur tirage.

Dans le secteur des affaires, l'International Thomson Publishing possède des revues spécialisées en construction, en agriculture et en élevage, dans l'industrie textile, dans celle du commerce au détail et, depuis peu, dans le monde des soins médicaux, où la croissance du marché est tout à fait exceptionnelle. Andrew Shanks, directeur de la mise en marché à la société International Thomson Publishing, explique : « Le marché des soins de santé est celui qui a le plus brillant avenir au Royaume-Uni, offrant une possibilité de 40 millions de livres sterling en revenus de publicité. Même si la plupart des annonces s'adressent aux médecins, nous ne croyons pas qu'il faille nous restreindre de la sorte. En plus des généralistes et des spécialistes, nous nous adressons aux infirmières, aux sages-femmes, aux professionnels du secteur paramédical, aux travailleurs sociaux, aux pharmaciens et aux techniciens, qui sont autant de clients possibles pour nos annonceurs.

« Le monde des soins de santé a connu une croissance remarquable cette dernière décennie et nous croyons que cela ne changera pas sous peu, du moins ces dix prochaines années, à cause de facteurs démographiques. En effet, le nombre important de gens qui vivent au-delà de 75 ans, ajouté à la croissance du taux de la natalité depuis 1970, provoque une nette augmentation de la population qui constitue la clientèle la plus importante des spécialistes de la santé : les vieillards et les enfants. En plus de cela, les besoins croissants de la population obligeront les gouvernements à réduire les contraintes budgétaires qu'ils imposent aux services de santé. On constate déjà que les réductions des services au Royaume-Uni se soldent par une recrudescence des services privés de santé, qui cherchent ainsi à pallier les effets du contrôle gouvernemental. »

L'International Thomson Publishing n'est pas la seule société qui s'intéresse au marché de la santé. En réalité, l'I.T.P. est même en retard puisqu'il existe déjà 200 revues médicales spécialisées, la plupart d'entre elles étant destinées aux médecins. C'est d'ailleurs une des raisons pour lesquelles Shanks cherche à diversifier les lecteurs cibles des sociétés d'édition de revues. On publie donc maintenant quatre journaux spécialisés, et on prépare le lancement de plusieurs autres en médecine diagnostique, en gérontologie, en travail social, en pharmacie, en informatique appliquée à la médecine, etc. On pense aussi à la création d'un hebdomadaire destiné au monde médical.

Les sociétés de presse de l'empire Thomson sont établies depuis fort longtemps et font des efforts pour se mettre au rythme des années 80. Sur ce plan, leur succès est remarquable. Au Royaume-Uni, les filiales de l'empire Thomson se sont fait connaître par les difficultés qu'elles ont eues sur le plan des relations de travail et de leur équipement désuet. Malgré cela, elles se sont maintenant hissées au premier rang mondial sur le plan de la haute technologie. En Europe, la Grande-Bretagne est le pays qui compte le plus de banques de données, et celui qui offre par ailleurs les plus grandes perspectives de croissance pour ce type d'entreprise. En 1982, le marché représentait 235 millions de dollars, ce qui est bien plus élevé que les 150 millions de dollars des marchés français et allemands réunis. C'est pourquoi, à l'I.T.O.L., on considère que l'augmentation des taux de croissance du marché, qui sont exceptionnels, est une bien bonne nouvelle. Pour le reste de la décennie, on prévoit que le taux de croissance sera d'au moins 20 p. 100 par an.

C'est David Cole, qui n'est pas un informaticien mais un employé de longue date des sociétés de l'empire Thomson, qui s'est vu confier la responsabilité du secteur des technologies de pointe. Cole est un ancien journaliste qui est devenu directeur des sociétés Thomson Regional Newspapers et Thomson Books. Pour ceux qui travaillent avec lui, Cole, qui a 56 ans, est une personne qui a la tête dure, l'esprit borné. « Lorsque j'ai quitté Thomson pour prendre la direction du Book Marketing Council, raconte Desmond Clarke, tout le monde me répétait que c'était une bonne occasion pour moi de mieux connaître le monde de l'édition et d'en avoir une perspective globale ; mais Cole ne comprenait rien à cela. Il n'est pourtant pas si borné et depuis que j'ai quitté Thomson, je l'ai rencontré à plusieurs reprises. Ce n'est pas facile de communiquer avec lui, mais il fait quand même des efforts et sait accepter de bons conseils. »

Cole travaille dans un bureau qui est exigu et mal éclairé. Il lui arrive rarement de sourire, mais il a un bon sens de l'humour, et ce qui lui plaît le plus, c'est qu'il faut toujours un certain temps à ceux qui lui font face pour comprendre qu'il plaisante tant il est pince-sans-rire. Il est originaire du pays de Galles. Il a fait ses études « à l'étranger » — en Angleterre —, se plaît-il à dire pour reprendre une expression qu'il prétend populaire au pays de Galles. Ses parents souhaitaient qu'il prépare un diplôme universitaire ; il préféra devenir journaliste et, à l'époque, « les journalistes n'allaient pas à l'université. Ils apprenaient leur métier sur le tas, en entrant au service d'un journal. » C'est ainsi qu'il fit ses début au *Merthyr Express*, à Merthyr Tydfil, petite ville au nord de Cardiff. Il devint rédacteur de plusieurs journaux du pays de Galles et à Manchester puis, à l'âge de 27 ans, accepta le poste de rédacteur au *Western Mail*, le plus grand quotidien du matin du pays de Galles.

Le *Western Mail* faisait partie de la chaîne Kemsley, qui fut rachetée par Roy Thomson. Ce dernier nomma Cole au poste de directeur général du *Western Mail* et lui offrit en même temps le poste de directeur d'une imprimerie. En 1967, il devint directeur des journaux de Newcastle, les plus importants de l'empire Thomson parmi les quotidiens régionaux en Grande-Bretagne. L'apprentissage avait duré vingt ans et Cole avait grimpé les échelons un à un. Il devint enfin directeur de l'équipe éditoriale, de la planification et du tirage à la société Times Newspapers, directeur adjoint, puis, en 1972, directeur de la Thomson Regional Newspapers.

Cole est conscient d'avoir pris la barre de la filiale de l'empire Thomson à une période troublée, qui n'est pas encore terminée. D'ailleurs, le pire est peut-être à venir. « Au conseil d'administration de la société mère, plusieurs administrateurs, à l'exception de Roy Thomson, ne voyaient par l'intérêt qu'il pouvait y avoir à investir d'importants capitaux dans les sociétés de presse. À l'inverse d'eux, j'étais convaincu qu'il y avait là un avenir intéressant. Celui qui sème des graines et se contente d'attendre qu'elles produisent des plants et des fruits sans en prendre soin ne récoltera pas grand-chose. À l'inverse, celui qui croit en son affaire et qui fait les efforts nécessaires pour qu'elle soit réussie, connaîtra assurément le succès. »

Avec une telle mentalité, on aurait pu s'attendre à ce que Cole cherche à augmenter la qualité des textes dans les journaux régionaux. Il s'attarda plutôt à tirer le meilleur parti possible de toutes les occasions d'affaires sur le plan de la mise en marché et de la publicité. Il atteignit son objectif en proposant aux annonceurs nationaux et régionaux de partager l'espace publicitaire et d'en réduire ainsi le coût. C'est là pratique courante en Amérique du Nord, mais l'idée était nouvelle au Royaume-Uni. Selon Cole, cela a **entraîné une augmentation remarquable des bénéfices de la T.R.N., qui se sont accrus de 700 p. 100 entre 1972 et 1979.**

S'il a choisi de s'« expatrier » en Angleterre, Cole reste très attaché à sa terre natale. Au pays de Galles, il est membre de nombreux conseils d'administration d'institutions publiques : universités, théâtres et associations sportives. Il fit partie d'un comité d'étude sur les faiblesses des services de santé dans les hôpitaux gallois, et d'un autre comité sur le tourisme national dont l'objectif, qui fut atteint, était de convaincre le gouvernement britannique d'offrir une aide financière à l'industrie touristique régionale. Il est aussi responsable de l'appui qu'offre l'I.T.O.L., sur le plan social, à la ville de Neath, près de Cardiff, dans la lutte contre le chômage et l'abandon des études chez les jeunes.

L'empire Thomson compte quatre sociétés qui exploitent des banques de données : Derwent Publications (secteurs chimique, pharmaceutique et électrique), Eurolex (droit), E.S.D.U. International (génie) et Computacar (destinée aux acheteurs et aux vendeurs d'automobiles usagées). Aux États-Unis, l'empire Thomson s'est lancé dans le marché des services d'information en faisant l'acquisition de sociétés existantes. Au Royaume-Uni, il a suffi de réorienter certaines sociétés qui étaient autrefois des maisons d'édition et qui exploitent aujourd'hui des banques de données. C'est grâce à la popularité des services de câblodistribution en Grande-Bretagne que les sociétés d'information ont pu croître à un rythme remarquable. Cela ne semble pas suffire, toutefois, pour que l'I.T.O.L. se lance dans la câblodistribution, du moins selon ce que prétend Cole : « L'investissement requis et les risques sont élevés. Il faut attendre longtemps avant de réaliser les premiers bénéfices et les droits d'opérer accordés par le gouvernement s'étendent sur une période trop courte. »

La société Derwent Publications, dont la création remonte aux années 50, était une maison d'édition qui diffuse aujourd'hui de l'information par l'intermédiaire de l'ordinateur. Cole explique : « La Derwent s'occupait, au début, d'effectuer des recherches sur les droits réservés pour des demandes de brevet dans l'industrie chimique. On finit par établir un fichier, puis par publier un bulletin hebdomadaire, une revue mensuelle, des bulletins de nouvelles, un index sur microfiche et, finalement, un service complètement informatisé de banque de données. »

En 1966, lorsque l'I.T.O.L. devint propriétaire de la Derwent, celle-ci était une société en pleine expansion qui était implantée dans 26 pays différents. Elle possède aujourd'hui son propre service de traduction, 40 p. 100 des documents qu'elle reçoit étant en russe ou en japonais. La banque de données de la Derwent contient des informations sur plus de 5 millions de brevets et on peut avoir accès à ses ordinateurs de Santa Monica en Californie, de Surrey en Angleterre, et de Tokyo. On est maintenant en train d'établir un projet de diversification prévoyant la mise sur pied de banques de données dans plusieurs secteurs du monde des sciences, dont l'une des fiches contiendra, par exemple, toute l'information utile concernant la coque du voilier australien qui remporta la coupe America en 1983.

Le réseau Eurolex (de l'anglais *European Law Center*) a été créé en 1981 avec un budget initial de 7 000 000 £. Sa banque de données contient aujourd'hui 500 millions de mots se rapportant aux lois et aux cas juridiques de Grande-Bretagne, d'Europe et du Marché commun. On y trouve des études de cas, des résumés, et un vocabulaire de 135 millions de mots. La Derwent, qui existe depuis plus longtemps, a une bonne longueur d'avance sur les sociétés concurrentes, ce qui n'est pas le cas d'Eurolex, dont la croissance est malgré tout phénoménale. Mais dans ce secteur, les risques sont très élevés. La société rivale la plus importante, la Butterworth, est propriété de la Reed International qui est le plus grand éditeur de livres de droit au Royaume-Uni. C'est cette dernière société qui a obtenu l'exclusivité des droits de distribution du réseau Lexis, l'équivalent du réseau Eurolex aux États-Unis.

Le fait que la Butterworth soit si bien implantée dans le marché de l'information, et les investissements énormes qu'a exigés le réseau Eurolex, font de celui-ci un placement à long terme. Selon Cole, il faudra attendre 1988 pour que l'affaire devienne rentable. Toutefois, ses directeurs ont fait bien des efforts pour réussir à réaliser des bénéfices avant cela. On eut ainsi l'idée de rendre la banque de données accessible à tous ceux qui possèdent un micro-ordinateur alors que l'information de la Lexis-Butterworth n'est offerte qu'à ceux qui utilisent un terminal fourni par la société. Cole prétend que 97 p. 100 des ordinateurs de bureau utilisés en Grande-Bretagne pourraient être branchés au réseau d'Eurolex.

En 1983, Eurolex fusionna avec la société Westlaw, propriétaire de la plus importante banque de données juridiques aux États-Unis. Selon l'entente qui est intervenue, les clients d'Eurolex et ceux de la Westlaw peuvent avoir, les uns et les autres, accès aux deux banques de données. Cole annonce que sa société signera des ententes comparables avec des sociétés australiennes, allemandes, italiennes et hollandaises. L'audace paie bien, semble-t-il, puisque Eurolex a largement dépassé ses objectifs quant au nombre d'utilisateurs. Au cours des deux premières années, le nombre des abonnés passa de 25 à 375 (1983), alors qu'on espérait atteindre le chiffre de 250, ce qui fut fait six mois plus tôt que prévu. Parmi les clients de la société, on retrouve les cours royales britanniques, la Chambre des Lords et les cours de justice européennes.

Cole est convaincu que ce rythme de croissance se maintiendra car les bureaux d'avocats sont dans l'impossibilité de traiter la somme phénoménale de données de référence publiées chaque année. « Les règlements publiés par la Communauté économique européenne à elle seule représentent une masse d'informations d'un volume à peine imaginable, qu'il est impossible de traiter autrement que par ordinateur. » Les affirmations de Cole sont fondées, puisque la C.E.E. a retenu les services d'Eurolex pour établir un réseau de diffusion de l'information.

Le réseau de la société E.S.D.U. est destiné aux ingénieurs et offre des services de traitement de données techniques, ce qui permet de calculer, par exemple, la tension qu'aurait à supporter le trentième étage d'un gratte-ciel en fonction de la vitesse des vents. Pour l'instant, le système est en période de réorganisation et Cole lui-même ne sait pas encore si l'information sera dorénavant diffusée sur des minidisques, ou par le biais de lignes téléphoniques comme c'est le cas pour les réseaux Derwent et Eurolex. Dans ce dernier cas, il faudrait investir des sommes importantes pour la mise sur pied d'un centre de traitement des données, composé d'un ordinateur de très grande puissance. Néanmoins, cette incertitude n'a pas empêché la croissance de la société. En 1983, on ouvrit un premier bureau aux États-Unis et la société compte, parmi ses clients, l'armée américaine et plusieurs multinationales.

La dernière société d'information de l'empire Thomson, la Computacar, utilise des méthodes différentes pour sa mise en marché. On l'annonce en effet au moyen d'affiches en grandes dimensions représentant une fille aux jambes nues portant un chandail sur lequel il est écrit : « Je crois que nous avons ce que vous cherchez. » Les résultats ne sont pas ceux que l'on attendait, et les ventes, qui atteignent 1 000 000 £, ne suffisent pas pour réaliser des bénéfices substantiels. Chez Thomson, on compte sur la croissance des réseaux de câblodistribution en Grande-Bretagne pour toucher un vaste public.

L'I.T.O.L. fit l'acquisition de la Computacar en 1977, alors qu'elle appartenait à la société Unilever, qui l'avait créée quelques années plus tôt. À l'époque, c'était le premier système en son genre au monde, mais l'idée n'avait pas eu un bien grand succès. Les directeurs de la société Unilever ne se sont pas fait prier pour céder leur filiale à l'I.T.O.L. contre quelques milliers de livres sterling. Nigel Donaldson, le directeur de la société, précise que « l'I.T.O.L. en fit l'acquisition parce qu'elle voulait prendre ainsi pied dans le marché de l'information électronique ». L'année dernière, les transactions réalisées par l'intermédiaire du réseau Computacar étaient au nombre de 20 000, ce qui n'a rien d'extraordinaire. C'est pour cela qu'on cherche à diversifier les activités de la société. On tenta d'utiliser le même système pour la vente de propriétés, ce qui n'eut aucun résultat positif, et Donaldson songe maintenant à étendre les services du réseau de façon à pouvoir l'utiliser pour la vente de motocyclettes et de bateaux. En attendant, on tente de réduire par tous les moyens les coûts d'exploitation, ce qui se fait principalement par la réduction du personnel. « Nous demandons maintenant à nos clients de faire un minimum de trois inscriptions par coup de téléphone, ce qui explique parfois que les communications durent près de quinze minutes, dit Donaldson. Il y a un moyen de réduire ce temps d'appel en demandant aux clients de ne nous donner qu'une seule inscription, et en expédiant des listes beaucoup plus longues. »

Si l'empire Thomson reste propriétaire du réseau Computacar, ce ne serait pas la première fois qu'on garderait, malgré les difficultés, une société qui commence plutôt mal. Il en fut de même pour les « pages jaunes », dont la publication a commencé il y a vingt ans environ, et qui commence à donner quelques signes de rentabilité. C'est Roy Thomson qui avait eu l'idée de lancer un tel service, fort qu'il était de l'expérience des pages jaunes d'Amérique du Nord. Il n'y avait rien de tel qui existait au Royaume-Uni et Thomson était convaincu qu'il y avait là une fortune à gagner. « C'était un service public indispensable et, tout au long de ma carrière, j'avais souhaité réussir à gagner de l'argent en offrant un service public. » Ainsi s'exprime Roy Thomson dans *After I was Sixty*.

Au Royaume-Uni, les annuaires de téléphone sont publiés par le service des postes, qui est par ailleurs responsable du service téléphonique. Thomson dut donc convaincre les directeurs du service postal d'accepter de vendre de l'espace publicitaire dans les pages jaunes. Il dut cependant se rendre compte que ce qui réussissait bien en Amérique du Nord n'était pas nécessairement voué au succès en Grande-Bretagne. Il fallut huit ans environ au public britannique pour s'habituer au nouveau service que Thomson offrait. En plus, les relations particulières qui unissaient la nouvelle société aux services gouvernementaux posaient de sérieuses difficultés.

L'impression des annuaires devait être réalisée par l'imprimeur de Sa Majesté, c'est-à-dire l'agence gouvernementale, à un prix non concurrentiel. Malheureusement, les prix variaient avec le gouvernement au pouvoir et ils étaient souvent fixés à la suite de décisions politiques plutôt que commerciales. Roy Thomson se trouva aussi, bien malgré lui, impliqué dans les conflits qui opposèrent le service des postes à l'imprimerie. Gordon Brunton raconte : « Nous avons appris là une leçon de taille. Il est en effet très risqué d'investir massivement dans une société dont on n'a pas le parfait contrôle. » Si l'idée avait rapporté gros, on aurait pu passer l'éponge ; mais l'I.T.O.L. n'empocha que 25 millions de livres sterling de bénéfices après quinze années d'exploitation.

Quand vint le temps de renouveler le contrat en 1980, la société Thomson en profita pour se retirer de l'affaire, non sans décider de poursuivre la publication des pages jaunes pour son propre compte. Il allait donc y avoir un second livre de référence qui ferait directement concurrence à celui du service des postes. Pour cela, on créa une société en coparticipation — la Thomson Directories —, la Dun & Bradstreet, société américaine spécialisée dans l'impression d'annuaires d'affaires, s'étant jointe à l'I.T.O.L., chacune des sociétés investissant une somme de 10 millions de livres sterling. Cette fois, la nouvelle société allait vendre sans intermédiaire l'espace publicitaire. Les annuaires publiés par la Thomson Directories diffèrent de ceux que l'on trouve en Amérique du Nord parce qu'on y insère des pages contenant de l'information communautaire, des horaires des transports en commun aux activités de loisirs et aux conseils de premiers soins. À ce jour, on a publié 136 annuaires, en prenant le cinquième de la clientèle du service des postes (qui publie 26 annuaires). La raison pour laquelle le nombre d'annuaires publié par la Thomson Directories est si élevé, c'est qu'on a décidé de desservir les villes les plus petites, celles qui sont négligées par le service des postes, de même que les gens qui n'ont pas le téléphone, ce qui est assez fréquent au Royaume-Uni.

Si l'empire Thomson n'a pas connu de succès retentissant au Royaume-Uni avec ses sociétés de presse, c'est parce que leurs directeurs ont multiplié les erreurs. Il leur faut donc maintenant prendre leur mal en patience et espérer que les remèdes qu'ils ont apportés ont été efficaces.

13

À la découverte
de l'Amérique

Jusqu'en 1978, James Leisy, propriétaire de la société Wadsworth Incorporated, n'avait jamais entendu parler de l'International Thomson Organisation Limited. La société Wadsworth était la deuxième maison d'édition scolaire en importance aux États-Unis et Thomson était désireux de s'en porter acquéreur. Leisy préféra l'I.T.O.L. à une société concurrente qui avait aussi fait des offres. La prise de contrôle était d'une importance majeure. C'était d'abord un premier pas pour l'I.T.O.L. dans le marché américain, dont les directeurs s'étaient fixé un objectif assez audacieux, les ventes en Amérique du Nord devant atteindre 500 millions de dollars en 1988. Il avait fallu 19 ans aux autres sociétés de l'empire pour que leurs revenus consolidés atteignent le cap du demi-milliard de dollars. Ensuite, le cas Wadsworth montre bien à quel point la formation et l'expérience des administrateurs de l'I.T.O.L sont variées, tout en permettant de mieux comprendre les méthodes qu'ils utilisent.

Leisy, qui est l'un des fondateurs de la société Wadsworth, est un pianiste qui joue aussi du trombone et qui s'est lancé en affaires en 1954 avec deux confrères de travail. Leisy était représentant de commerce pour le compte de la société Prentice-Hall. Il avait 26 ans quand il quitta son poste. L'un de ceux qui le suivirent était Dick Ettinger, le fils du fondateur de la maison d'édition. Le trio choisit d'établir sa société en Californie, à San Francisco, parce que selon eux, les marchés de New York et de Boston étaient déjà saturés. En Californie, les maisons d'édition spécialisées en livres scolaires étaient plutôt rares et le taux de croissance de la population était l'un des plus élevés des États-Unis. En six ans, les trois hommes avaient récupéré leur investissement initial d'un million de dollars et leur audace avait payé; la Wadsworth (dont la raison sociale était le surnom de l'épouse d'Ettinger) devint la première maison en son genre dans tout l'Ouest des États-Unis. Leisy n'en abandonna pas pour autant sa carrière de musicien. Il est l'auteur de plusieurs chansons populaires, dont *Pinball Millionaire, Please, Tell Me Why* et *An Old Beer Bottle*. En 1967, il devint membre de la West Coast Dixieland Band, petit groupe qui donnait des concerts pour le compte de la société Princess Cruises, dont les bateaux font des excursions vers le Mexique et l'Alaska. En 1976, il s'associa à deux musiciens du groupe de Fred Waring pour écrire des pièces de théâtre chantées pour enfants. Aujourd'hui, la petite société a grandi et est devenue la plus importante en son genre aux États-Unis. Parmi sa production, on retrouve une version musicale de l'oeuvre de Robert L. Stevenson, *L'île au trésor*.

En 1977, alors que le troisième associé s'était depuis longtemps retiré de l'affaire, Leisy et Ettinger se brouillèrent et décidèrent de vendre leur société. Lors des premières négociations, l'I.T.O.L. n'était même pas en lice parmi les acheteurs possibles. Leisy raconte : « Nous avions une dizaine de noms de gens intéressés, dont Harcourt Brace Jovanovich, de la société Times Mirror (propriétaire du *Los Angeles Times*), et Pearson Longman, propriétaire de la société Longman Publishers et du *Financial Times*. Nous avons signé une promesse de vente à Longman, qui était prêt à sceller l'affaire pour 25 millions de dollars. Le *Wall Street Journal* publia un court article annonçant la vente. » Les négociations étaient cependant loin d'être terminées, puisque l'I.T.O.L. se joignit au groupe des spéculateurs.

Leisy poursuit : « J'étais en voyage à New York afin de mettre au point certains détails concernant la transaction, quand je reçus un coup de téléphone à mon hôtel de la part de M. Tucker, de la firme

Brown Brothers Harriman. Celui-ci demanda à me voir et m'annonça que les directeurs de l'I.T.O.L. étaient prêts à offrir plus que le meilleur prix que j'avais obtenu. J'ai consulté mon avocat, qui m'a répondu que je n'avais pas le droit d'ignorer les propositions de l'I.T.O.L. puisque j'étais légalement engagé face aux actionnaires de la Wadsworth. Je rencontrai donc Gordon Brunton et Michael Brown à San Francisco. Brunton présenta l'offre, alignant les chiffres, ce qui nous permit de faire un sérieux travail de débrouillement. J'avais, à ce moment-là, une extinction de voix qui venait sans doute des tensions que j'avais connues au cours des derniers jours. J'avais dressé la liste de mes exigences, qui se chiffraient à 13, et j'étais convaincu que cela suffirait à faire changer d'idée les représentants de l'I.T.O.L. Ils devaient d'abord accepter tout ce que Pearson Longman m'avait consenti. Le reste de mes exigences concernait le maintien du personnel en place, l'assurance que rien ne serait changé dans l'orientation de la société, puis qu'il n'allait pas y avoir de changements non plus dans la raison sociale ou dans la liste des membres du conseil d'administration. Il devait être midi quand mon avocat termina la lecture de notre document. C'est Brunton qui suggéra que nous fassions une pause pour le repas et que nous nous retrouvions à 16 h. Au retour, il annonça que l'I.T.O.L. était toujours intéressée, mais qu'il y avait certaines choses à mettre au point. Tout cela fut réglé le lendemain. Toutes mes conditions avaient été acceptées mais ce n'est pas par contrat que l'I.T.O.L. s'engagea, mais plutôt au moyen d'une entente à l'amiable. J'avoue que depuis ce temps là, j'ai bien été surpris de la bonne volonté avec laquelle on reconnaissait, à l'I.T.O.L., tous les engagements pris ainsi. Il est arrivé à plusieurs reprises qu'il y ait des différends, et nous prétendions chaque fois que cela faisait partie de l'entente intervenue. Sans faire d'histoires, les gens de l'I.T.O.L. en convenaient et nous laissaient faire à notre guise. »

Les directeurs de l'I.T.O.L. avaient décidé de ne prendre pied dans le marché américain qu'un an plus tard. C'est en lisant le *Financial Times* que Brunton prit la décision d'acquérir la Wadsworth, alors qu'on annonçait que Pearson Longman allait en devenir propriétaire. « J'ai téléphoné au représentant de la firme Brown Brothers Harriman, raconte Brunton, pour me plaindre d'avoir perdu une si belle occasion. On me répondit que malgré l'annonce qui était faite, rien n'était encore réglé. Il restait encore un actionnaire majoritaire à convaincre. Il s'agissait en fait d'Ettinger, qui détenait 30 p. 100 des actions. Nous avons donc rencontré Ettinger et les directeurs de la Wadsworth, même si, au départ, ils n'avaient pas du tout l'air intéressés à négocier avec nous. »

Brunton et Brown prétendent qu'il n'est pas nécessaire qu'une prise de contrôle soit violente pour être un succès. Toutefois, il est certain qu'ils ne reculent pas quand il faut mener une chaude lutte pour faire l'acquisition d'une société, comme ce fut le cas pour la Wadsworth. C'est Brunton qui raconte : « J'ai dit aux gens de la société Wadsworth que l'offre de Pearson Longman était ridicule et que nous étions prêts à payer beaucoup plus. (L'I.T.O.L. paya 33 millions de dollars — huit millions de dollars de plus.) J'ai aussi promis qu'ils auraient toute liberté pour exploiter la société à leur guise et que nous ne prendrions aucun dividende pendant cinq ans, ce qui devait leur permettre de réinvestir les bénéfices réalisés. Je proposai enfin de leur fournir un projet financier détaillé, en précisant que s'ils dépassaient les objectifs, ils en tireraient des bénéfices additionnels. »

Leisy sembla bien intéressé parce qu'à partir du moment où la société Wadsworth ne serait plus une compagnie publique, il n'aurait plus à s'inquiéter de la valeur en Bourse des actions. « Ces dernières cinq années n'ont pas été extraordinaires dans le domaine des livres scolaires, raconte Leisy, mais nous avons eu au moins la possibilité de réinvestir nos bénéfices pour assurer notre expansion malgré tout. Non seulement l'I.T.O.L. n'a pris aucun dividende, mais en plus la société nous a fourni de l'argent pour mettre sur pied de nouveaux projets. » Les sociétés Wadsworth et I.T.O.L. ont toutes deux bénéficié de cette entente. La Wadsworth a accru sa part du marché et se retrouve aujourd'hui en cinquième place parmi les éditeurs de livres scolaires en Amérique du Nord. Ces deux dernières années, son taux de croissance des bénéfices était l'un des plus élevés de l'industrie, passant de 42 millions de dollars en 1981, à 58 millions de dollars en 1982, puis à 65 millions de dollars en 1983 ; cette croissance venait surtout d'acquisitions faites avec l'aide de l'I.T.O.L.

Brunton et Brown aiment s'occuper personnellement des prises de contrôle, comme le prouve l'affaire de la Wadsworth. « Nous n'avons pas de service spécialisé pour les acquisitions parce que je crois que ce genre de travail est celui qui convient au directeur d'une grande société », dit Brunton. Et Brown d'ajouter : « Je m'occupe des acquisitions parce que c'est, selon moi, le genre de décision qui est la plus importante en affaires. Au cours de ces quatre dernières années, nous avons acheté plus de maisons d'édition aux États-Unis que toute autre société concurrente. J'ai passé mon temps à courir d'un bureau d'avocats à l'autre, des banques aux compagnies d'assurances et même aux hôpitaux, pour tenter d'établir une liste prioritaire des besoins à combler dans le domaine de l'information, de sorte que nous puissions lancer une revue avec un minimum de risques et un succès presque assuré. » Brown précise aussi que l'I.T.O.L. abandonne bien plus de projets de prises de contrôle qu'elle n'en réalise : « On me présente environ dix nouveaux projets d'acquisitions par semaine, mais je n'en étudie qu'un seul par mois et, finalement, nous n'achetons que trois sociétés par an. »

En 1976, alors que l'empire Thomson n'avait pas encore retiré le moindre cent de ses investissements en mer du Nord, on songeait déjà aux projets que l'on pourrait lancer avec l'argent qui devait provenir de l'exploitation pétrolière. Une telle planification était la preuve qu'on était convaincu, à l'I.T.O.L., qu'il fallait frapper tant qu'on en avait les moyens. On était certain de gagner beaucoup d'argent au début grâce à l'exploitation pétrolière, mais on n'ignorait pas que le pétrole n'est pas renouvelable et que les poules aux oeufs d'or de ce genre finissent bien par mourir. Pourtant, aujourd'hui, 80 p. 100 des bénéfices de l'I.T.O.L. viennent du pétrole de la mer du Nord. Brunton prévoit que ce ne sera plus guère que 20 p. 100 en 1988. On décida donc qu'il fallait se préparer à des changements aussi radicaux et investir l'argent provenant du pétrole dans les sociétés de presse et les services d'information aux États-Unis et, à plus petite échelle, dans les sociétés de voyages et les entreprises pétrolières et gazières d'Amérique. Depuis qu'elle a pris pied aux États-Unis en 1978, l'I.T.O.L. a dépensé plus de 40 000 000 $ (U.S.) pour faire l'achat de maisons d'édition américaines, et 36 000 000 $ pour lancer de nouveaux produits.

À la fin de 1983, l'I.T.O.L. avait 5 000 employés aux États-Unis, où elle versait 25 p. 100 de ses salaires, soit 570 millions de dollars. (Elle compte 22 000 employés à travers le monde.) Selon Michael

Brown, les ventes de l'I.T.O.L. aux États-Unis devraient doubler tous les cinq ans. Il prévoit aussi que la société aura 10 000 employés à la fin des années 80, nombre qui pourrait atteindre 12 000 si l'on tient compte des acquisitions de sociétés. Si l'on atteint l'objectif voulant que les bénéfices des filiales américaines équivalent à la moitié des bénéfices consolidés de l'I.T.O.L. en 1988, on aura réalisé un bon progrès puisqu'il n'y avait aucun bénéfice avant 1982. En 1988, s'il faut en croire Brown, les bénéfices avant impôt atteindront 100 millions de dollars. L'I.T.O.L. est une société canadienne mais ses directeurs prévoient que sa croissance se fera principalement aux États-Unis, surtout dans le domaine de l'édition. Au Canada, l'I.T.O.L. ne possède aucune maison d'édition. Richard Groves, président de l'International Thomson Business Press (I.T.B.P.), affirme qu'il existe un projet visant le lancement de deux nouvelles revues qui seraient les contreparties canadiennes des deux filiales de l'I.T.B.P. : *Medical Economics* et *CableVision*. Cela pourrait être réalisé dans moins de trois ans. On est toutefois conscient, à la direction de l'I.T.B.P., que le marché canadien est très fermé, les sociétés Southam et Maclean-Hunter s'accaparant la majorité du marché avec leurs 60 revues. « Il doit bien y avoir des secteurs de l'activité économique qu'ils ne couvrent pas, commente Groves. Alors on peut être sûr qu'un jour ou l'autre, nous serons présents au Canada. »

C'est l'importance du marché possible aux États-Unis qui justifie l'optimisme de Brown, ainsi que les objectifs fixés pour les années à venir. En 1987, le marché de l'édition dans le secteur de l'électronique atteindra le chiffre de trois milliards de dollars. Quant à celui du logiciel d'affaires et professionnel, il devrait atteindre six milliards de dollars la même année, alors qu'il n'était que de 660 millions de dollars en 1982. Les dépenses de publicité dans les revues spécialisées ont plus que doublé depuis dix ans et c'est un domaine où des marges de bénéfices de 35 p. 100 sont des choses courantes, ce qui est bien supérieur à ce que l'on connaît dans le cas des revues destinées au grand public. Mais ce ne sont pas les seules raisons pour lesquelles l'I.T.O.L. concentre tous ses efforts aux États-Unis. D'abord, le marché est vaste et les possibilités d'expansion au Royaume-Uni sont depuis longtemps réduites à néant. Julian Gamble, analyste et agent d'information de la firme de courtage en investissements

Philips & Drew, de Londres, dit : « Les journaux de l'empire au Royaume-Uni tirent 70 p. 100 de leurs revenus des ventes de publicité, laquelle consiste surtout en offres d'emploi. C'est pour cela que les journaux ont beaucoup souffert de la crise de l'emploi qui sévit en Grande-Bretagne. En plus de cela, il y a deux nouveaux journaux qui ont été lancés dernièrement, ce qui ajoute à la lutte sans merci que se livrent les sociétés de presse pour accroître leur tirage et se garder la faveur des annonceurs. Les revues spécialisées sont souvent distribuées gratuitement et comptent sur leurs revenus de publicité pour survivre. Les revues de consommation, comme celles que possède l'I.T.O.L., doivent faire face à une concurrence toujours plus grande des revues du dimanche, suppléments livrés avec les hebdomadaires, puis compter avec la quatrième chaîne de télévision, appartenant à un télédiffuseur privé qui est en ondes depuis novembre 1982, et qui draine une bonne part des annonceurs qui faisaient traditionnellement appel aux services des journaux et des revues. Avec l'avènement de la télédiffusion par câble, la concurrence n'en sera que plus dure. »

L'I.T.O.L. poursuit son expansion aux États-Unis, mais ne le fait pas de façon désordonnée. Au lieu de cela, on concentre les efforts dans les secteurs qui sont déjà les plus rentables au Royaume-Uni. Les décisions reposent sur des études poussées des perspectives qu'offre chacune des industries pour les années à venir, c'est-à-dire qu'on recherche des sociétés cibles qui présentent d'intéressantes possibilités de diversification. Dans le cas des maisons d'édition, on songe à créer des filiales spécialisées en microfilms, en logiciels, en formation de personnel, en vidéo, etc. En juin 1983, Michael Brown, dans une lettre adressée aux membres du service des acquisitions, précisait que dorénavant les sociétés cibles des « secteurs du marché qui présentent un intérêt particulier pour l'empire » devraient passer une batterie de tests. À la suite de cette directive, on s'est surtout mis à la recherche de sociétés de taille moyenne dans les marchés les plus actifs ; les sociétés doivent occuper une place prépondérante dans leur industrie, avoir une longue espérance de vie, offrir des produits de qualité (de première nécessité autant que possible), ne pas faire face à une concurrence trop vive, et dont la croissance n'est pas entravée par un cycle industriel trop marqué. En plus de tout cela, l'I.T.O.L. recherchait des sociétés qui traitent avec d'autres sociétés, et non avec le grand public, parce que cela permet en général de vendre les produits à un prix bien supérieur, ce qui laisse de bonnes marges de bénéfices et beaucoup de liquidités. (Dans certains cas, l'I.T.O.L. a triplé le prix de vente de certaines publications afin de respecter l'objectif des 20 p. 100 de bénéfices, ce qui est le double de la marge bénéficiaire moyenne dans le domaine de l'édition de revues.) Enfin, on exige que l'équipe de direction fasse la preuve de ses capacités. À ce jour, il n'est pas arrivé que l'I.T.O.L. ait à imposer ses propres administrateurs à la suite de prises de contrôle effectuées aux États-Unis. On évite aussi les prises de contrôle sauvages, qui se soldent le plus souvent par l'achat de moins de la moitié des actions d'une société, car être actionnaire principal n'est pas aussi simple que d'être actionnaire majoritaire. Brown justifie cela en disant : « Nous ne voulons pas être relégués au rang d'investisseurs, nous voulons plutôt être maîtres de notre destinée. »

Compte tenu de tous ces critères, l'I.T.O.L. a identifié six secteurs industriels promis à un brillant avenir. Par conséquent, c'est dans ce domaine qu'on cherche des sociétés cibles pour les prises de contrôle et qu'on a tenté de lancer de nouvelles revues. Il s'agit de l'industrie des loisirs, de l'électronique, des soins de santé, de l'énergie, de l'immobilier et des services financiers. En entamant dès maintenant son programme d'acquisition, l'I.T.O.L. espère se retrouver en position de force au moment où la croissance industrielle s'accélérera. Selon les spécialistes du marché, les soins de santé aux États-Unis devraient avoir augmenté de 400 millions de dollars en 1990 par rapport à ce qu'ils seront en 1985.

Ces dernières années, de 1980 à 1984, les directeurs de l'I.T.O.L. ont investi dans les secteurs qui leur semblaient les plus prometteurs. La filiale de l'empire Thomson possède deux maisons d'édition scolaire (Wadsworth et Van Nostrand Reinhold), et cinq maisons d'édition spécialisées qui sont : Warren, Gorham & Lamont et sa filiale, la société Auerbach Publishers (logiciels et matériel informatique), Callaghan & Company (législations gouvernementales et lois commerciales), Clark Boardman Company (lois sur l'immigration) et Richard De Boo (éditions de droit). Cette dernière société, dont le siège social est à Toronto, est la seule maison d'édition canadienne qui fasse partie des nouvelles filiales.

Ce genre de maison d'édition n'est pas aussi connu du public que celles qui font de l'édition générale, mais elles réalisent des bénéfices avec une constance remarquable car leurs clients sont des professionnels qui ont constamment besoin de l'information qu'elles diffusent. Aux États-Unis, par exemple, on trouve quelque 500 000 avocats et plus d'un million de comptables, ce qui constitue une clientèle intéressante pour les éditeurs spécialisés.

L'I.T.O.L. occupe aussi une place intéressante dans les marchés de l'édition reliée aux services financiers. En 1983, la société a payé 86 000 000 $ (U.S.) pour acheter l'*American Banker*, le *Bond Buyer* et plusieurs autres services d'information constitués de banques de données. L'*American Banker* est un quotidien fondé en 1836 et destiné au monde de la haute finance. Quant au *Bond Buyer*, qui est aussi un quotidien, il fut fondé en 1891 et diffuse de l'information concernant l'achat d'obligations. L'*American Banker* est copropriétaire, avec le Bank Administration Institute, du réseau *Innerline*, service d'information spécialisé dans le secteur bancaire qui diffuse aussi de l'information sur les taux de change. En 1983, ce réseau s'est mérité le grand prix que décerne annuellement l'association américaine des banquiers.

L'International Thomson Business Press, société créée en juin 1980, a un rythme de croissance remarquable, maintenu à coup d'acquisitions plutôt que par la création de nouvelles filiales. Elle compte aujourd'hui 40 revues, 20 périodiques, 13 annuaires et six banques de données ; ses revenus atteignent 150 millions de dollars par année, ce qui en fait la société qui a la croissance la plus rapide en son domaine. Ses revues sont spécialisées dans les secteurs de la santé, de l'énergie, de l'électronique, des télécommunications, des transports, de l'acier et des ordinateurs.

L'I.T.B.P. est aujourd'hui propriétaire de plusieurs sociétés de prestige. Parmi celles-ci, on retrouve l'éditeur du *Ward's Auto World*, revue qui est considérée comme une bible dans l'industrie automobile, la revue *Pacific Shipper*, destinée aux transporteurs maritimes et à leurs employés, et le *Physicians' Desk Reference*, annuaire qui présente de l'information portant sur des produits pharmaceutiques et qui se vend à plus d'un million de copies par an. L'éditeur, la société Medical Economics, occupe le premier rang mondial parmi les éditeurs de revues de santé. L'I.T.B.P. est aussi propriétaire de la société Titsch Communications Incorporated, le plus important éditeur américain de revues spécialisées dans le secteur de la câblodistribution.

Les maisons d'édition dont l'I.T.B.P. a fait l'acquisition présentent une particularité commune. Elles sont en effet toutes engagées dans des secteurs qui se prêtent bien à la mise sur pied de banques de données, que Brunton définit comme « la ressource naturelle la plus importante des XXe et XXIe siècles ». Ainsi, l'information contenue dans le *Ward's Auto World* est aussi diffusée par l'intermédiaire d'une banque de données (« Ward's Auto Bank ») ; la société Broad Run Enterprises, filiale de Ward's, donne des renseignements destinés aux mécaniciens, portant sur l'ensemble des véhicules produits à travers le monde depuis 1970. Quant à la société Titsch, elle met présentement sur pied un système de banque de données qui permettra aux intéressés d'obtenir toute l'information concernant la câblodistribution aux États-Unis.

L'I.T.O.L. était une société inconnue quand elle parut pour la première fois dans les marchés américains. Mais sa croissance effrénée l'a vite fait connaître des investisseurs. Selon William O'Donnell, directeur de l'American Business Press Association, « elle a eu le taux de croissance le plus rapide de toutes les sociétés de l'industrie, et sait insuffler un souffle nouveau aux sociétés qu'elle acquiert ». Ken Noble, analyste à la firme Paine Weber Incorporated, ajoute : « L'I.T.O.L. paie cher ses acquisitions, mais le prix n'est pourtant jamais exagéré par rapport au taux de croissance qu'on espère. Les marchés dans lesquels la société est engagée ont des taux de croissance qui sont parmi les plus élevés, et leurs produits peuvent facilement être adaptés au principe des banques de données. En 1970, le marché de l'information d'affaires devrait atteindre les 30 milliards de dollars aux États-Unis. »

Il y a d'autres analystes financiers qui sont toutefois plus critiques, reprochant à l'I.T.O.L. d'avoir trop investi pour la prise de contrôle de sociétés, surtout dans le domaine des soins de santé. Quand on lui en fait le reproche, Brown a la réponse facile : « Si nous vendions n'importe laquelle de nos acquisitions, nous obtiendrions au minimum le triple des 400 millions de dollars d'investissements que nous avons faits. On ne paie jamais trop pour une société qui a de l'avenir. Il y a deux ans, les analystes affirmaient que nous avions payé trop cher pour prendre le contrôle d'une maison d'édition spécialisée dans le domaine de la santé et pourtant, aujourd'hui, ses gains se sont accrus de 50 p. 100. Le domaine des soins de santé est un secteur en pleine croissance, l'espérance de vie en Amérique augmentant constamment tandis que les services de santé, en général, sont plus importants et plus complets. On a pensé que nous payions trop cher, mais nous avons acheté au moment où le marché était au plus bas. » En plus de cela, l'I.T.O.L. a fait la plupart de ses acquisitions au moment où la livre sterling était très forte par rapport au dollar américain. Par conséquent, à prix égal, les transactions étaient bien plus intéressantes à ce moment-là qu'elles ne l'auraient été en 1983. « Les premiers temps, explique Brunton, nous avons transigé alors que la valeur de la livre sterling oscillait entre 2,25 $ et 2,45 $ (U.S.) ; en 1983, elle n'était que de 1,45 $. »

Au rythme où se sont multipliées les acquisitions ces dernières années, les directeurs de l'I.T.O.L. ont quelque peu perdu leur souffle, d'autant plus que plusieurs des nouvelles filiales ont décidé de tirer parti du projet de développement accéléré de la société mère pour faire l'acquisition de nouvelles filiales ou lancer d'autres produits. La production de la société Wadsworth, par exemple, est aujourd'hui trois fois plus importante qu'elle ne l'était lorsqu'elle passa sous le contrôle de l'I.T.O.L. Par conséquent, les administrateurs du géant canadien ont décidé de limiter les acquisitions en 1984 afin de permettre aux administrateurs de reprendre leur souffle, d'intégrer les nouvelles filiales au sein du conglomérat et de se consacrer aux projets de développement interne. Brown précise bien que cette consolidation est le seul motif qui a poussé le conseil d'administration à ralentir le rythme des acquisitions. On ne prévoit aucun changement de direction, pas de décentralisation ni même de fermeture ou de vente de sociétés : « L'année prochaine, nous serons prêts à reprendre notre rythme endiablé, à condition que le marché soit propice. »

L'I.T.B.P., comme l'I.T.O.L., n'a pas beaucoup de personnel. Il n'y a que quinze administrateurs qui travaillent à Radnor, tous des spécialistes de la haute finance, dont un comptable qui a été le plus jeune associé de la firme Touche Ross et qui a travaillé pour le compte de la maison d'édition J.B. Lippincott Company. Quant à Richard Groves, le président de l'I.T.B.P., il n'a que 55 ans mais paraît encore plus jeune. Il a été directeur des opérations et vice-président de la Chilton Company, société d'édition parmi les plus importantes d'Amérique du Nord dont l'I.T.O.L. a tenté, sans succès, de prendre le contrôle en 1979.

La Chilton Company, qui appartient à la Pew Foundation (une société de fiducie créée par la famille Pew à partir des revenus que lui procure la Sun Oil Company) a émis une première série d'actions sur les marchés boursiers qui lui a valu une trentaine de tentatives de prises de contrôle. C'est finalement l'American Broadcasting Corporation (réseau A.B.C.) qui l'emporta, dont le prix offert était de trois dollars supérieur à celui de l'I.T.O.L. « Les directeurs d'A.B.C. me confièrent le poste de P.D.G., raconte Groves, en plus d'un contrat intéressant, mais il était évident que les administrateurs de la chaîne de télévision ne partageaient pas mon enthousiasme pour le monde de l'édition. » La défaite fut amère pour les directeurs de l'I.T.O.L., qui prirent une espèce de revanche en offrant à Richard Groves le poste de directeur des sociétés d'édition nord-américaines de l'I.T.O.L. ; il s'empressa d'accepter. Pourtant, l'I.T.O.L. a plusieurs administrateurs de talent en ce domaine, mais on a décidé depuis longtemps de ne pas parachuter de personnel britannique aux États-Unis : « Ils ont toujours voulu engager des gens qui connaissaient à fond le marché local », explique Groves.

L'aventure de la Chilton Company fut une leçon qui porta ses fruits et depuis, les administrateurs de l'I.T.B.P. évitent de se lancer de façon aussi téméraire dans le marché des actions, d'autant plus que, dans ce cas-ci, « le propriétaire lui-même ne savait pas qu'il allait vendre sa société », dit Groves. « Dans un tel contexte, poursuit-il, les risques sont grands et l'on ne peut pas prendre de bonnes décisions si l'on ne considère que le prix. » Selon lui, l'I.T.B.P., comme l'I.T.O.L., recherche des sociétés qui conviennent à son style d'administration et cela, parce qu'on veut éviter de changer l'équipe de direction des nouvelles filiales. On a chaque fois réussi à atteindre cet objectif. Toutefois, le responsable des acquisitions à l'I.T.B.P., Peter Sprague, vice-président de 37 ans, a quitté la société au moment où le rythme des acquisitions s'est sensiblement ralenti en 1984. Sprague avait suivi Groves lorsque celui-ci était passé de la Chilton Company au service de l'I.T.B.P. Sprague était spécialiste en planification et s'occupait de l'expansion lorsqu'il travaillait pour le compte de la Chilton. Avant cela, il avait occupé le poste de directeur de la distribution au *Wall Street Journal.*

En dépit d'une planification très poussée, l'I.T.B.P. n'a jamais été à l'abri des coups durs. L'une des principales erreurs qu'ont commises ses directeurs fut d'acheter, en 1981, les maisons d'édition de la société Litton Industries, pour lesquelles on a payé 60 millions de dollars (U.S.) même si, l'année précédente, leurs états financiers consolidés montraient un déficit d'un million de dollars avant impôt. La Litton Industries était propriétaire de filiales solidement implantées dans leur secteur industriel, comme les sociétés Medical Economics et Delmar Incorporated, une maison d'édition, mais son portefeuille contenait aussi des actions de sociétés beaucoup moins intéressantes, dont la Fleet Publishers, maison d'édition canadienne qui avait été créée à partir de l'ancienne filiale de la Van Nostrand Reinhold au Canada. On décida de fusionner le programme de la société Nelson Canada avec celui de la Van Nostrand Reinhold, pour publier l'ensemble par l'intermédiaire de la Fleet Publishers. Selon les analystes, l'I.T.O.L. avait les moyens d'éponger les pertes de la Fleet Publishers, mais on n'a pas l'habitude, à la direction de l'empire, de jouer les philanthropes. « La Fleet Publishers s'occupait surtout de distribution, explique Jack Fleming, et son propre programme d'édition était si disparate qu'il n'y avait pas moyen d'établir un projet structuré de mise en marché. Il y a aussi eu la récession, période qui fut difficile parce que la société tirait une large partie de ses bénéfices de ses services de distribution et dépendait donc d'un grand nombre de maisons d'édition pour survivre. Dans de telles conditions, l'affaire n'était pas simple. »

Tout compte fait, l'I.T.B.P. revendit plusieurs filiales de la Litton Industries pour une somme globale de 20 millions de dollars. Ce qu'il reste de toutes ces filiales rapporte maintenant des bénéfices, mais Groves doit faire des prouesses comptables pour amortir le lourd investissement de l'I.T.B.P. Il explique : « La liquidation d'une partie des intérêts de la société Litton Industries nous a permis de réduire le montant de notre investissement à 40 millions de dollars. Avec cela, la première année, nous avons fait un bénéfice avant impôt de 15 millions de dollars. C'est ainsi qu'au lieu d'avoir payé 60 millions de dollars pour une société qui réalisait des pertes, nous avons en réalité payé 40 millions de dollars pour un groupe de sociétés qui nous apporte des bénéfices de 15 millions de dollars par an. »

Les nouvelles filiales de l'I.T.B.P. conservent toujours leur équipe de direction. Les gens de l'empire Thomson leur imposent cependant un rigoureux exercice de planification selon lequel on établit un plan quinquennal de croissance en planifiant les acquisitions et le lancement de nouveaux produits. Selon Groves, il faut avant tout que les conseils d'administration soient sélectifs. « Dans la plupart des cas, les administrateurs sont habitués à lancer une dizaine de produits et, si cinq d'entre eux au moins se vendent bien, ils considèrent qu'ils ont fait un coup de maître. Nous leur conseillons plutôt de choisir deux produits parmi tous ceux-là, les plus prometteurs naturellement, et de concentrer leurs efforts sur leur mise en marché de façon à tirer le maximum de bénéfices. »

L'investissement requis pour la mise en marché d'un nouveau produit dépend en réalité du marché lui-même. Dans l'industrie de l'automobile, par exemple, la société Ward's investit un montant équivalant à 2 p. 100 de son chiffre d'affaires pour le lancement de nouveaux produits ; dans le domaine de l'électronique, le pourcentage de l'investissement peut être cinq fois plus élevé. Les maisons d'édition qui sont engagées depuis très longtemps dans le même secteur industriel doivent diversifier leurs intérêts et se lancer dans la publication de revues du secteur de la technologie de pointe. La revue *Tooling and Production*, par exemple, consacre maintenant plusieurs pages de la revue à la conception et la fabrication assistées par ordinateur, section qui pourrait bien un jour devenir une revue à part. Les efforts sont aussi soutenus dans le domaine de la bureautique, grâce à la création, il y a deux ans, de l'International Thomson Technology Information (I.T.T.I.), qui publie des revues techniques. Le siège social de la société est situé à New York. Daniel McMillan, son directeur, a laissé son poste de vice-président chez McGraw-Hill pour entrer au service de l'empire Thomson. L'I.T.T.I. possède un nombre impressionnant de filiales, mais il ne faut pas s'y tromper. Pour l'instant, McMillan est seul à la tâche, aidé d'une secrétaire à temps partiel.

La première revue de la société I.T.T.I. a été lancée en mai 1983. Il s'agit de *Management Technology*, destinée aux administrateurs qui s'intéressent à la bureautique. Le marché des revues d'informatique est peut-être saturé, mais il est extrêmement lucratif, ce qui explique les choix de McMillan : « Ensemble, les seize revues les plus importantes du secteur informatique vendent quelque 32 000 pages de publicité par année, c'est-à-dire l'équivalent de 115 millions de dollars. Dans le domaine de la micro-informatique, les dix revues les plus importantes vendent 25 000 pages de publicité par année, ce qui représente une valeur de 100 millions de dollars. » Aussi attrayant que le marché puisse être, McMillan se refuse à lancer une seconde revue informatique dans un proche avenir. Il tient d'abord à ce que la première création de l'I.T.T.I. soit rentable. Bien qu'il ne donne aucun chiffre, il affirme que le lancement d'une nouvelle revue représente un investissement trois fois plus élevé que celui que nécessite l'achat d'une revue existante.

L'I.T.O.L. n'a pas de projet de consolidation des sociétés d'édition de revue. Néanmoins, on encourage la coparticipation quand cela permet de réaliser des économies d'échelle. Plusieurs filiales de l'I.T.B.P. participent aux mêmes salons, font appel aux mêmes ateliers de photocomposition, achètent le papier des mêmes fournisseurs. Groves songe sérieusement à procéder de la même façon avec l'équivalent britannique de l'I.T.B.P., l'International Thomson Publishing, filiale avec laquelle l'I.T.B.P. pourrait partager les coûts de publication et de distribution des revues à travers le monde. La revue *Computer Merchandising*, de l'I.T.B.P., produit aujourd'hui la revue *Computer Merchandising International*, diffusée à l'échelle mondiale. Destinée aux détaillants de micro-ordinateurs, la revue est publiée depuis l'automne 1983 en français, en allemand et en espagnol. Dans d'autres secteurs de l'industrie — dans le domaine médical entre autres —, les filiales ont toute la liberté voulue pour procéder selon les exigences du marché de leur pays.

La filiale de l'I.T.B.P., qui chapeaute les activités des maisons de publication du domaine des affaires, est l'équivalent de l'International Thomson Professional Publishing (I.T.P.P.), engagée dans le domaine de l'édition spécialisée. L'I.T.P.P. gère en plus la société Richard De Boo. Elle a été créée en 1982 dans le but de réunir les activités des maisons de publication du domaine bancaire, comptable, financier et juridique afin d'assurer la rentabilité de l'ensemble. On parvient tout de même à maintenir une certaine décentralisation, chacun des conseils d'administration des différentes filiales étant libre de déterminer l'orientation de la société qu'il dirige.

Le premier président de la société, Art Rosenfeld, avait été président de la Warren, Gorham & Lamont. La création de l'I.T.P.P. est justifiée par le fait que plusieurs filiales de cette société ont des intérêts similaires et connaissent les mêmes difficultés. Il s'agit, dans tous les cas, de maisons d'édition publiant des livres de référence. Leurs revenus proviennent en majeure partie des abonnements et non de la vente d'espace publicitaire. On a rationalisé la production dans la plupart des cas, en utilisant un seul format même si les sujets des publications sont souvent très différents. Un livre de comptabilité publié sur le même papier, avec le même format et relié de la même façon qu'un livre de droit coûte moins cher sur le plan de la production, ce qui laisse une marge de bénéfices accrue.

L'une des difficultés majeures de ce type d'entreprises est le faible tirage de la plupart des titres. Dans certains cas, on imprime aussi peu que 2 000 copies ; par contre, certaines revues atteignent 40 000 exemplaires. Pour pallier cette difficulté, on publie un grand nombre de titres chaque année, avec de fréquentes rééditions. Cette façon de procéder présente toutefois un autre inconvénient, celui d'exiger la remise à jour constante des listes d'envoi et d'abonnés, mais le chiffre d'affaires de ces sociétés n'est pas suffisant pour justifier la mise sur pied d'un système informatique de grande puissance. En 1968, on a mis au point, à la Warren, Gorham & Lamont, un système perfectionné pour faciliter la perception des comptes et exercer le meilleur contrôle possible sur les abonnements. Plusieurs autres filiales de l'I.T.P.P. ont adopté le même système. De tels partages de ressources ont facilité les échanges entre les sociétés soeurs. C'est ainsi que la Warren, Gorham & Lamont, qui fait beaucoup de publicité par téléphone, a offert ses services à la société Clark Boardman, dont les directeurs souhaitaient utiliser les mêmes méthodes.

Les directeurs des services financiers des différentes filiales se rencontrent régulièrement au siège social de l'I.T.P.P. pour mettre en commun leurs expériences et faire part des difficultés qu'ils rencontrent, c'est-à-dire la régularité des approvisionnements, la fluctuation des prix du papier, la mise en place de procédés technologiques de pointe, etc. À la suite de telles rencontres, on s'est uni, par exemple, pour obtenir les prix les plus bas possible de la part des fournisseurs.

Comme les directeurs de l'empire Thomson l'avaient fait envers l'I.T.B.P., on exige des directeurs des filiales de l'I.T.P.P. qu'ils cherchent à renouveler leur production au lieu de compter sur le programme habituel d'édition, même s'il s'agit d'un revenu sûr, car les tirages sont faibles et les revenus également. Selon Rosenfeld, « Les livres de référence destinés aux professionnels ne représentent pas un marché qui a un très haut taux de croissance. En quelques années, une maison d'édition spécialisée atteint le tirage maximal pour chacun de ses titres et sa production se stabilise ensuite. La seule façon pour elle d'assurer sa croissance est de lancer de nouveaux journaux, des périodiques, des revues ou d'augmenter le nombre de ses titres. C'est pourquoi la Warren, Gorham & Lamont, qui n'offrait que 16 titres en 1970, a aujourd'hui 170 publications différentes. »

Parmi les cinq filiales de l'I.T.P.P., il n'y a que la société Richard De Boo qui avait réalisé des pertes l'année où elle fut acquise par l'empire Thomson. C'est d'ailleurs la seule société dont on n'a pas conservé l'équipe de direction et qu'il fallut réorganiser. La gestion de l'entreprise avait été déplorable et les livres comptables étaient mal tenus. Une fois les difficultés aplanies et la rentabilité assurée, la Richard De Boo devrait tenter de prendre une part du marché de l'édition spécialisée en droit et en comptabilité.

Les autres filiales de l'I.T.P.P. avaient déjà établi des programmes d'expansion avant de devenir membres de l'empire Thomson. C'était le cas de la Callaghan & Company, dont Rae Smith est directeur. Smith, qui obtint son diplôme universitaire en prenant des cours du soir et qui travaillait comme gardien de nuit pour payer ses études, débuta chez Callaghan comme commis au service du publipostage, malgré sa formation en droit. Il se hissa jusqu'au poste de directeur, qu'il obtint en 1979. Il tripla le nombre des représentants de la Callaghan & Company, mais décentralisa les services de direction, si bien qu'il n'avait plus sous ses ordres que la moitié du nombre des représentants que dirigeait son prédécesseur. Il accrut aussi le nombre de titres publiés par la société. Selon lui, l'aide de l'I.T.P.P. pour la Callaghan fut surtout financière, ce qui lui permit de poursuivre son expansion en même temps qu'on

273

implantait de l'équipement de pointe afin d'accroître la production et d'en réduire les coûts.

L'I.T.O.L. a fait une bonne affaire en découvrant l'Amérique. Il n'y aurait rien de surprenant à ce que le conglomérat canadien continue à chercher aux États-Unis les moyens d'assurer son expansion.

V
Les autres volets de l'empire

14
L'or noir

La majeure partie des bénéfices de l'empire Thomson provient de l'investissement pétrolier et gazier en mer du Nord. C'est une contradiction de l'empire, qui tire 80 p. 100 des bénéfices de l'I.T.O.L. d'entreprises qu'il ne dirige en aucune façon. En outre, l'I.T.O.L. n'est qu'un investisseur secondaire, détenant 20 p. 100 des intérêts de deux puits de pétrole en mer du Nord, ce qui représente un revenu annuel de 90 millions de livres sterling. La société retire donc les bénéfices de son investissement sans rien avoir à fournir sur le plan du travail ou de l'administration.

Une autre contradiction marquante de l'empire Thomson, c'est que ses administrateurs ont décidé de ne plus investir dans le secteur pétrolier, qui est pourtant sans contredit la pierre d'achoppement de l'empire. De toute façon, on a quand même accru les investissements en mer du Nord au cours de l'année 1983. On a aussi investi une partie de l'argent provenant de l'exploitation pétrolière au Canada et aux États-Unis ces dernières années. Mais on n'oublie pas, chez Thomson, que le pétrole est une ressource qui n'est pas renouvelable et, lorsqu'on parle de l'avenir, on s'intéresse bien plus aux banques de données qu'à l'or noir. « Ces dernières cinq années, les revenus de l'exploitation des puits de pétrole ont baissé. Ils représentaient 80 p. 100 des bénéfices de l'I.T.O.L. ; ils ne sont plus aujourd'hui que de 20 p. 100. La diffusion de l'information techni-

277

que, d'où proviennent pour l'instant 10 p. 100 de nos bénéfices, devrait croître suffisamment pour en constituer au moins 60 p. 100. »

L'I.T.O.L. est propriétaire du cinquième des intérêts des puits Piper et Claymore, en mer du Nord, à 160 km environ à l'est d'Aberdeen. L'exploitation pétrolière est menée en participation avec les sociétés américaines Occidental Petroleum (36,5 %), Getty Oil (23,5 %) et Allied Chemical Corporation (20 %). C'est l'Occidental Petroleum qui a la responsabilité des activités d'exploration sur le terrain. Le consortium a eu la chance de découvrir un véritable « éléphant », ce qui suffirait à faire pâlir d'envie les directeurs de la société canadienne Dome Petroleum Limited, qui attend que ce genre de miracle se produise en mer de Beaufort. Après plusieurs années d'exploration dans l'Arctique canadien, Dome n'a pas encore trouvé de gisement important. Quant au consortium dont Roy Thomson faisait partie, il eut la chance de découvrir de gigantesques réserves de pétrole au troisième forage, celui du champ Piper.

C'est en effet ce que l'on appelle « un éléphant » dans l'industrie, c'est-à-dire un champ pétrolifère majeur, car il contient 700 millions de barils de pétrole. Selon les derniers relevés, on croit même possible que la nappe atteigne 800 millions de barils. Ce n'est pas le dépôt le plus important de la mer du Nord — le record en la matière appartient au champ norvégien de Statfjord, qui compte 3,3 milliards de barils de pétrole. Cela n'enlève rien à la valeur de la découverte. En comparaison, il n'y a qu'un seul champ pétrolifère qui soit plus grand au Texas. Le second puits, qui porte le nom de Claymore et qui est situé à moins de 25 km du puits Piper, a été foré en 1974 (l'année suivant la découverte du premier gisement) mais est plus petit. Il contient 400 millions de barils de pétrole.

En Amérique du Nord, on a beaucoup critiqué la société Dome Petroleum parce qu'elle utilisait l'argent des banques et des agences gouvernementales pour poursuivre l'exploration pétrolière en mer de Beaufort. Dans le cas de l'I.T.O.L., c'est un peu la même chose qui s'est produit. La famille Thomson investit d'abord 5 millions de dollars, puis porta sa part à 500 millions de dollars lorsqu'elle décida d'acquérir 20 p. 100 des intérêts de la société en participation qui devait construire deux plates-formes de forage et un terminal pétrolier en mer. Il était impossible à la famille, comme à l'I.T.O.L., d'emprunter une telle somme, ce qui explique qu'on dut faire appel aux investisseurs privés. On s'assura aussi la collaboration de plusieurs institutions bancaires. Les risques étaient limités pour la famille Thomson ou l'empire parce que les institutions prêteuses avaient accepté la proposition qu'on leur avait faite d'établir des modalités de remboursement en fonction des résultats de l'exploration pétrolière. Les Thomson ou l'empire n'avaient donc pas à mettre leurs actifs en gage.

Ce fut un très bon investissement. Ces dernières années, la production des puits Piper et Claymore atteignit 300 000 barils de pétrole par jour, ce qui représente l'équivalent du sixième des besoins du Royaume-Uni. La part qui appartient à l'I.T.O.L. représente 22 millions de barils de pétrole ou une somme de 400 millions de livres sterling.

L'exploitation pétrolière en mer a posé — et pose encore — des problèmes techniques qui semblent insurmontables. Si les conditions climatiques sont relativement bonnes, la température variant de 0°C à 20°C, la mer du Nord est dangereuse et les tempêtes s'y lèvent parfois en quelques minutes. Les vents violents y sont fréquents, de même que le brouillard. Sur les plates-formes de forage, on trouve des écriteaux qui préviennent les employés du danger qu'il y a à fumer ou à omettre de porter un gilet de sauvetage et des harnais de sûreté. Les plongeurs qui travaillent en mer du Nord, et qui doivent parfois effectuer des plongées à près de 50 m pour inspecter les structures des plates-formes de forage, sont constamment surveillés au moyen d'appareils de télévision en circuit fermé. Un appareil électronique complexe permet de mesurer constamment la température de leur corps et le rythme de leur respiration. Ils portent des combinaisons de plongée dont la température est maintenue à 43°C ; tout écart de température doit être soigneusement contrôlé car il suffirait d'une différence de 2°C pour que la combinaison devienne brûlante.

Pour l'exploitation pétrolière en mer, on se sert de l'eau salée traitée non seulement pour fournir l'eau potable aux quartiers des employés sur la plate-forme, mais aussi pour accroître la pression dans les puits et faciliter l'extraction du pétrole. En plus de l'eau de mer, on se sert aussi beaucoup de boue qui est expédiée dans des containers jusqu'aux plates-formes où, mélangée à l'eau de mer, elle sert à refroidir et à lubrifier les tuyaux qui protègent la tige de forage.

Il faut aussi voir au bien-être des employés. Au puits Piper, hommes et femmes travaillent en communauté, ce qui n'est pas le cas au puits Claymore. Au total, les deux installations emploient plus de 200 travailleurs. Il faut, chaque semaine, pour nourrir les employés du puits Claymore (qui est plus petit que le puits Piper), 675 kg de viande de boeuf, 725 kg de volaille, 900 kg de légumes, 675 kg de produits laitiers et 250 L de boissons en tout genre. Aux repas, on offre un choix de dix menus et de seize desserts. Chaque semaine, les travailleurs en poste à la plate-forme utilisent 600 savons et 650 rouleaux de papier hygiénique ; on y fume 80 000 cigarettes et 1 000 cigares. On lave aussi 3 000 draps et 1 500 serviettes par semaine. L'alcool est la seule chose qui soit interdite. Il est fréquent d'entendre les accents les plus divers, car les travailleurs sont d'origine fort diverses. Le directeur de la plate-forme, par exemple, vient de Provo, en Utah. À chaque voyage, il fait un séjour de 28 jours sur la plate-forme, puis bénéficie d'un congé de 28 jours avant de reprendre le cycle.

C'est Bernard Roy Suttil qui est en charge des intérêts pétroliers de l'empire Thomson. Cet homme de 65 ans, nerveux, gros fumeur de cigares, signe ses lettres de son surmon : « Rab » (parce qu'on le surnommait *Bunny* lorsqu'il était enfant, qui est devenu *rabbit* (de l'anglais, lapin) d'où il tire son surnom). Suttil est né au Royaume-Uni, travailla pour le compte de la société Shell Oil pendant 32 ans et fit même un séjour au Qatar à la tête de la filiale qui chapeaute les opérations de la société dans le Golfe persique. Chez Shell Oil, les employés qui travaillent à l'étranger sont obligés de prendre leur retraite à l'âge de 57 ans. Bien souvent, on tente de les replacer au sein de la société ou de l'une de ses nombreuses filiales. Lorsque Suttil atteignit l'âge critique, l'exploration pétrolière en mer du Nord était en plein boom, et il reçut sept offres d'emploi, dont l'une provenait de Roy Thomson qui venait tout juste de faire ses premiers investissements dans le secteur pétrolier. « J'avais une bonne caisse de retraite, explique Suttil, et j'avais décidé que ce ne serait pas le salaire qui déterminerait mon choix. » L'entreprise était si jeune que Suttil eut toute la liberté pour mettre sur pied sa propre équipe.

C'était en 1974. La société Thomson North Sea n'avait aucun employé suffisamment formé pour mener à bien une entreprise d'exploration pétrolière. Suttil était donc la seule personne compétente. Depuis, l'équipe a grossi et elle compte deux ingénieurs pétroliers, deux géologues, un économiste et un agent de commerce qui s'occupe des ventes de pétrole brut. Suttil fit venir Joseph Darby, qui est aujourd'hui directeur de la Thomson North Sea, qu'il connaissait parce qu'il avait travaillé avec lui chez Shell Oil. Là, Darby avait occupé un poste d'ingénieur pétrolier pendant dix ans. « La société Occidental Petroleum a un personnel hautement compétent, dit Suttil, et je ne vois aucune raison pour que nous cherchions à mettre sur pied une équipe qui lui ferait concurrence. Nous profitons donc du savoir des autres et nous maintenons notre personnel au niveau le plus bas. »

Les représentants du consortium se rencontrent deux fois par année pour discuter de toutes les difficultés qui surgissent, puis on crée des comités techniques chargés de corriger la situation. Aux premiers temps de l'entreprise, les directeurs des filiales britanniques des différentes sociétés du consortium se rencontraient une fois par semaine au bureau de l'Occidental Petroleum. Aujourd'hui, on se contente de réunions mensuelles. Une fois par année, on organise une réunion spéciale consacrée au budget de l'année suivante. Il arrive parfois que de nouvelles sociétés se joignent au consortium lorsque vient le moment de renouveler le permis d'exploitation en mer du Nord. C'est ainsi que les quatre sociétés qui étaient membres du consortium restèrent seules lors des premiers renouvellements du permis de forage, puis acceptèrent la participation de la société Grand Metropolitan lors du septième renouvellement. Au huitième et dernier renouvellement, ce sont les sociétés Getty Oil et Allied Chemical qui se sont retirées de l'affaire. Selon les termes de l'entente intervenue lors de la création du cartel, il est convenu que lorsque l'une des sociétés réussit à prendre part à un projet d'exploration pétrolière à titre individuel, elle doit offrir aux autres sociétés membres la possibilité de participer à l'investissement ; si celles-ci ne sont pas intéressées, elle peut alors procéder seule.

Les puits Piper et Claymore produisent une quantité formidable de pétrole. Cependant, ils sont exploités depuis déjà sept ans et donnent des premiers signes de déclin. Pour l'instant, leur production se maintient à 300 000 barils par jour, mais c'est l'équivalent de ce que produisait le puits Piper à lui seul en 1978. À ce rythme, on s'attend à ce que les réserves soient épuisées en l'an 2000. L'échéance peut paraître lointaine, puisqu'il reste encore quinze ans, mais les directeurs de l'I.T.O.L., qui savaient bien que les bénéfices provenant de l'exploration pétrolière baissaient, décidèrent de prendre part à de nouvelles entreprises d'exploration à partir de 1983.

Selon Michael Brown, il ne s'agit pas d'une consolidation des actifs pétroliers de l'empire Thomson. Si l'on entend poursuivre les investissements dans ce secteur de l'industrie, on souhaite aussi chercher au plus tôt de nouvelles occasions d'affaires alors que les puits de Piper et de Claymore sont encore productifs. Les nouvelles acquisitions devront produire des bénéfices à la fin des années 80 et tout au long des années 90. À ce moment-là, les deux puits originaux déclineront rapidement. On a donc investi 14 millions de dollars en 1983 pour acquérir 8 p. 100 des intérêts du champ pétrolier de Balmoral, toujours en mer du Nord, qui contient 70 millions de barils de pétrole. Dans cette affaire, l'empire Thomson est associé à la société Clyde Petroleum P.L.C. de Grande-Bretagne. L'I.T.O.L. doit investir, au total, 120 millions de dollars. Le projet global coûtera 700 millions de dollars et l'on prévoit vendre du pétrole à partir de 1987. C'est cette année-là justement que l'on prévoit que la production des puits Piper et Claymore entamera un déclin rapide.

Quand on compare l'investissement fait à Belmoral avec ceux qui avaient été nécessaires pour les deux premiers puits, le montant paraît peu important. Les directeurs de l'I.T.O.L., selon Michael Brown, ont préféré investir peu mais sûrement, dans un champ pétrolier reconnu, plutôt que de prendre le risque de financer directement l'exploration. L'affaire permettra donc à l'I.T.O.L., à long terme, d'assurer la stabilité de ses revenus pétroliers. Elle présentait toutefois un avantage plus immédiat, celui d'amener une substantielle économie d'impôts. C'est que le gouvernement britannique impose lourdement les sociétés pétrolières de la mer du Nord. En 1982, par exemple, l'I.T.O.L. a versé 158 millions de livres sterling en impôt, ou 40 p. 100 environ de ses bénéfices provenant du pétrole. Grâce à sa participation au champ Belmoral, l'I.T.O.L. aura droit à un remboursement de 52 p. 100 des sommes investies.

Les puits de pétrole de la mer du Nord produisent 90 p. 100 des revenus pétroliers de l'I.T.O.L. Cependant, la société est de plus en plus présente aux États-Unis et au Canada, où elle a fait ses premiers investissements dans le secteur pétrolier et gazier en 1978 (États-Unis) et en 1983 (Canada). Avant cela, l'I.T.O.L. avait fait quelques essais malheureux dans le Sud-Ouest américain en 1978, plus précisément au Dakota du Nord. On décida alors de former une société en participation, la Thomson-Monteith, en associant les intérêts de l'I.T.O.L. à ceux d'Ed Monteith, de Dallas. Les directeurs de l'I.T.O.L. ont accepté de fournir 90 p. 100 des sommes nécessaires aux activités de la Thomson-Monteith pour les six premières années. À la fin de ce délai, en 1983, l'I.T.O.L. avait investi 47 millions de dollars et il fut décidé que la Thomson-Monteith recevrait une somme additionnelle de 15 millions de la part de la société mère.

Pour investir de telles sommes d'argent, il fallait avoir foi en Ed Monteith. L'homme savait plaire et son expérience passée inspirait confiance aux gens de chez Thomson. Monteith, qui a 62 ans, n'a rien de l'image traditionnelle du Texan, coiffé d'un Stetson et chaussé de bottes de cuir. Il parle bas et porte chemise et cravate. Son bureau n'est pas décoré de derricks miniatures, mais plutôt de pièces d'artisanat indien. S'il n'a rien de la légendaire jovialité des Texans, Monteith a acquis une expérience formidable dans le domaine de l'exploration pétrolière, au point que les producteurs de la série télévisée américaine *Dallas* ont fait appel à ses services en tant que conseiller technique. C'est un homme charmant, prompt à faire plaisir. Lorsque Kenneth Thomson, accompagné de sa famille, visita les installations pétrolières de la société que dirige Monteith, les employés avaient capturé un serpent à sonnettes qu'ils avaient mis en cage. Pour faire plaisir à ses invités, Monteith s'est chargé de faire transférer le serpent dans un baril, de sorte qu'ils puissent le voir de plus près.

C'est en 1973 que Monteith rencontra les directeurs de l'empire Thomson pour la première fois. Michael Brown venait lui demander une assistance financière dans le cadre du projet Piper. Monteith venait tout juste de déménager à Londres, où il avait accepté le poste de directeur de la société International Energy Bank nouvellement créée, consortium multinational devant financer l'exploration pétrolière. Parmi les membres de l'institution, on retrouve la Bank of

Scotland, Barclays, la Banque Impériale de Commerce du Canada et la Republic Bank of Dallas, qui est en fait l'employeur de Monteith et l'institution bancaire la plus engagée dans le secteur pétrolier. En prenant la direction de la nouvelle banque internationale, Monteith n'avait pas laissé son poste de vice-président de la Republic Bank, conservant ainsi la responsabilité des investissements pétroliers et miniers.

Lorsque Brown fit la connaissance de Monteith, l'International Energy Bank n'existait encore que sur papier. Le projet Piper permit à la banque de connaître des débuts plutôt rapides. Brown venait en effet négocier un prêt de 100 millions de dollars alors que la société Occidental Petroleum, qui était associée à Thomson dans l'affaire, demandait pour sa part 150 millions de dollars. Plus tard, les deux mêmes sociétés se sont adressées à l'International Energy Bank pour emprunter respectivement 100 millions et 175 millions de dollars dans le cadre du projet Claymore.

Au début, Monteith ne devait pas passer plus de six mois à Londres. Finalement, il y était encore en 1976, année où il retourna à Dallas. C'est à ce moment-là qu'il prit la décision d'investir dans le secteur pétrolier et se mit à la recherche d'un partenaire. À l'occasion d'une réunion des directeurs de l'International Energy Bank qui avait lieu à Londres, Monteith parla de son idée à Michael Brown. Peu après naissait la Thomson-Monteith.

L'affaire était modeste au début et Monteith, avec sa secrétaire (qui avait travaillé avec lui 12 ans à la Republic Bank), étaient les seuls employés. La société compte aujourd'hui 47 employés, qui sont pour la plupart des gens dans la trentaine. La moitié de ceux-ci travaillent au siège social de Dallas, situé dans un édifice qui fait face à celui de la Republic Bank, et les autres sont disséminés dans les chantiers de la société au Texas, en Oklahoma, en Louisiane et au Mississippi. Dans ces régions, les forages pétroliers sont aussi dangereux qu'en mer du Nord, pour d'autres raisons cependant. Le puits le plus important de la société est situé à Columbus, au Mississippi, sur des terrains appartenant au gouvernement fédéral (il s'agit en fait d'une base militaire) qui doit toucher 12,5 p. 100 des revenus d'exploitation du champ pétrolifère.

Les puits sont situés au milieu de la base militaire, et c'est pour cela qu'on impose aux travailleurs des mesures draconiennes pour éviter les accidents, alors qu'ils circulent au milieu des champs de tir, des dépotoirs où l'on jette bombes et munitions, et des bombardiers. Ce ne sont pas les seuls risques cependant. Le terrain avoisinant est marécageux et la forêt est souvent impraticable. Les marais sont infestés de reptiles dangereux, voire mortels. On abat les serpents à vue. Les Texans ont la réputation d'exagérer, mais ils ne mentent pas quand ils disent que les piqûres des insectes gonflent tant qu'elles deviennent souvent de la grosseur d'une balle de golf.

Les terrains de Tulsa, en Oklahoma, sont encore plus dangereux. Il y a là aussi des serpents vénéneux, mais ce qu'on a le plus à craindre, ce sont les puces de sable. Leurs piqûres, par l'infection qu'elles causent, provoquent de fortes fièvres qui peuvent même mener à la mort. Les travailleurs ont pris l'habitude de porter sur eux des flacons de vernis à ongles dont ils recouvrent les piqûres de puces, car c'est le seul moyen efficace pour les éloigner.

L'expansion de la société Thomson-Monteith devait se faire par l'acquisition de puits de pétrole, et non par l'exploration, qui est beaucoup plus risquée. À ce jour, on a investi 120 millions de dollars et on prévoit ajouter 80 millions de dollars au cours de l'année 1985. Monteith a choisit le meilleur moment pour l'expansion, puisque les bonnes affaires ne manquent pas. Avec la baisse des prix du pétrole, qui se poursuit depuis 1982, plusieurs sociétés ont dû liquider leurs actifs. « En 1982, nous avions identifié 132 champs pétrolifères qui étaient à vendre, dit Monteith. Nous en avons éliminé une bonne partie pour ne nous intéresser qu'à 34 d'entre eux. Parmi ceux-là, nous en avons retenu 25 et, finalement, nous en avons acheté deux. »

Monteith n'était pas le seul à prendre conscience qu'il y avait des avantages à tirer du malaise que causait la baisse des prix du pétrole au sein de l'industrie. Les luttes étaient vives et les investisseurs se montraient avides de trouver la meilleure affaire. Parmi ceux-ci, on retrouvait des sociétés qui n'avaient aucun intérêt dans l'industrie pétrolière et qui avaient des moyens bien plus considérables que ceux de la société Thomson-Monteith. C'est pour cela que Monteith se décida à jouer les détectives et s'attarda à rechercher les perles rares, ces bonnes occasions qu'on n'avait pas encore tenté de transiger sur les grands marchés.

Depuis 1982, la Thomson-Monteith fait de l'exploration pétro-lière en prenant toutefois soin de diminuer les risques par la coparticipation. Deux sociétés se sont donc jointes à elles : la Liggett Myers, qui appartient à la Grand Metropolitan (qui est déjà partenaire de l'empire Thomson dans l'exploitation pétrolière en mer du Nord) et la Trafalgar House, société britannique. Monteith a bien mené ses affaires. Dans l'entente qui le lie à la Liggett Myers, cette dernière société doit débourser 65 p. 100 du montant des investissements pour n'obtenir que 55 p. 100 des revenus, alors que la Thomson-Monteith assume 35 p. 100 des coûts et touche 45 p. 100 des bénéfices. Monteith a réussi à imposer de telles conditions parce qu'il est probable que le taux de rendement de l'investissement sera d'au moins 35 p. 100. Dans le cas de la Trafalgar House, la Thomson-Monteith reçoit 25 p. 100 des revenus en ne payant que 10 p. 100 de l'investissement initial ; là, on s'attend à un rendement après impôt de 25 p. 100 sur l'investissement.

La société Thomson-Monteith cherche aussi à acheter des puits de pétrole en dernière phase d'exploitation. Monteith explique : « Ils coûtent beaucoup moins cher que les puits plus récents et peuvent rapporter plus, toute proportion gardée, parce que les revenus projetés dépassent largement le prix d'acquisition. » (Dans ce genre d'exploitation, on noie les nappes de pétrole afin de ramener à la surface le pétrole qui ne peut être extrait par des moyens conventionnels.) Selon Monteith, si l'ensemble des projets actuels se réalisent, les revenus de la Thomson-Monteith augmenteront de 20 millions de dollars pour atteindre un total de 50 millions de dollars en 1988. Le revenu net, qui aura alors quadruplé, atteindra 26 millions de dollars. S'il en était ainsi, les directeurs de l'I.T.O.L. auraient de quoi se réjouir.

Au cours de l'année 1982, alors que la Thomson-Monteith était en pleine période de croissance, Michael Brown proposa qu'on lance une entreprise semblable au Canada. Bien que l'I.T.O.L. soit une société canadienne, ses administrateurs ne s'étaient jamais intéressés à la recherche pétrolière au Canada. À l'exception d'un essai assez timide, qui consistait en un faible investissement dans une société qui s'appelait Star Exploration et qui était une filiale de la maison d'édition Nelson Canada. Cette société s'occupait de l'entreprise parce que c'était la plus importante filiale de l'empire au pays. Il y eut aussi, par la suite, des intérêts indirects dans le secteur pétrolier puisque l'I.T.O.L. acheta la Compagnie de la baie d'Hudson, qui est propriétaire majoritaire de la Roxy Petroleum Limited.

C'est en 1982 que Thomson s'intéressa particulièrement à l'industrie pétrolière alors que le gouvernement venait de lancer son Programme énergétique national (fin de 1981). Pour favoriser la canadianisation des intérêts pétroliers, le gouvernement offrait d'aider financièrement les sociétés canadiennes qui étaient prêtes à investir dans l'exploration pétrolière. De nombreuses sociétés américaines, qui trouvaient qu'une telle mesure était injuste, décidèrent de vendre leurs actifs à des prix bien en-dessous de leur valeur réelle, ou cherchèrent à s'associer à des sociétés canadiennes afin de bénéficier des subventions gouvernementales. « Il était tout à fait normal que nous cherchions à notre tour à investir dans le secteur pétrolier au Canada, puisque nous y avions tous les appuis nécessaires », explique Monteith.

Monteith proposa que l'entreprise soit confiée à Richard Jensen, un Canadien qui habitait à Dallas. Comme Monteith, Jensen avait travaillé pour une institution financière, ayant dirigé le service des prêts à l'industrie pétrolière et gazière de la Banque Royale du Canada. Jensen connaissait les directeurs de la société Thomson. Le siège social de la Banque Royale est en effet situé à Toronto et l'institution avait participé au financement des investissements de Roy Thomson en mer du Nord. Jensen avait rencontré Roy Thomson à l'époque où ce dernier faisait partie du conseil d'administration de la banque, et il connaissait aussi John Tory, qui siégeait avec Thomson au conseil d'administration.

Jensen laissa son poste à la Banque Royale en 1978 pour prendre la présidence de la société Oakwood Petroleum Limited de Calgary, une entreprise privée. En 1981, il fut muté à Dallas avec pour mission de créer une filiale américaine. À ce moment-là, beaucoup de sociétés canadiennes en faisaient autant, en bonne partie à cause des contraintes imposées par le programme énergétique national du gouvernement canadien. L'entreprise ne fut pas heureuse et la société Oakwood Petroleum se trouva rapidement en difficultés financières.

En dépit de sa position précaire, Jensen refusa trois fois l'offre que lui faisaient les directeurs de Thomson de s'associer à leur société, car il ne voulait pas revenir au Canada à cause des désavantages fiscaux que cela représentait, compte tenu de la faillite probable de la filiale américaine de la société Oakwood Petroleum. Conciliants, les représentants de la société Thomson proposèrent que le siège social de la Thomson-Jensen soit situé à Dallas, puis déménagé au Canada au cours de l'automne 1983, moment plus propice pour Jensen. Au cours de la première année d'existence de la nouvelle société, Jensen fit souvent le voyage entre Dallas et Calgary, car en plus d'attendre le retour du directeur au pays, les gens de l'I.T.O.L. avaient accepté de lui offrir une partie des actions, comme on l'avait fait pour Monteith. Mais Jensen est un actionnaire bien minoritaire alors que Monteith détient 10 p. 100 des actions de la Thomson-Monteith.

Ce n'est qu'après quinze mois d'activités que Jensen fit le premier investissement canadien de la société. Ce n'était pas une mince affaire : il paya 48 millions de dollars pour la totalité des actions de la Global Arctic Island Limited, de Calgary, qui appartenait à la société Global Natural Resources Incorporated, de Houston. Jensen précise que ce n'est pas la transaction qu'il avait privilégiée, mais qu'il avait décidé d'acquérir les actions de la Global Arctic à la suite du désistement de la société cible. Au bout du compte, il en sortit gagnant puisque la Global Arctic produit 1 250 milliards de litres de gaz et plus d'un million de barils de pétrole par an, sans compter que les quelque 32 000 hectares de terrain qu'elle possède, surtout en Alberta, semblent riches en réserves de pétrole.

La société Global Natural Resources, maison mère de la Global Arctic, était aussi engagée au sein d'un consortium dirigé par Panarctic Oils Limited, qui possédait des concessions totalisant plus de cinq millions d'hectares dans l'Arctique canadien. Pour pouvoir bénéficier des subventions gouvernementales promises aux sociétés canadiennes, la Global Natural Resources céda tous ses intérêts canadiens à sa filiale, qui appartenait à la Thomson-Jensen, société canadienne. Selon l'entente intervenue, la Thomson-Jensen touchera 50 p. 100 des intérêts de l'exploration arctique de la Global Natural Resources, en plus d'un boni de 10 p. 100 sur les revenus produits par forage forcé des puits abandonnés.

Ce n'était toutefois là qu'une facette du plan de Jensen. Au départ, la Global Natural Resources ne voulait vendre qu'une partie de sa filiale à une société canadienne, aux seules fins de profiter des subventions gouvernementales. À cela, Jensen répondit que sa société n'était pas tentée d'acquérir des intérêts minoritaires: «Il n'est pas très utile de détenir des intérêts minoritaires dans une société en participation parce qu'on n'a aucun contrôle des dépenses et des bénéfices», dit-il. Avec l'achat de la société Global Arctic, la Thomson-Jensen gagnait du même coup une équipe d'experts et des locaux pour son siège social. Jusque-là, Jensen avait travaillé chez lui; la Global Arctic avait 17 employés, auxquels Jensen ajouta trois nouveaux venus.

En devenant membres de l'empire Thomson, les nouvelles filiales bénéficient des moyens financiers du conglomérat et, sous cet aspect, la Thomson-Jensen ne fait pas exception à la règle. Avec les capitaux fournis par l'I.T.O.L. et l'appui des institutions financières (qui sont toujours décidées à prêter lorsque les garanties sont aussi sûres), la Thomson-Jensen est à la recherche de nouvelles acquisitions. « L'achat de la Global Arctic n'était pas notre objectif ultime, affirme Jensen. Nous avons l'intention de faire de nombreuses autres acquisitions. »

Les sociétés Thomson North Sea, Thomson-Monteith et Thomson-Jensen partagent leurs directeurs qui siègent au sein de plusieurs conseils d'administration, mais leur indépendance est totale. La seule fois où l'une de ces filiales a tenté de s'introduire dans les affaires d'une société soeur, ce fut un fiasco. En effet, c'est la direction de la Thomson-Monteith qui avait suggéré à une société pétrolière indépendante de Dallas, qui voulait vendre ses intérêts pétroliers en mer du Nord, de rencontrer les gens de la Thomson North Sea afin de leur faire des offres. L'affaire tourna court.

L'acquisition d'intérêts pétroliers en Amérique du Nord par l'I.T.O.L. peut n'être que le début d'une politique d'expansion internationale. Selon Suttil, il convient de concentrer les efforts sur un pays à la fois, précisant qu'« en temps et lieu, nous nous engagerons dans d'autres pays, à condition que les risques ne soient pas trop élevés et que les sommes requises soient raisonnables ». L'effort des administrateurs des filiales de l'empire Thomson pour accroître leurs intérêts dans le monde des communications et des banques de données a relégué, pour un temps, les intérêts pétroliers au second plan. Mais on ne doit pas douter pour autant que les revenus de l'exploitation pétrolière compteront, pendant longtemps encore, pour une bonne part des revenus totaux de l'I.T.O.L.

15

Les mauvaises affaires

En s'engageant dans les marchés nord-américains de l'édition et de l'informatique, l'empire Thomson a fait sa fortune. D'autres tentatives de percer dans d'autres secteurs de l'économie n'ont pas été aussi réussies, malgré que la création d'une filiale américaine de la Scottish and York Insurance, en 1975, et l'achat de la Compagnie de la baie d'Hudson en 1979 pour une somme de 640 millions de dollars semblaient être de bonnes affaires. En créant une filiale américaine de la Scottish and York Insurance, les directeurs de l'empire voulaient accaparer une part du marché lucratif des assurances tous risques en Amérique du Nord. L'achat de la Compagnie de la baie d'Hudson s'expliquait d'abord pour des raisons de prestige, puisque c'est la plus vieille société canadienne (sa charte date de mai 1670) et aussi la plus grande chaîne de magasins du pays, sans compter qu'elle possède un portefeuille d'actions relativement diversifié, avec des intérêts dans les secteurs pétrolier, gazier et immobilier.

Malheureusement, les deux nouvelles filiales connurent une longue période de difficultés économiques et des disputes internes qui se soldèrent par le départ de plusieurs administrateurs de haut rang. Mark Landis, directeur de la Scottish and York aux États-Unis, céda aux pressions qu'on exerçait sur lui et remit sa démission.

Edgar Burton était président de la société Simpsons, qui avait été achetée par la Compagnie de la baie d'Hudson peu de temps avant que cette dernière soit la cible de l'I.T.O.L. ; il avait des idées bien arrêtées et, malheureusement pour lui, opposées à celles des directeurs de la chaîne de magasins rivale quant aux services qu'il fallait offrir aux clients. « C'est le plus fort qui fait la loi », disait-il philosophiquement. Avec lui, plusieurs administrateurs ont quitté la société Simpsons, lors de ce qui fut ni plus ni moins un balayage administratif effectué par les directeurs de la Compagnie de la baie d'Hudson. Aujourd'hui, il ne reste aucun des administrateurs qui siégeaient au conseil d'administration de Simpsons à l'époque de la prise de contrôle par sa rivale.

À la lumière des difficultés qui se présentaient aux États-Unis, les directeurs de la Scottish and York ont décidé de limiter leurs efforts d'expansion outre-mer et réduisirent leurs services, autant que possible, sans pour autant renoncer définitivement au marché américain. Les affaires n'étaient pas aussi critiques dans le cas de la Compagnie de la baie d'Hudson, dont la situation financière s'améliora assez rapidement. Sur le plan des relations de travail, on ne réussit pas à effacer toutes les rancoeurs qu'avait provoquées la véritable assimilation de la société Simpsons par sa rivale. De toute façon, le changement de propriétaire n'a rien modifié aux résultats financiers de la Simpsons, qui perdait encore de l'argent en 1983.

L'aventure américaine de l'empire Thomson avait mis John Tory, qui est en quelque sorte le cardinal Richelieu de l'I.T.O.L., sur la sellette. C'est lui qui avait pris la responsabilité de réduire au minimum les activités américaines de la Scottish and York à la suite de ses piètres résultats financiers. Quant à la Compagnie de la baie d'Hudson, c'est encore Tory qui avait suggéré que l'I.T.O.L. en fasse l'acquisition. C'est là une preuve de l'influence qu'il exerce au sein de l'empire, alors qu'il avait réussi à convaincre Kenneth Thomson de prendre le contrôle d'une société dont les actions sont inscrites en Bourse. Sans qu'on ne s'y attende vraiment, le coup de dés donna la victoire à l'I.T.O.L., qui devint propriétaire de la Compagnie de la baie d'Hudson. Les réjouissances furent de courte durée, car peu de temps après, la nouvelle filiale enregistrait des pertes record de 127 millions de dollars ; c'était en 1982. Ce qui rendait cela encore plus difficile à accepter, c'est que la société rivale, Simpsons-Sears Limited, fit un bénéfice de 32 millions de dollars cette même année.

L'histoire de la filiale américaine de la Scottish and York Insurance est un exemple de ce que l'on appelle « la théorie des dominos », selon laquelle les erreurs s'appellent les unes les autres au point de se suivre en cascade et de transformer une société prospère en une entreprise déficitaire. Il est vrai que, dans ce cas-ci, la société d'assurances était engagée dans un secteur très difficile et que la concurrence était vive. On avait aussi un programme d'expansion trop ambitieux et il y avait, en plus, des frictions importantes entre le président de la filiale américaine et les autres directeurs, qui étaient à Toronto. Avec les difficultés financières, la tension s'accrut, puis le président finit par démissionner.

Aujourd'hui, la filiale américaine de la Scottish and York n'est plus que l'ombre d'elle-même. L'édifice du siège social a été vendu et il ne reste plus que le tiers des 700 employés. C'est là un piètre bilan quand on sait ce que les directeurs attendaient de cette filiale créée en 1975, soit trois ans avant que l'on ne fasse l'acquisition de la Wadsworth aux États-Unis.

Pour tenter de percer dans le marché américain, la Scottish and York acheta deux petites sociétés d'assurances, la Lincoln Insurance et la Guarantee Insurance. Elles étaient la propriété de Landis, un jeune entrepreneur de New York qui était à la recherche d'un associé disposant des capitaux nécessaires pour faire de ces sociétés les plus importantes en leur genre aux États-Unis dans le secteur des assurances tous risques. La société mère britannique acheta 80 p. 100 des actions des sociétés de Landis et investit plusieurs millions de dollars pour accroître leurs services. On offrit un contrat de cinq ans à Landis, qu'on renouvela pour une période de deux ans en 1980. La Scottish and York était une société beaucoup plus importante que celles qu'elle acheta de Landis. Cependant, ce dernier ne prétendait pas moins pour autant qu'il n'aurait jamais accepté de vendre ses sociétés s'il n'avait pu traiter avec la famille Thomson : « Selon moi, la puissance financière de la famille Thomson était l'un des atouts de la Scottish and York. »

Au cours des cinq premières années, la filiale américaine de la Scottish and York connut une croissance spectaculaire — trop rapide en réalité, comme on l'apprendra par la suite. Les sociétés Lincoln Insurance et Guarantee Insurance étaient présentes dans 18 États ; la Scottish and York y ajouta 11 États additionnels et ouvrit six bureaux régionaux. Cette expansion rapide semblait justifiée par les premiers succès. Le chiffre d'affaires passa de cinq millions de dollars en 1975 à cent millions de dollars en 1980. Obnubilés par leurs succès, les directeurs de la société n'ont pas su percevoir les signes avant-coureurs de la crise qui allait durement toucher le secteur des assurances tous risques aux États-Unis. Par conséquent, la Scottish and York fut l'une des sociétés les plus touchées.

Il y a bien des multinationales qui seraient tentées d'acheter les sociétés d'assurances du secteur de la Scottish and York parce que le taux de croissance moyen y est de 20 p. 100 par an. Mais la concurrence est très vive et les petites sociétés, comme la filiale de l'empire Thomson, ont de la difficulté à résister aux véritables marées que provoquent les grandes sociétés. Ces dernières réduisent en effet, à l'occasion, leurs primes d'assurances, coupant ainsi l'herbe sous le pied des plus petites. Dans un tel contexte, il est facile d'expliquer que les pertes, dans ce secteur du marché des assurances, atteignirent la somme de huit milliards de dollars en 1983 alors qu'elles avaient été de six milliards de dollars en 1982 !

Compte tenu de cela, il est évident que la Scottish and York se retrouvait en mauvaise posture, au mauvais moment et au mauvais endroit. En plus, ses administrateurs ont commis des erreurs grossières à un moment où il leur aurait fallu agir avec une prudence extrême. Une bonne partie du chiffre d'affaires de la filiale américaine provenait de la vente de contrats d'assurances aux sociétés de transport commercial, le secteur qui, selon Mike Franquelli qui est courtier en investissements à la firme Salomon Brothers de New York, « est le pire de tous ceux dans lesquels on peut investir à cause de la dure concurrence qui y sévit ». Il en est ainsi depuis que le gouvernement américain a déréglementé le transport routier. Les camionneurs se sont opposés à l'augmentation des primes d'assurances et, devant leur front commun, les sociétés ont été forcées de maintenir ou de baisser leurs tarifs, ce qui les obligeait à travailler à perte.

Cependant, ce ne sont pas les seules erreurs qu'ont commises les directeurs de la Scottish and York. Ils ouvrirent, par exemple, une filiale aux Bermudes à une époque où plusieurs autres sociétés d'assurances avaient déjà fait de même. On tenta aussi de s'engager dans le marché des assurances tous risques pour les motocyclistes, qui est considéré comme un secteur peu rentable, ou encore dans le domaine des rassemblements publics (où les sociétés d'assurances aident les promoteurs à supporter le risque d'accidents lorsque des dizaines de milliers de personnes se trouvent réunies en un seul lieu). Cette fois encore, Franquelli affirme que « c'est la pire chose à faire pour une société d'assurances », parce qu'au moindre accident les réclamations peuvent atteindre des montants astronomiques.

La Scottish and York aurait sans doute pu se tirer d'affaire si elle n'avait pas eu, de surcroît, des difficultés avec son système informatique. En effet, il fallut six mois pour installer un nouvel ordinateur, ce qui fut fait à la fin de l'année 1981, à l'époque où le marché américain était au creux de la vague. À ce moment-là, la Scottish and York était incapable de traiter la masse d'informations dont elle avait un besoin vital. Il aurait été beaucoup plus sage de continuer à utiliser l'ancien système jusqu'à ce que le nouvel ordinateur soit entièrement opérationnel, mais on pensait économiser de l'argent en substituant le nouveau système à l'ancien alors que rien n'était encore rodé. La leçon fut coûteuse et c'est ce qu'on peut appeler « des économies de bouts de chandelles ».

En plus du nouveau système informatique qui fut longtemps défectueux, la Scottish and York eut à souffrir les conséquences des mauvais choix de ses directeurs, qui avaient acheté, entre autres, la société Tri-American Corporation. Cette société était spécialisée dans l'assurance automobile. Pour en prendre le contrôle, la Scottish and York déboursa 12 millions de dollars en avril 1981 et dut la revendre, dix-huit mois plus tard, pour la somme de 7,5 millions de dollars.

Les membres de la direction ne s'entendaient pas entre eux et il arrivait souvent que les disputes traînent en longueur lorsqu'il s'agissait de régler une difficulté particulière. Selon John Tory, il aurait fallu que la société emprunte plus d'argent afin d'accroître son capital de risque. Cela aurait été la seule façon de ne pas laisser descendre la valeur nette de la société au-dessous des limites imposées par la loi des assurances aux États-Unis. Landis était vivement opposé aux solutions proposées par Tory, car il craignait que le chiffre d'affaires ne baisse et rende difficile à supporter la charge de nouveaux emprunts.

De toute façon, il était illusoire de croire qu'on pouvait ramener la bonne entente au sein du groupe de directeurs parce que Landis était un entrepreneur qu'il était naturellement impossible de faire plier aux exigences du conglomérat. C'est lui qui dit : « Quand tout va bien, les relations d'affaires sont assez faciles, ou du moins passables. Si tout va mal, nous sommes à couteaux tirés. » Il finit par croire qu'aux yeux des administrateurs de l'I.T.O.L. la filiale américaine de la Scottish and York était une toute petite société et qu'il n'y avait aucune raison pour qu'on lui accorde une attention particulière. C'est à John Tory que Landis a fait part de ses récriminations parce qu'il considérait que ce dernier était celui qui se tenait le plus au courant des affaires de la société.

John Tory se rendit rapidement compte que Landis et lui n'étaient pas faits pour s'entendre. Landis était convaincu qu'il y avait moyen de redresser les affaires américaines de la société, mais Tory pensait le contraire — et le disait. Selon lui, parce que le marché hautement concurrentiel des assurances semblait ne jamais devoir changer, il fallait réduire les investissements et les activités de la société. Finalement, c'est ce qui fut fait. Landis affirme avoir donné sa démission au cours du printemps de l'année 1982, mais Tory l'aurait refusée. À l'automne, le déficit ayant atteint des niveaux record, on ne fit plus rien pour le retenir lorsqu'il remit sa démission pour la seconde fois : « C'est moi seul, dit Landis, qui ai pris la décision de démissionner mais les choses allaient si mal au moment où je l'ai fait, que les Canadiens étaient contents que je parte. » Richard Broughton, directeur de la Scottish and York au siège social américain de Toronto, répète que tant que la concurrence sera aussi vive aux États-Unis et tant que l'on ne retrouvera pas « un certain sens de l'éthique », la Scottish and York « sera assurément absente du marché ».

L'expansion de la Scottish and York aux États-Unis ne représentait pas grand-chose pour l'empire Thomson, qui traitait alors des affaires beaucoup plus importantes, dont l'achat de la Compagnie de la baie d'Hudson. Les directeurs de l'I.T.O.L. tentaient là un coup spectaculaire. Dans les faits, cela devint l'une des prises de contrôle les plus controversées de toute l'histoire économique canadienne. Pourtant, chez Thomson, on cherche à tout prix à éviter ce genre de situation. Kenneth Thomson tenait à remporter la victoire pour toutes sortes de raisons : la Compagnie de la baie d'Hudson est plusieurs fois centenaire, possède des intérêts diversifiés (vente au détail, exploitation pétrolière et gazière, immobilier) et elle était florissante en 1979. L'administration de magasins de vente au détail (la Baie) était une première expérience pour les gens de l'empire Thomson, comme c'était aussi le cas dans le secteur immobilier. Les intérêts pétroliers et gaziers de la nouvelle filiale allaient permettre à l'empire de s'introduire au Canada dans l'industrie. L'un des aspects les plus intéressants de la transaction est l'intérêt que portait Donald McGiverin, président du conseil d'administration de la Compagnie de la baie d'Hudson, pour les principes qui ont force de loi au sein de l'empire Thomson en ce qui concerne les marges de bénéfices des filiales (qui doivent être très élevées) et le contrôle des coûts. On ne pouvait trouver meilleur terrain d'entente.

De nos jours, la Compagnie de la baie d'Hudson est bien différente de ce qu'elle était il y a plus de 300 ans, à l'époque où elle fut créée pour gérer la traite des fourrures en Amérique du Nord. Elle administrait un territoire immense et ses agents furent les découvreurs de l'Ouest canadien. Son origine remonte à 1660 alors que Pierre Radisson et Médard Chouart des Groseilliers, son beau-frère, parcouraient les forêts du bouclier canadien à la recherche de fourrures dont ils faisaient la traite à Montréal. Comme ils n'obtenaient pas un prix suffisant en Nouvelle-France, ils décidèrent de se tourner vers l'Angleterre. Ayant traversé l'Atlantique, ils rencontrèrent le prince Rupert, cousin du roi Charles II. Conscient de l'importance que pouvait prendre la traite des fourrures, le prince délégua plusieurs de ses gens pour vérifier les dires des deux Français. À la suite de ce voyage, le roi Charles céda par charte au prince Rupert et à 17 autres gentilhommes, en 1670, le droit d'exercer un monopole pour la traite des fourrures dans la région de la baie d'Hudson ; c'est ainsi que naquit la Company of Adventurers of England.

Selon la charte, la société, qui était dirigée par un gouverneur, avait le droit de coloniser les terres qui lui étaient concédées, d'y exercer le gouvernement et d'y faire la traite des fourrures. Ces droits portaient sur d'immenses territoires, dont plusieurs restaient à explorer. En fait, il s'agissait de parties des régions nord et ouest du Québec et de l'Ontario, de la totalité du Manitoba et de la Saskatchewan, de la moitié sud de l'Alberta et de la partie septentrionale des Territoires-du-Nord-Ouest. Au total, la Terre de Rupert représentait 38,7 p. 100 de la superficie actuelle du Canada. La devise de la société, *Pro Pelle Cutem*, correspondait parfaitement aux objectifs de ses fondateurs : ils recherchaient la peau — *cutem* — pour le plaisir de tondre — *pro pelle*. Parmi les plus grands découvreurs canadiens, on compte beaucoup d'explorateurs qui ont travaillé pour le compte de la société. C'est le cas de Samuel Hearne et de David Thompson.

Il fallait compter avec les difficultés de pénétration de territoires inconnus. En plus de cela, la société devait faire face à la concurrence de la North West Company, qui était née de la fusion de neuf sociétés en 1784. Elle avait son siège social à Montréal mais ses propriétaires étaient en grande partie des Écossais qui avaient élu domicile au Bas-Canada. La lutte entre les deux sociétés fut terrible. Dans certaines régions, leurs forts se faisaient face et il est même arrivé que leurs représentants prennent les armes. Dans certains cas, on déplora des blessés. Mais la traite des fourrures de castors était si intense que, par crainte de voir l'espèce s'éteindre, les deux sociétés ont été bien obligées de fusionner en 1821.

En 1870, deux cents ans après la naissance de la Compagnie de la baie d'Hudson, la majeure partie du territoire de la société fut annexée par le Dominion du Canada, qui n'avait que trois ans d'existence. En compensation, la société reçut 300 000 £ en argent liquide et 2 800 000 hectares des territoires qu'elle avait administrés. Avec le temps, elle perdit plus encore de ses terrains, mais ses activités lui avaient permis d'accumuler de grandes richesses. Ses postes de traite sont devenus des magasins de vente au détail et, surtout au cours de ces dernières décennies, elle a investi ses bénéfices dans différents secteurs de l'économie. Aujourd'hui, la société a rompu avec le passé. Lors de la signature des documents officiels, on utilise le nom original de la charte de 1670. On conserve aussi 80 tonnes d'archives portant sur l'histoire de la société. Comme l'administration d'un tel fonds requiert un matériel spécialisé et beaucoup d'espace, il fut décidé, au début des années 70, de transférer ce fonds d'archives de Londres à Winnipeg, où il est géré par les archives provinciales du Manitoba.

On a choisi Winnipeg parce que la ville avait été le centre des activités de la Compagnie de la baie d'Hudson au Canada pendant plus de 100 ans. C'est là qu'on a installé les bureaux du siège social en 1970, lors de la restructuration de la société. Jusque-là, il avait été à Londres. C'est à la fin des années 60 que le conseil d'administration décida de déménager les bureaux au Canada, d'autant plus que 98 p. 100 des employés sont Canadiens et que 95 p. 100 de son chiffre d'affaires provient du pays. En 1982, comme s'il fallait encore prouver que la Compagnie de la baie d'Hudson est bien canadienne, on racheta les actions qui n'appartenaient pas à la société mère de la Hudson's Bay and Annings Limited, société londonienne de vente de fourrures.

Aujourd'hui, la Compagnie reste au premier rang mondial des sociétés productrices de fourrures. Elle vend toujours les couvertures qui ont fait sa renommée, mais que l'on peut aussi trouver chez ses concurrents, dont la société T. Eaton Company, à des prix moindres.

La Compagnie de la baie d'Hudson n'est pas qu'une société de fourrures. Elle possède la plus grande chaîne de magasins de vente au détail au Canada, a des intérêts dans le domaine pétrolier et gazier dans l'Ouest du pays (51 p. 100 des actions de la société Roxy Petroleum Limited) et la totalité des actions de la Markborough Properties Limited, société immobilière qui investit au Canada et aux États-Unis. La Compagnie vend aussi des voyages, comme grossiste et détaillant, est propriétaire de l'un des plus grands fabricants de machines distributrices et possède une distillerie. On retrouve aussi dans son portefeuille d'actions des titres de sociétés financières, de sociétés d'assurances et de fonds mutuels, et de sociétés de fiducie qui offrent leurs services par la poste ou dans les magasins la Baie à travers le pays, ou même dans ceux de la Eaton's, propriétaire de la plus grande chaîne privée de magasins au pays.

C'est McGiverin qui fut l'artisan de la diversification de la Compagnie de la baie d'Hudson. McGiverin, qui a eu 60 ans en 1984, est venu de l'Ouest du Canada pour s'établir à Toronto, comme il est passé du service de la société T. Eaton's à celui de la Compagnie de la baie d'Hudson. Il passa d'une société à l'autre alors qu'il y avait

22 ans qu'il était à l'emploi de Eaton's, où il occupait le poste de vice-président à Winnipeg. C'était en 1968. Il devint directeur de la chaîne de magasins la Baie. Son choix s'explique d'une certaine façon parce qu'il y a peu d'espoir d'avancement à la tête d'une société qui appartient à une famille, comme Eaton's, alors que cela reste toujours possible lorsqu'il s'agit d'une société par actions, comme la Compagnie de la baie d'Hudson.

La première décision de McGiverin, qui contribua à changer l'image de la société auprès du public, fut de construire un nouveau magasin de vente au détail à l'écart du centre de la ville de Toronto, où se trouvent la plupart des grands magasins. Le style des annonces publicitaires changea aussi. C'est encore McGiverin qui fit l'acquisition d'une société qui fabrique des machines distributrices, puis des chaînes de magasins Zellers et Simpsons ainsi que des actions de la société Roxy Petroleum. Chaque fois, ces acquisitions avaient un effet positif sur la situation financière de la société. De 1972 à 1981, c'est-à-dire depuis l'arrivée de McGiverin à la Compagnie de la baie d'Hudson, les bénéfices sont passés de 13 millions à 386 millions de dollars.

Si McGiverin est devenu président de la société en 1972, il lui fallut attendre dix ans pour qu'il en devienne gouverneur, ce qui est le poste suprême. Le premier gouverneur canadien fut George Richardson, qui avait été nommé à ce poste en 1970 lors du transfert du siège social de Londres à Winnipeg. Son choix s'était imposé parce que les Richardson sont une famille bien en vue à Winnipeg, qui possède des intérêts dans le secteur agricole, l'immobilier, la construction et les assurances, de même qu'une partie des actions de la plus grande société d'investissements au Canada, la Richardson Greenshields Limited. Lorsque James Richardson, l'aîné de George, décida de se lancer en politique en 1968 (il allait devenir ministre de la Défense), George prit la tête de la société qui avait été créée en 1857 par son grand-père.

Il y a quelques années, la publicité de la société nous a habitués au slogan : « Demandez-nous n'importe quoi... ou presque ! » Au siège social de l'I.T.O.L., en 1979, les administrateurs devaient bien savoir ce qu'ils avaient envie de demander aux directeurs de la Compagnie de la baie d'Hudson, eux qui commençaient à s'intéresser à l'empire de la chaîne de magasins et à la diversification de ses intérêts. Six mois avant la tentative de prise de contrôle, Kenneth Thomson et John Tory avaient fait part de leur projet au représentant de la firme d'investissements Wood Gundy. Le directeur de la firme, Ted Medland, manifesta son intérêt pour l'affaire. Lorsqu'il fut décidé qu'on ferait une offre, John Tory se chargea du dossier et distribua les rôles, tant au représentant de la Wood Gundy qu'à son frère James, de la firme Tory, Tory, Des Lauriers & Binnington, bureau d'avocats qui compte l'I.T.O.L. parmi ses clients. James se retrouva à la tête d'un groupe d'avocats.

Kenneth n'était pas seul dans la course. Une autre grande famille canadienne s'intéressait à la Compagnie de la baie d'Hudson ; il s'agissait des Weston. Les Thomson et les Weston avaient bien des choses en commun en dehors de leur intérêt pour la plus vieille société canadienne.

Comme Roy Thomson, le fondateur de l'empire Weston, Garfield Weston, partit de rien. Il ouvrit une boulangerie et, de là, bâtit un empire qui s'étend aujourd'hui sur trois continents. Les Weston possèdent des magasins d'alimentation, des pêcheries et des moulins à bois. La chaîne de magasins Loblaws, que contrôle la famille, est l'une des plus importantes au Canada. Elle est aussi propriétaire de l'Associated British Foods, la plus grande société en son genre en Grande-Bretagne. Cette dernière société possède des filiales en Afrique du Sud et en Australie. Comme c'est le cas pour l'empire Thomson, la direction de l'empire Weston est aujourd'hui passée aux mains de la deuxième génération. Garfield Weston mourut en 1978, deux ans après Roy Thomson. L'un de ses fils, Galen, est à la tête du volet canadien de l'empire, alors que son autre fils Garry dirige les affaires à Londres.

La prise de contrôle de la Compagnie de la baie d'Hudson faisait partie d'un grand mouvement de titres au sein du monde financier canadien à la fin des années 70. La sous-évaluation du prix des actions de nombreuses sociétés poussait les investisseurs canadiens à courir les occasions d'affaires. C'est ainsi que pendant dix-neuf mois, avant que Thomson n'en devienne propriétaire, la Compagnie de la baie d'Hudson était en chasse. Au cours de l'été 1978, elle acheta l'une des plus grandes chaînes de magasins à rayons du Canada, la société Zellers ; cette dernière venait tout juste de fusionner avec la Fields Stores Limited. La transaction était à peine conclue qu'en janvier 1979 les représentants de la Compagnie prirent le contrôle de la société Simpsons. Après avoir assuré sa puissance dans l'Ouest, la société prenait ainsi une longueur d'avance dans l'Est. On n'a pas changé le nom des magasins Simpsons et Zellers, alors qu'on avait procédé différemment lors de la prise de contrôle de la société Henry Morgan, en 1960 ; la Henry Morgan Company était la troisième chaîne de magasins de vente au détail en importance au Canada.

Au départ, la famille Thomson ne souhaitait acheter que 51 p. 100 des actions de la Compagnie de la baie d'Hudson, au prix de 31 $ l'action. Lorsque les négociateurs de la Compagnie rejetèrent cette offre, qu'ils trouvaient trop basse, ils firent une contre-proposition à 25 $, visant cette fois 60 p. 100 des actions. Mais à ce moment-là, les Weston avaient offert 40 $ par action pour 51 p. 100 des titres. En fin de compte, c'est l'offre finale de Thomson qui fut acceptée, à 37 $ pour 73 p. 100 des actions.

Ce qui est malheureux, c'est que l'enthousiasme qui prévalait chez Thomson au moment de cette prise de contrôle a empêché les spécialistes de l'empire de déceler les difficultés auxquelles la chaîne de magasins faisait face. L'expansion phénoménale de la Compagnie de la baie d'Hudson cachait une faiblesse tout aussi remarquable, qui était encore plus sensible depuis l'achat de la société Simpsons. À cause de cela, lorsque la récession s'annonça en 1981, la Compagnie semblait au bord d'un gouffre. Les difficultés avaient commencé alors qu'on n'avait pas donné toute l'importance aux liens qui unissaient encore la chaîne des magasins Simpsons à celle de la société Simpsons-Sears Limited, qui avait appartenu à Simpsons alors qu'il s'était associé avec le géant américain Sears-Roebuck Limited. Ce n'est que vers la fin de 1983 qu'on mit fin à la confusion, alors que l'un des magasins Simpsons, qui logeait à l'intérieur d'un édifice appartenant à la société Simpsons-Sears, inaugura de nouveaux locaux.

Les employés de la chaîne Simpsons n'ont pas manifesté d'intérêt pour le changement. Ils se sont même plaints que les directeurs de la Compagnie de la baie d'Hudson ont fait perdre beaucoup du cachet qui faisait l'attrait des magasins Simpsons. L'un des anciens employés plaisantait en disant qu'il fallait changer le slogan « Simpsons pense à vous ! » pour « Simpsons vous oublie ! ». Il y eut naturellement beaucoup de conflits entre les membres de l'ancienne direction et les nouveaux arrivés, qui forcèrent les premiers à quitter leur poste. La famille Burton avait dirigé les magasins Simpsons en se targuant d'offrir le meilleur service qui soit. Mais à la Baie, on considérait justement que tous les services qu'on offrait gratuitement aux clients de Simpsons étaient l'une des raisons pour lesquelles la société avait tant de dettes. Allan Burton, le directeur de Simpsons, avait atteint l'âge de la retraite au moment où la société fut achetée par la Compagnie de la baie d'Hudson. Il n'en devint pas moins directeur, poste qu'il occupa jusqu'en 1981. Son neveu, Edgar, qui a aujourd'hui 49 ans et qui était au service de Simpsons depuis 26 ans, ne parvint pas à s'entendre avec les nouveaux administrateurs. « Les gens de la Baie et moi, raconte Burton, ne nous entendions pas parce qu'ils prétendaient que j'étais incapable de réduire nos services aux clients ou d'amener les gens à changer d'opinion. » Aujourd'hui, Edgar Burton est gentleman-farmer et vit sur ses terres, au nord de Toronto. Charles MacRae, qui l'a remplacé, est à l'emploi de Simpsons depuis vingt ans. Il se bat depuis de nombreuses années pour que la société informatise ses différents services, ce qui a naturellement l'heur de plaire aux administrateurs de la Compagnie de la baie d'Hudson.

Selon les employés de Simpsons, le schisme nécessaire avec la société Sears a été l'équivalent d'un divorce. Les employés avaient le droit d'effectuer des achats avec de substantielles réductions aux magasins des deux sociétés. Ce n'est plus du tout le cas maintenant que Simpsons appartient à la Compagnie de la baie d'Hudson, qui n'a aucun programme comparable. Mais ce n'est qu'un motif de récrimination parmi bien d'autres. Ainsi, par exemple, la règle des 5 $ ne vaut plus. (On offrait un boni de 5 $ à tout employé qui convainquait un client de faire une demande de carte de crédit Simpsons.) Le changement d'administration apporta des modifications majeures aux yeux des employés. Avant la vente de la société Simpsons, le règlement prévoyait que lorsqu'un client rapportait un article, le vendeur qui l'avait servi gardait la commission, même si l'on remplaçait l'article par un autre. Depuis l'arrivée de la Compagnie de la baie d'Hudson, la commission est calculée et retenue par l'employeur. Les employés se sont plaints qu'il leur fût impossible de connaître le montant de leurs chèques de paie, car ils ne pouvaient établir eux-mêmes le total des commissions. Après plus d'un an de disputes, la direction finit par céder et remboursa les sommes dues aux employés, certains de ceux-ci touchant des montants qui allaient jusqu'à 15 000 $. Les changements auraient aussi pu avoir une autre conséquence plus ennuyeuse, parce qu'ils se produisaient à une époque où, pour la première fois dans l'histoire économique canadienne, les employés d'une chaîne de magasins (Eaton's) réussissaient à se syndiquer. Naturellement, ni Simpsons ni la Baie ne souhaitaient qu'il en soit ainsi.

Il y a plusieurs faits qui montrent bien le désir des directeurs de la Compagnie de la baie d'Hudson d'éviter la syndicalisation de leurs employés. En octobre 1983, par exemple, on réalisa la première enquête pancanadienne pour tenter d'évaluer le degré de satisfaction des employés. On apprit qu'on avait à se plaindre du manque de communication de la part de la direction, et on calcula que le tiers des employés craignaient pour leur sécurité d'emploi. La réponse de la direction est intéressante non pas par sa teneur, mais par son ineptie. Au début de 1984, on distribua à tous les employés une lettre de neuf pages dans laquelle on promettait d'établir une communication suivie entre la direction et les employés et l'on organisa quelques réunions pour favoriser l'échange.

« Vos inquiétudes en ce qui a trait aux changements qui sont survenus chez Simpsons au cours des deux dernières années sont fondées, car il faut reconnaître que nous ne vous avons pas tenus au courant de ce qui allait se passer. » C'est ce qu'on lit dans la lettre aux employés. Pour corriger la situation, la direction promit de distribuer des bulletins d'information, et de tenter de lancer un journal interne. On ne parlait pas cependant de la sécurité d'emploi, ou on y faisait à peine allusion en plaçant en entrefilet la phrase suivante : « Une atmosphère plus stable et plus sécurisante, grâce à une rentabilité accrue. »

Les changements les plus importants à survenir chez Simpsons concernaient les appareils ménagers, les télévisions et le principe de la livraison à domicile. Lorsque Simpsons était encore propriétaire de la société Simpsons-Sears, on trouvait dans ses magasins des produits Kenmore. Aujourd'hui, ils ont été remplacés par ceux de la Baie, les produits de la marque Beaumark. De 1980 à 1984, les sections des magasins responsables de la vente des appareils ménagers fonctionnaient séparément, tant à la Baie que chez Simpsons, même si les deux sociétés vendaient les mêmes appareils. C'est au début de 1984 qu'on décida finalement de créer la société Beaumark Limited, qui devait revendre ses appareils à la société Simpsons et à la Baie, et s'occuper de l'administration, c'est-à-dire de la vente et du service après vente.

Cette décision était facile à justifier, mais elle eut une fâcheuse conséquence pour les employés. Les directeurs de la Compagnie de la baie d'Hudson exigèrent que tous les vendeurs des sections d'ameublement, de télévision et d'appareils ménagers des magasins des deux sociétés suivent des cours de formation. Naturellement, on craignait que ceux qui failliraient aux examens qui suivraient inévitablement ces cours perdent leur emploi. Pendant un temps, l'inquiétude régna parmi les employés. Tous, ils étaient certains de connaître leur métier et ils se disaient fâchés de se faire imposer ce que l'on n'avait encore jamais vu dans aucune chaîne de magasins au Canada. À la société Sears, par exemple, on organise des rencontres, mais pas des classes de formation. Ce qu'on craignait surtout, c'était les pertes d'emploi, d'autant plus que la Baie avait décidé de réduire le nombre des employés en offrant des retraites avancées ou du travail à temps partiel (ce qui jouait d'ailleurs en faveur de la direction, qui trouvait là un moyen efficace de lutter contre la syndicalisation des employés).

Les changements qui survinrent chez Simpsons eurent aussi leurs effets sur la clientèle. Les magasins Simpsons ont toujours offert un service de réparation de montres. Aujourd'hui, ce genre de services est donné à des firmes sous-traitantes. Il faut donc parfois compter trois semaines pour une réparation simple. Puisque les magasins la Baie ne vendaient ni pianos ni instruments de musique ni même de machines à coudre, les magasins Simpsons durent cesser d'en vendre. Les clients se sont donc tournés vers les magasins Eaton's et Sears qui n'avaient aucune raison de réduire leurs services à la clientèle.

Malgré ce que l'on peut croire, la normalisation des services offerts par les magasins la Baie et ceux de la société Simpsons n'a pas beaucoup d'avantages pour les clients ; c'est plutôt l'inverse. Autrefois, lorsque les chaînes Simpsons et Sears étaient associées, on pouvait acheter des appareils Kenmore annoncés à prix réduits à n'importe lequel des magasins de l'une et l'autre chaîne. On ne peut faire la même chose aujourd'hui puisque les sociétés Simpsons et la Baie mènent séparément leurs campagnes publicitaires et n'offrent pas nécessairement les mêmes réductions au même moment. Le nombre de fournisseurs a aussi augmenté, ce qui fait dire à certains vendeurs qu'il devient difficile de déceler les défectuosités qui peuvent affecter l'un ou l'autre des appareils. Chez Sears ou Eaton's, il existe un service de réparations, alors que chez Simpsons ou aux magasins la Baie, on envoie les appareils à l'extérieur, chez des sous-traitants, ce qui impose de longs délais, même pour des réparations mineures. On a les mêmes difficultés avec l'installation des appareils, sans parler des différences de tarif alors que les sociétés privées qui s'occupent du travail demandent parfois deux fois plus que ce que facturait autrefois Simpsons, et ce que demandent aujourd'hui Eaton's et Sears.

Pour réduire les coûts d'inventaire, les magasins Simpsons ont fait baisser leur inventaire. Au point de vue de l'économie, c'était un bon point, mais cela est ennuyeux à l'époque où l'on prépare des soldes, alors que les clients doivent attendre des semaines avant d'obtenir ce qu'ils ont commandé à rabais, parce qu'il n'y en avait plus en magasin. La livraison des marchandises a aussi souffert du changement de propriétaire. On n'avait jamais facturé à un client la livraison d'un article acheté chez Simpsons ; ce sont les magasins la Baie qui ont été les premiers à demander 2 $ par livraison, ce qui est aujourd'hui pratique courante.

On tenta aussi de réduire le nombre d'entrepôts de la société Simpsons et de la Compagnie de la baie d'Hudson, surtout lorsqu'on y gardait les mêmes articles. On est cependant conscient de la nécessité de tenir à jour une liste des articles des deux sociétés. On lança aussi une entreprise de camionnage en coparticipation pour tenter de réduire le nombre des véhicules de livraison. Depuis la mise sur pied de ce nouveau système, on ne donne plus de date cible de livraison chez Simpsons, puisqu'on doit maintenant attendre qu'il y ait assez de commandes pour remplir un camion au complet avant de faire les premières liaisons ; économie oblige !

Les changements qui se sont produits dans les magasins de la chaîne Simpsons sont le reflet fidèle de ce qui s'est passé au sein de l'administration de la société. On connut des ennuis comparables, par ailleurs, lorsqu'on voulut appliquer le système de contrôle financier informatisé des magasins la Baie à ceux de chez Simpsons, où tout se faisait encore à la main. Il fallut créer un système qui puisse servir aux deux sociétés, qui allait servir non seulement aux services de la comptabilité et des paies, mais aussi pour les livraisons. Rolph Huband explique : « Cela nous permet de garder l'inventaire à jour, d'obtenir à tout moment une liste des articles à commander, le prix affiché de chaque article dans chacun des magasins et le nombre d'articles vendus au cours de la dernière année. » Rolph Huband est vice-président et secrétaire de la Compagnie de la baie d'Hudson.

En quatre ans, on mit sur pied un système de vérification automatique des cartes de crédit. Les principes de facturation qui étaient en vigueur chez Simpsons ont été radicalement modifiés pour correspondre à ceux que l'on utilise à la Baie. Là, chaque facture donne la liste de tous les achats, mais il n'y a pas de coupon de caisse. On réalise ainsi de grandes économies. Chez Simpsons, l'administration était paperassière et certains employés s'amusent à faire remarquer qu'il fallait souvent passer par 27 étapes pour qu'un document parvienne à un client. Aujourd'hui, tout se fait en une seule étape, et par ordinateur.

Kenneth Thomson et John Tory, qui sont membres du conseil d'administration de la Scottish and York Insurance, siègent aussi au conseil de la Compagnie de la baie d'Hudson. John Tory en est le directeur. Pourtant, les administrateurs de la Compagnie de la baie d'Hudson affirment qu'ils ont toute la latitude voulue pour mener leurs affaires à leur guise. Il est en effet rare qu'ils aient l'occasion de rencontrer leur directeur, John Tory.

On dit que Kenneth Thomson n'a rien qui le distingue des dix-sept autres directeurs de la Compagnie de la baie d'Hudson et qu'il n'agit surtout pas comme un propriétaire, alors qu'il pourrait considérer la société comme un investissement. « Même si l'investissement en quesion ne semble pas avoir été extraordinaire ces dernières années, dit Huband, je n'ai jamais remarqué de changement d'attitude de la part de Thomson ou de John Tory. » Pourtant, on se doute bien que les administrateurs de la Compagnie de la baie d'Hudson seraient plus à l'aise si leur société rapportait des bénéfices. Kenneth Thomson et John Tory s'en trouveraient mieux aussi,

puisque c'est eux qui ont décidé de se lancer dans cette entreprise.
« Notre réputation en prendrait un coup s'il fallait que la Compagnie de la baie d'Hudson continue à enregistrer des pertes. » C'est pour cela que ce qui va s'y passer intéresse autant les amis que les ennemis de l'empire Thomson.

VI
Les contradictions

16
Le paradoxe

Les membres de la famille Thomson ne sont pas les seuls magnats de la presse qui ne se contentent plus des revenus de leurs quotidiens, mais qui ont cherché ailleurs la fortune. Des deux côtés de l'Atlantique, les empires des médias écrits deviennent des empires de télécommunications ou encore, dans certains cas, de véritables conglomérats au sein desquels les sociétés de presse ne jouent plus qu'un rôle secondaire.

Au Canada, la grande rivale de la chaîne Thomson, la société Southam Incorporated, possède près de 60 revues d'affaires et a des intérêts dans le domaine de la câblodistribution. Elle exerce un véritable monopole dans plusieurs grandes villes du Canada où elle est propriétaire du seul quotidien de langue anglaise. Aux États-Unis, la société Gannett possède une firme spécialisée, Louis Harris & Associates, une chaîne de télévision et des postes de radio, en plus de nombreux quotidiens. La New York Times Company est propriétaire de sociétés de télévision, de plus de 50 chaînes de câblodistribution et d'une maison d'édition : Times Books. La Times Mirror Company, qui est propriétaire du *Los Angeles Times*, possède une chaîne de câblodistribution, une maison d'édition et une chaîne de télévision, et publie des documents spécialisés destinés aux ingénieurs et aux pilotes. La société McGraw-Hill Incorporated, en plus de publier 80 revues techniques, d'affaires ou professionnelles, offre

311

un service financier (Standard and Poor's), possède plusieurs postes de télévision et un système d'information.

Les sociétés de presse britanniques cherchent aussi à se diversifier et plusieurs d'entre elles ont débordé les frontières de leur pays. La Pearson Longman est propriétaire de Penguin Books, la plus grande maison d'édition du Royaume-Uni, de la Longman Books, du *Financial Times* et de la Goldcrest Films and Television (qui a produit les films *Chariots of Fire* et *Gandhi*); cela s'ajoute naturellement à la quantité de journaux régionaux dont elle est propriétaire. Tout comme l'ont fait les directeurs de l'empire Thomson, ceux de la Pearson Longman ont investi à l'étranger et l'on retrouve aujourd'hui des filiales en Afrique, en Asie et en Australie, de même qu'aux États-Unis (Viking Press, l'une des grandes maisons d'édition américaines). La société Reed International, propriétaire des quotidiens du groupe Mirror et de 130 journaux d'affaires, gère aussi des société de concerts, une manufacture de papier et des quincailleries.

Les sociétés Pearson Longman et Reed International ont tout de même limité leur diversification, et concentrent encore une bonne partie de leurs efforts dans le domaine des communications. Deux autres sociétés britanniques, la Trafalgar House et l'Associated Newspapers Group, ont, à l'inverse, diversifié leurs actifs à l'extrême. La Trafalgar House a acheté la chaîne de journaux Beaverbrook, dont font partie le *Daily Express* et le *Sunday Express*; c'était en 1977. Depuis, elle possède des sociétés de construction, d'expédition par bateau ou par avion, et une chaîne d'hôtels. L'Associated Newspapers, qui publie le *Daily Mail* et plusieurs quotidiens régionaux possède des intérêts pétroliers en mer du Nord, plusieurs théâtres, une société de taxis, des entrepôts, des immeubles, des postes de radio, des usines de produits pharmaceutiques et des firmes de sondage. Malgré tout cela, elle ne peut guère menacer l'I.T.O.L., ses revenus étant cinq fois moins élevés.

Les propriétaires de ces empires sont peu connus du public, la plupart du temps parce qu'ils ne cherchent pas à se faire connaître. Rupert Murdoch, comme Roy Thomson, est l'exception qui confirme la règle. C'est lui qui racheta le *Times* de Londres et le *Sunday Times* de Kenneth Thomson. Murdoch a bâti un empire de la presse mais son approche était bien différente de celle de Roy

Thomson. Ce dernier achetait des journaux de petites villes et n'intervenait jamais au niveau de la direction, laissant aux rédacteurs le choix de l'orientation à donner au journal. Sur ce plan, Kenneth suivit les traces de son père. Par conséquent, la qualité des journaux appartenant aux Thomson n'a ni gagné ni perdu à la suite du changement de propriétaire. À l'inverse, Murdoch se plaît à donner aux journaux qu'il achète, comme le *Post* de New York et le *Herald* de Boston, des caractéristiques propres à sa chaîne de quotidiens. En général, il s'agit d'apporter de l'importance au sexe, à la violence et au sensationnalisme. Puisque la plupart des journalistes s'opposent à ces changements, cela prouve que Murdoch prend les bons moyens pour parvenir à ses fins, c'est-à-dire pour accroître le tirage car la réaction du public étant une réaction de curiosité, le tirage augmente assurément. S'il existe des différences fondamentales entre l'approche des deux hommes, l'histoire de l'industrie de la presse se chargera de les aplanir et Thomson et Murdoch resteront, aux yeux de la postérité, des hommes semblables que les journalistes ont dénigrés à cause de leur influence.

Les gens de l'empire Thomson ont eu une idée brillante en cherchant à diversifier leurs intérêts, mais ils ne sont pas les meneurs qu'ils auraient voulu être au sein de la Mecque des magnats de la presse d'aujourd'hui : les services d'information. On comprend leur enthousiasme, puisque les spécialistes s'entendent pour reconnaître que les années 80 connaîtront une véritable révolution informatique. En 1990, on prévoit que l'ensemble des services d'information atteindront 70 milliards de dollars. Déjà, des sociétés comme Prentice-Hall et McGraw-Hill, qui sont des chefs de file en ce domaine, voient leurs titres monter à la Bourse de New York. En plus, il semble que les bénéfices produits par ce genre de société soit plus élevé que celui des autres sociétés de communication. Les filiales de l'empire Thomson partent presque avec une longueur d'avance, puisque la plupart des revues qu'elles publient traitent de sujets qui font partie de la technologie de pointe.

On ne s'attend pas à ce que l'expansion de l'empire se fasse exclusivement de l'extérieur. Il est certain que la croissance peut être assurée par la coopération entre les filiales. La Thomson Books, par exemple, s'intéresse au marché que représentent les autres filiales pour ses propres livres et a déjà des projets communs avec la

Thomson Regional Newspapers. Une telle collaboration est toujours difficile à mettre sur pied, parce qu'au sein de l'empire Thomson on a toujours cherché à laisser un maximum d'autonomie à chacune des filiales. L'une des difficultés majeures qui se présentent dans ce genre de collaboration, c'est qu'on risque de se frotter au gouvernement à partir du moment où l'union des filiales pourrait créer un monopole. Il faut dire que l'empire Thomson en a fait l'expérience à la suite de la fermeture de l'un de ses journaux en 1980.

Alors que l'empire fête son cinquantième anniversaire, aucune des contradictions qui le caractérisent n'a disparu. L'effort de croissance et de décentralisation est contrebalancé par d'importantes mesures budgétaires et un contrôle accru de la gestion des différentes filiales. À côté des monopoles qu'exercent les sociétés de presse, il y a les sociétés du domaine des voyages, du pétrole et du gaz, ainsi que de l'édition, domaines où la concurrence est très dure. La constante recherche des bénéfices contraste avec les politiques du fonds de développement accéléré, par lesquelles on tend à encourager le lancement de nouveaux produits. Les difficultés qu'ont connues plusieurs petits journaux d'Amérique du Nord à cause de conflits dans les relations de travail ne manquent pas d'étonner quand on sait l'admiration que les spécialistes vouent aux gens de l'empire pour leur habileté sur le plan financier et les énormes marges de bénéfices de leurs sociétés. On tente encore des coups de dés, investissant dans des secteurs difficiles sans avoir évalué au préalable les risques, alors que dans d'autres cas, on épluche les dossiers.

Puis il reste un dernier paradoxe, mais non le moindre. À la tête de son empire, Roy dominait, en extraverti qui ne manquait pas de prestance. Aujourd'hui, Kenneth a pris sa place, plutôt timide. Néanmoins, les différences entre le père et le fils n'ont pas encore été la cause de la moindre difficulté au sein de l'empire Thomson. C'est pourquoi on ne voit pas très bien pour quelle raison on tenterait de résoudre de tels paradoxes.

Appendices

APPENDICE

A

ACTIFS DE
LA FAMILLE THOMSON

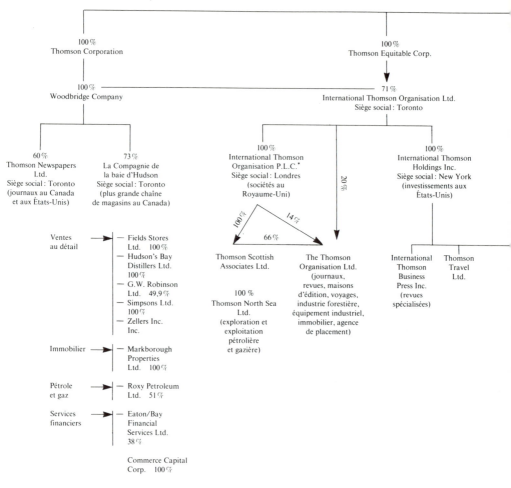

ACTIFS DE LA FAMILLE THOMSON

318

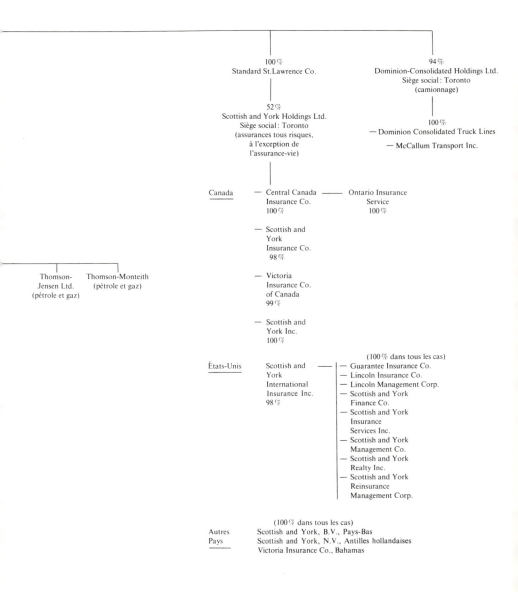

100 %
Standard St.Lawrence Co.

94 %
Dominion-Consolidated Holdings Ltd.
Siège social : Toronto
(camionnage)

52 %
Scottish and York Holdings Ltd.
Siège social : Toronto
(assurances tous risques,
à l'exception de
l'assurance-vie)

100 %
— Dominion Consolidated Truck Lines
— McCallum Transport Inc.

Canada
— Central Canada ———— Ontario Insurance
Insurance Co.   Service
100 %   100 %

— Scottish and
York
Insurance Co.
98 %

Thomson-   Thomson-Monteith
Jensen Ltd.   (pétrole et gaz)
(pétrole et gaz)

— Victoria
Insurance Co.
of Canada
99 %

— Scottish and
York Inc.
100 %

(100 % dans tous les cas)
États-Unis   Scottish and   ——— — Guarantee Insurance Co.
York   — Lincoln Insurance Co.
International   — Lincoln Management Corp.
Insurance Inc.   — Scottish and York
98 %   Finance Co.
— Scottish and York
Insurance
Services Inc.
— Scottish and York
Management Co.
— Scottish and York
Realty Inc.
— Scottish and York
Reinsurance
Management Corp.

(100 % dans tous les cas)
Autres   Scottish and York, B.V., Pays-Bas
Pays   Scottish and York, N.V., Antilles hollandaises
Victoria Insurance Co., Bahamas

319

APPENDICE

B

PRINCIPAUX ÉVÉNEMENTS

Dates importantes dans l'histoire de l'empire Thomson

1894   • Naissance de Roy Thomson (5 juin).

1923   • Naissance de Kenneth Thomson (seul fils de Roy).

1931   • Premier poste de radio de Roy Thomson (C.F.C.H. de North Bay, en Ontario).

1934   • Premier journal de Roy Thomson (*The Daily Press* de Timmins, en Ontario).

1951   • Roy Thomson investit dans le secteur des assurances.

1952   • Premier journal de Roy Thomson aux États-Unis (*The Independent* de St.Petersburg, en Floride).

1953   • À 59 ans, Roy Thomson quitte le Canada pour l'Angleterre. Il achète le quotidien *The Scotsman*, premier jalon d'un empire de la presse au Royaume-Uni.

1957   • Roy Thomson obtient le premier permis de télédiffusion en Écosse.

1959   • Acquisition des 18 journaux de la chaîne Kemsley, dont fait partie le *Sunday Times*, le plus important journal du dimanche.

1960   • Création de la société Thomson Organisation, qui chapeaute d'abord les sociétés de presse de l'empire Thomson et les postes de radio et de télévision, puis dirige les sociétés du secteur des voyages, de l'industrie pétrolière et gazière ainsi que de l'industrie forestière.

1961   • Création de la société Thomson Publications (maisons d'édition).

1964 • Roy Thomson devient Lord Thomson of Fleet.

1965 • Création de la société Thomson Holidays.
• Création de la société Thomson Directories (pages jaunes) au Royaume-Uni.
• Première émission d'actions en Bourse de la société Thomson Newspapers, propriétaire de journaux au Canada et aux États-Unis.

1967 • Acquisition du journal *Times* de Londres.

1971 • Roy Thomson investit personnellement dans l'exploration pétrolière en mer du Nord.

1976 • Décès de Roy Thomson (14 août), alors âgé de 82 ans. Son fils Kenneth lui succède à la tête de l'empire.

1978 • Création de la société International Thomson Organisation (société de portefeuille, propriétaire de maisons d'édition, de sociétés du secteur des voyages et de celui des ressources naturelles).
• Revente des actions de la société Scottish Television.

1979 • Achat de la Compagnie de la baie d'Hudson, qui est propriétaire de la plus grande chaîne de magasins au Canada (la Baie). La transaction est de 640 millions de dollars.
• Investissements dans le domaine pétrolier et gazier au Canada et aux États-Unis.

1980 • Achat de la société F.P. Publications Ltd. par la Thomson Newspapers. Le *Globe and Mail* de Toronto fait partie de la chaîne de quotidiens qui appartiennent à la nouvelle filiale.
• Création de la société Thomson Business Press Inc. aux États-Unis, qui devient propriétaire de toutes les sociétés de presse de l'empire dans ce pays.

1981 • Vente de la société Times Newspapers.
• Achat des maisons d'édition de la société internationale Litton Industries Inc.

PRINCIPAUX ACTIFS DE L'INTERNATIONAL THOMSON ORGANISATION LTD.

MAISONS D'ÉDITION

LIVRES

INTERNATIONAL THOMSON PROFESSIONAL PUBLISHING
New York (affaires, droit, impôts, immobilier et médecine)

American Banker Inc. ;
The Bond Buyer Inc.
Information destinée au monde de la finance.

REVUES :
American Banker ; The Bond Buyer ; The Weekly Bond Buyer ; Directory of Municipal Bond Dealers.

SERVICES D'INFORMATION :
Inconet ; Innerline ; Munifacts.

Callaghan & Company
Édition de droit corporatif et de droit commercial ; lois fédérales, lois de l'impôt et pratique du droit en général.

TITRES RÉCENTS :
Uniform Commercial Code Series ; Federal Rules of Evidence Digest ; Federal Grants and Cooperative Agreements ; Proof of a Prima Facie Case ; Defense of a Prima Facie Case ; Fletcher Corporation Law Advisor ; Law of Corporate Officers and Directors ; New York Products Liability ; Local Government Law.

Clark Boardman Company Ltd.
Traités de droit, annuaires et publications mensuelles ; lois sur l'immigration, les monopoles, le zonage, les placements, les assurances, les transactions internationales, le droit criminel, les droits d'auteur, et les jeux.

Warren, Gorham & Lamont Inc.
Livres et ouvrages spécialisés ; circulaires administratives, journaux et annuaires dans le domaine de l'impôt, des affaires bancaires, des affaires commerciales, de l'immobilier, de la comptabilité et de la médecine.

REVUES :
Journal of Taxation ; Federal Income Taxation of Corporations and Shareholders ; Brady on Bank Checks ; Real Estate Review ; Journal of Business Strategy ; Corporate Accounting ; Accounting and Auditing Disclosure Manual ; Truth-in-Lending ; Thorndike Encyclopaedia of Banking and Financial Tables ; Federal Taxation of Income ; Estates and Gifts ;

FILIALES :
Auerbach Publishers Inc.
Livres spécialisés, circulaires administratives, journaux et annuaires en informatique et en administration.

THOMAS NELSON INTERNATIONAL, *Toronto*
(édition scolaire, édition spécialisée en commerce et livres de référence)

Delmar Publishers Inc.
Livres spécialisés en technologies de pointe.

Nelson Canada
Livres éducatifs ; manuels et guides.

N.F.E.R. — Nelson Publishing Company Ltd. *(50 p. 100 des actions)*
Manuels, tests d'évaluation en psychologie, recherche en éducation.

Nelson Filmscan Ltd.
Enseignement de l'anglais langue seconde au moyen de bandes vidéo.

Thomas Nelson Australia
Livres éducatifs et commerciaux.

Thomas Nelson and Sons Ltd.
Livres scolaires pour le primaire et le secondaire ; enseignement de l'anglais langue seconde.

Thomas Nelson Hong Kong Ltd.

Thomas Nelson Nigeria Ltd. *(40 p. 100 des actions)*

Professional Publishing Ltd.

FILIALES :
Bondholders Register ; Gee & Co. Ltd. ; Laureate Press.

THOMSON BOOKS LTD., *Londres*

Hamish Hamilton
FILIALES :
Hamish Hamilton Children's Books ; Elm Tree.
Édition commerciale.

Michael Joseph Ltd.
FILIALES :
Mermaid Books ; Pelham Books.
Édition commerciale.

Rainbird Publishing Group Ltd.
Édition commerciale.

Sphere Books Ltd.
FILIALES :
Abacus ; Celtic Revision Aids.
Livres de poche.

T.B.L. Book Services Ltd.
Distribution.

RICHARD DE BOO, *Toronto*
Édition de droit ; impôt.

Canada Tax Service ; Canada Corporation Manual ; Canada Energy Law Service ; Canadian Estate Planning Service ; Canadian Mortgage Practice Reporter ; Income Tax References.

VAN NOSTRAND REINHOLD COMPANY INC., *New York*
(livres éducatifs ; livres spécialisés et livres de référence ; livres scolaires, livres de commerce et logiciel)

FILIALES :
C.B.I. Publishing Co., Inc. ; Compress ; Hutchinson Ross Publishing Company ; Science Books International (propriétaire de Heinle & Heinle Publishers).

WADSWORTH INC., *San Francisco*
(livres éducatifs et professionnels)

FILIALES :
Anaheim Publishing Company Inc. ; Breton Publishers ; Brooks/Cole Publishing Company ; Kent Publishing Company ; Lange Medical Publications, Inc. ; Lifetime Learning Publications ; P.W.S. Publishers ; Wadsworth Electronic Publishing Company ; Wadsworth International Group ; Wadsworth Publishers of Canada Ltd. ; Wadsworth Publishers Company.

REVUES D'AFFAIRES

INTERNATIONAL THOMSON PUBLISHING LTD., *Londres*
(filiale de Thomson Information Services Ltd.)

PUBLICATIONS D'AFFAIRES :
Big Farm Management ; Big Farm Weekly ; British Journal of Hospital Medicine ; Building Trades Journal ; Communications International ;

Construction News; Construction News Magazine; Construction News Products; Construction News Scotland; Drapers Record; Engineering Capacity; Fashion International; Hospital Development; Hospital Equipment and Supplies; Meat; Meat Trades Journal; Men's Wear; New Electronics; Nursing Focus; Plant International; Remedial Therapist; Retail Jeweller; la société filiale Glass's Guide Service Ltd. (51 p. 100 des actions) publie la revue *Glass's Guide Car Magazine.*

REVUES:
Burlington Magazine; Cheshire Life; Circle Books; Family Circle; Gloucestershire and Avon Life; Illustrated London News; Lancashire Life; Living; Natural World; Pins and Needles; Political Quarterly; Warwickshire and Worcestershire Life; Yorkshire Life.

INTERNATIONAL THOMSON BUSINESS PRESS INC., *Radnor, Pennsylvanie* (publications d'affaires et des sciences de l'information)

C.E.S. Publishing Corporation

Audio Times; Auto Sound and Communications; Computer Merchandising; Consumer Electronics Daily; Consumer Electronics Monthly; Consumer Electronics Show Daily; Video Business.

Eastman Publishing, Inc.

Computer Merchandising; Software Merchandising.

Huebner Publications, Inc.

Designfax; Fastener Technology; Machine Tool Specs Directories; Meltfax; Purchasing World; Tooling and Production; Wire Technology.

International Thomson Transportation Information Services Inc.

Brandon's Shipper and Forwarder; Pacific Shipper; Coast Marine and Transportation Directory.

Medical Economics Company Inc.

Clinical Laboratory Reference; Contemporary OB/GYN; Diagnosis; Diagnostic Magazine; Drug Topics; Drug Topics Red Book; MEDE Communications; Medical Economics; Medical Economics Books; Medical Economics for Surgeons; Medical Laboratory Observer; Medical Media International; Nursing Opportunities; Physicians' Desk Reference (P.D.R.); P.D.R. for Nonprescription Drugs; P.D.R. for Ophtalmology; P.D.R. for Radiology and Nuceal Medicine; Red Book Data Services; R.N.

Med Publishing Inc.

Cardiovascular News; Practical Cardiology; Gastro-Intestinal Literature News; Geriatric Medicine Today; Internal Medicine; OB/GYN Literature News; Oncology Literature News; Pulmonary Diseases Literature News; Tuberculosis Literature News.

Patient Care Communications Inc.

Patient Care.

Redgate Publishing

Revues spécialisées en logiciels.

Titsch Communications, Inc.

Broadcast Week; Cable File; Cable Vision; Communications Engineering Digest; International Communications Research; Mobile Radio Handbook; Radio Communications Report; Two-Way Radio Dealer.

Veterinary Medicine Publishing Co.

Veterinary Economics; Veterinary Medicine/Small Animal Clinic; Veterinary Pharmaceuticals and Biologics.

Ward's Communications Inc.

Ward's Auto Info Bank; Ward's Automotive Reports; Ward's Automotive Reports Index; Ward's Automotive Yearbook; Ward's Auto World; Ward's Engine Update.

FILIALE:
Broad Run Enterprises Inc.
Tecfacts.

THOMSON AUSTRALIAN HOLDINGS PTY LTD.
(revues du domaine des affaires ; foires commerciales)

Thomson Publications Australia

Australasian Office News ; Australian Advertising Rate and Data Service ; Australian Electronics Engineering ; Australian Mining ; Australian Mining Yearbook ; b & t Advertising, Marketing and Media Weekly ; b & t Year Book ; Building Products News ; Communications Australia ; Construction & Road Transport ; Construction Equipment News ; Cordells Building Publications ; Electrical Engineer ; Factory Equipment News ; Mingay's Electrical Supplies Guide ; Mingay's Price Service ; Mingay's Retailer & Merchandiser ; Process & Control Engineering ; Tenders ; Thomson's Electronics Data Book ; Thomson's Industrial Products Registers ; Thomson's Liquor Guide ; Thomson's Oil & Gas Year Book ; la société Glass's Guide Service (Australia) Pty Ltd. (51 p. 100 des actions) publie la revue *Glass's Guide Car.*

THOMSON PUBLICATIONS S.A. (PTY) LTD., *Johannesburg*
(revues du domaine des affaires ; foires commerciales)

REVUES DU DOMAINE DES AFFAIRES (37):
Building Products News ; Chemical Equipment News ; Commercial Transport ; Computing S.A. ; Daily Tender Bulletin ; Electrical Engineer ; Electronics and Instrumentation ; Food Industries Handbook ; Food Industries of South Africa ; Freight World ; Hospital and Nursing Year Book of Southern Africa ; Kontak ; Materials Handling News ; Merkel's Builders Pricing Manual ; Motor World ; Natal Equipment News ; New Equipment News ; New Equipment News, Cape and S.W. Africa ; New Retailer ; Office World ; Pack & Print ; Plastics & Rubber News ; Power & Plant Engineering in South Africa ; Professional Caterer ; Public Works ; Railways of Southern Africa ; S.A. Family Practice ;

S.A. Mining Week ; Shoes & Views ; South African Fishing Industry Handbook ; South African Hardware ; South African Hospital Supplies ; South African Industrial Week ; South African Journal of Hospital Medicine ; South African Mining and Engineering Journal ; South African Mining and Engineering Year Book ; Transport Managers' Handbook.

FILIALES :
The Pithead Press (Pty) Ltd.

REVUES DU DOMAINE DES AFFAIRES (6) :
Coal, Gold and Base Minerals of Southern Africa ; Construction Commercial News ; Construction in Southern Africa ; Export News ; Heating ; Air Conditioning and Refrigeration ; Production Management.

Trade Fairs and Promotions (Pty) Ltd. ; Mead and McGrouther (Pty) Ltd. *(51 p. 100 des actions)*

SERVICES D'INFORMATION ET MAISONS D'ÉDITION EN EUROPE

ALLEMAGNE :
Bertelsmann-Thomson Fachverlag GmbH
(44,8 p. 100 des actions)

DANEMARK :
Mostrups Forlag A/S
Thomson Communications (Scandinavia) A/S

FRANCE :
France S.A.R.L. *(51 p. 100 des actions)*
Éditions professionnelles Glass

NORVÈGE :
Informasjonsforlaget A/S

PAYS-BAS :
Thomson Publications (Europe) BV

JOURNAUX

Thomson Regional Newspapers [*]

BANQUES DE DONNÉES

ÉTATS-UNIS:
International Thomson Information Inc.
(banques de données du domaine de l'édition)

FILIALES:
Carrolton Press Inc.
Propriétaire de la banque de données *Remarc*.

INACOM
Services d'informations dans les domaines technique, scientifique et en génie.

Thomson & Thomson Inc.
Services de recherches en droits réservés.

Research Publications Inc.
Informations destinées aux professionnels de la micropublication, journaux, droits réservés aux États-Unis et à l'étranger.

Research Publications Ltd.
(filiale du Royame-Uni)

ROYAUME-UNI:
Thomson Data Ltd.
(filiale de la société Thomson Information Services Ltd.)

Droits d'auteur, micropublication, droit et banques de données.

FILIALES:
Computacar Ltd.
Derwent Publications Ltd. *(92 p. 100 des actions)*
E.S.D.U. International Ltd.
European Law Centre Ltd.

---

[*] *Les journaux du Canada et des États-Unis appartiennent à la société Thomson Newspapers Limited, filiale de l'International Thomson Organisation Limited (voir appendice E).*

Commercial Laws of Europe; Common Market Law Reports; European Commercial Cases; European Commercial Intelligence; European Human Rights Reports; European Law Digest; Fleet Street Reports.

Eurolex
Banque de données de droit.

ANNUAIRES

Thomson Directories, *Royaume-Uni*
(filiale de la société Thomson Information Services Ltd.)
(50 p. 100 des actions, en coparticipation)
Éditeur d'annuaires régionaux.

VOYAGES :

ROYAUME-UNI :
Thomson Travel Ltd.
(voyages organisés et agences de voyages)

FILIALES :
Britannia Airways Ltd. ; Lunn Poly Ltd. ; Portland Holidays Ltd. ;
Thomson Holidays Ltd.

ÉTATS-UNIS :
Thomson Travel Inc.
(voyages organisés et agences de voyages)

FILIALES :
Club Universe ; Specialised Travel Division ; Unitours Inc. ; Thomson
Vacations (filiale canadienne).

EUROPE ET AFRIQUE DU NORD :
Malte : **Beauport Investment Trust Ltd.**
(49,1 p. 100 des actions)
Hôtels.*

Tunisie : **RYM S.A.** *(45,5 p. 100 des actions)*

---

* *La société possède aussi des hôtels en Italie et en Espagne.*

RESSOURCES NATURELLES

ROYAUME-UNI :
Thomson North Sea Ltd.
(exploration pétrolière et gazière ; exploitation forestière)
FILIALES :
Thomson Scottish Petroleum Ltd. ; Thomson Scottish Forestry Ltd.

ÉTATS-UNIS *(Dallas)*
Thomson-Monteith Ltd.
(pétrole)

CANADA *(Calgary)*
Thomson-Jensen Ltd.
(pétrole)

SOCIÉTÉS ASSOCIÉES

ROYAUME-UNI :
The Solicitor's Law Stationery Society P.L.C. *(39,1 p. 100 des actions)*

Wigham Poland Holdings Ltd. *(35 p. 100 des actions)*

BÉNÉFICES
PÉRIODE DE CINQ ANS

INTERNATIONAL THOMSON ORGANISATION LIMITED
PÉRIODE DE CINQ ANS

*(L'I.T.O.L. publie ses états financiers en livres sterling.
La conversion en dollars canadiens et américains a été
faite selon le taux de change moyen de chaque année.)*

	Livres sterling *(en millions)*		Dollars canadiens *(en millions)*		Dollars américains *(en millions)*	
	Ventes	Revenu net	Ventes	Revenu net	Ventes	Revenu net
1983	1 503,5	72,0	2 808,9	134,5	2 279,2	109,1
1982	1 334,1	51,5	2 878,8	247,3	2 332,7	200,4
1981	1 180,7	43,5	2 867,6	275,9	2 391,7	230,1
1980	917,2	45,1	2 494,4	325,5	2 133,8	278,4
1979	687,1	55,2	1 707,8	304,7	1 457,8	260,1

THOMSON NEWSPAPERS LTD.
PÉRIODE DE CINQ ANS

(En millions de dollars canadiens)

	1983	1982	1981	1980	1979
Revenus	705,2	666,4	645,9	532,4	335,6
Bénéfices	126,1	99,4	96,9	75,8	65,0

APPENDICE

E

TIRAGE DES JOURNAUX

TIRAGE DES JOURNAUX DE L'EMPIRE THOMSON
(au Canada et aux États-Unis : fin novembre 1983 ; au Royaume-Uni : fin décembre 1983)

	Nombre total de journaux	Nombre de quotidiens	Nombre d'hebdomadaires	Tirage total	Plus petit quotidien	Plus important quotidien	Plus important hebdomadaire
Canada	52	39	13[a]	1,208,340 (vendu)	5,780	315,643	8,269
		matin 3		40,131 (gratuit)	The Evening	The Globe	The Yorkton
		soir 35			Patriot	and Mail	Enterprise
		matin/soir 1			Charlottetown,	Toronto	Yorkton,
					Île du Prince-		Saskatchewan
					Édouard		
États-Unis	88	84	4	1,325,231	2,960	65,120	3,380
		matin 5			The Daily	The Reposi-	The McLeans-
		soir 78			Dispatch	tory	boro Times-
		matin/soir 1			Douglas,	Canton, Ohio	Leader
					Arizona		McLeansboro,
							Illinois
Royaume-Uni	60[b]	12	47	1,483,141(vendu)	41,823 (vendu)	152,802(vendu)	122,051 (vendu)
		matin 6		1,203,857(gratuit)	Evening Post	Evening	Sunday Sun
		soir 6			Reading (près de	Chronicle	Newcastle
					Londres)	Newcastle	

NOTES :
a En plus de quatre bi-hebdomadaires et de deux journaux publiés trois fois par semaine.
b En plus d'un mensuel.

SOURCES: Audit Bureau of Circulation,
Thomson Newspapers Limited,
Thomson Regional Newspapers

345

THOMSON NEWSPAPERS

Canada
(le 30 novembre 1983)

Ville	Nom du journal	Tirage	Matin Soir Hebd.
Alberta: Lethbridge	The Lethbridge Herald	28,269	soir
Colombie britannique: Kamloops	Kamloops Sentinel	26,120(gratuit)3 éd./sem.	
Kelowna	The Kelowna Daily Courier	16,490	soir
Nanaimo	Nanaimo Daily Free Press	9,061	soir
Penticton	Penticton Herald	8,508	soir
Vernon	Vernon Daily News	8,993	soir
Victoria	Times-Colonist	78,939	matin/soir
Île du Prince-Édouard Charlottetown	The Morning Guardian	17,426	matin
Charlottetown	The Evening Patriot	5,780	soir
Manitoba: Winnipeg	Winnipeg Free Press	191,871	soir
Nouveau-Brunswick: Bathurst	The Northern Light	8,078	hebd.
Nouvelle-Écosse: New Glasgow	The Evening News	11,387	soir
Sydney	Cape Breton Post	31,560	soir
Truro	The Daily News	8,601	soir
Ontario: Barrie	The Barrie Examiner	12,728	soir
Belleville	The Intelligencer	17,435	soir
Brampton	The Daily Times	6,390	soir
Cambridge	Cambridge Daily Reporter	13,570	soir
Chatham	The Chatham Daily News	15,807	soir
Collingwood	Enterprise-Bulletin	6,231	hebd.
Cornwall	Standard-Freeholder	17,010	soir
Dunnville	Dunnville Chronicle	3,623	hebd.
Elliot Lake	The Standard	4,816	bi-hebd.
Georgetown	The Herald	14,011(gratuit)hebd.	
Guelph	The Daily Mercury	17,676	soir
Hanover	The Hanover Post	4,322	hebd.
Kirkland Lake	Northern Daily News	5,852	soir
Leamington	Leamington Post	5,833	hebd.
Midland	The Free Press	6,039	bi-hebd.
Niagara Falls	Niagara Falls Review	20,254	soir
Orangeville	The Banner	6,176	bi-hebd.
Orillia	Daily Packet and Times	9,827	soir
Oshawa	The Oshawa Times	22,316	soir

	Pembroke	*The Pembroke Observer*	7,145	soir
	Peterborough	*Peterborough Examiner*	24,412	soir
	St. Thomas	*St. Thomas Times-Journal*	10,101	soir
	Sarnia	*The Sarnia Observer*	24,112	soir
	Simcoe	*The Simcoe Reformer*	9,696	soir
	Sudbury	*The Sudbury Star*	29,571	soir
	Thunder Bay	*The Chronicle Journal*	28,457	soir
	Thunder Bay	*The Times-News*	8,828	matin
	Timmins	*The Daily Press*	13,725	soir
	Toronto	*The Globe and Mail**	315,643	matin
	Trenton	*The Trentonian and Tri-County News*	7,827	3 éd./sem.
	Welland	*The Evening Tribune*	17,037	soir
	Woodstock	*The Daily Sentinel-Review*	8,760	soir
Québec * *				
Saskatch-	Moose Jaw	*Moose Jaw Times-Herald*	9,930	soir
ewan:	Prince Albert	*Prince Albert Daily Herald*	10,179	soir
	Swift Current	*The Swift Current Sun*	4,877	bi-hebd.
	Yorkton	*The Yorkton Enterprise*	8,269	hebd.
Terre-	Corner Brook	*The Western Star*	10,564	soir
Neuve:	St. John's	*The Evening Telegram*	38,339	soir

* *The Globe and Mail* publie une édition du soir depuis juin 1984.
* * La société Montreal Standard Printer n'est pas incluse.
NOTE : Le tirage est évalué selon les règles établies par l'Audit Bureau of Circulation.
Préparé à partir des états financiers de la société Thomson Newspapers Ltd.

THOMSON NEWSPAPERS

États-Unis
(le 30 novembre 1983)

Ville	Nom du journal	Tirage	Matin Soir Hebd.
Alabama: Dothan	*The Dothan Eagle*	22,672	soir
Enterprise	*The Enterprise Ledger*	6,950	soir
Opelika	*The Opelika-Auburn News*	14,065	soir
Phenix City	*The Phenix Citizen*	1,563	hebd.
Arizona: Douglas	*The Daily Dispatch*	2,960	soir
Arkansas: Fayetteville	*Northwest Arkansas Times*	11,108	soir
Californie: Barstow	*Desert Dispatch*	6,933	soir

	Eureka	*The Times-Standard*	20,564	soir
	Oxnard	*The Press-Courier*	20,058	soir
	West Covina	*San Gabriel Valley Daily Tribune*	63,339	matin
	Whittier	*The Daily News*	16,669	soir
	Yreka	*Siskiyou Daily News*	5,190	soir
Caroline du Nord:	Rocky Mount	*The Evening Telegram*	14,049	soir
Caroline du Sud:	Florence	*Florence Morning News*	32,058	matin
Connecti-cut:	Ansonia	*The Evening Sentinel*	17,310	soir
Dakota du Sud:	Mitchell	*The Daily Republic*	12,527	soir
Floride:	Englewood	*Englewood Herald*	3,026	hebd.
	Key West	*The Key West Citizen*	7,432	soir
	Marianna	*Jackson County Floridan*	4,962	soir
	Orange Park	*Clay Today*	4,809	soir
	Punta Gorda	*Daily-Herald News*	8,082	soir
Georgie:	Cordele	*The Cordele Dispatch*	5,302	soir
	Dalton	*The Daily Citizen-News*	12,422	soir
	Griffin	*Griffin Daily News*	12,369	soir
	Thomasville	*Thomasville Times-Enterprise*	10,895	soir
	Tifton	*The Tifton Gazette*	9,167	soir
	Valdosta	*The Valdosta Daily Times*	17,589	soir
Illinois:	Jacksonville	*Jacksonville Journal Courier*	15,781	matin/soir
	McLeansboro	*The McLeansboro Times Leader*	3,380	hebd.
	Mount Vernon	*The Register-News*	12,052	soir
Indiana:	Kokomo	*The Kokomo Tribune*	28,916	soir
	New Albany	*The Tribune*	10,760	soir
Iowa:	Council Bluffs	*Council Bluffs Nonpareil*	19,109	soir
	Oelwein	*The Oelwein Daily Register*	6,848	soir
Kansas:	Atchison	*Atchison Daily Globe*	5,729	soir
	Leavenworth	*The Leavenworth Times*	9,600	soir
Kentucky:	Corbin	*The Times-Tribune*	7,466	soir
Louisiane:	Lafayette	*The Daily Advertiser*	34,520	soir
Maryland:	Salisbury	*The Daily Times*	27,151	soir
Massachus-etts:	Fichtburg	*The Daily Sentinal and Leominster Enterprise*	24,050	soir
	Taunton	*Taunton Daily Gazette*	14,036	soir

Michigan:	Adrian	*Adrian Daily Telegram*	17,222	soir
	Escanaba	*The Daily Press*	10,384	soir
	Houghton	*The Daily Mining Gazette*	11,951	soir
	Iron Mountain	*The Daily News*	10,435	soir
	Marquette	*The Mining Journal*	17,568	soir
Minnesota:	Albert Lea	*The Evening Tribune*	10,138	soir
	Austin	*Austin Daily Herald*	9,853	soir
Mississippi:	Laurel	*Laurel Leader-Call*	10,313	soir
Missouri:	Cape Girardeau	*The Southeast Missourian*	14,912	soir
	Carthage	*The Carthage Press*	5,108	soir
	Sikeston	*The Daily Standard*	9,508	soir
New Hampshire:	Portsmouth	*The Portsmouth Herald*	15,792	soir
New York:	Herkimer	*The Evening Telegram*	7,124	soir
	Newburgh	*The Evening News*	17,101	soir
	Oswego	*The Palladium-Times*	8,019	soir
Ohio:	Canton	*The Repository*	65,120	soir
	Coshocton	*The Coshocton Tribune*	7,887	soir
	East Liverpool	*The Evening Review*	13,678	soir
	Franklin	*The Franklin Chronicle*	2,482	hebd.
	Greenville	*The Daily Advocate*	9,257	soir
	Lancaster	*Lancaster Eagle-Gazette*	17,875	matin
	Marion	*The Marion Star*	19,182	soir
	Middletown	*Middletown Journal*	24,242	soir
	Newark	*The Advocate*	22,186	soir
	Piqua	*The Piqua Daily Call*	10,788	soir
	Portsmouth	*The Daily Times*	19,441	soir
	Salem	*The Salem News*	9,995	soir
	Steubenville	*The Herald Star*	21,553	soir
	Xenia	*The Xenia Daily Gazette*	11,310	soir
	Zanesville	*The Times Recorder*	24,123	soir
Oklahoma:	Ada	*The Ada Evening News*	9,429	soir
Pennsyl-vanie:	Connelsville	*The Daily Courier*	13,899	soir
	Easton	*The Express*	47,278	soir
	Greenville	*The Greenville Record-Argus*	5,184	soir
	Hanover	*The Evening Sun*	22,309	soir
	Kittaning	*The Leader-Times*	11,659	soir
	Lock Haven-Jersey Shore	*The Express*	11,585	soir
	Meadville	*The Meadville Tribune*	17,277	matin
	Monessen-Charleroi-Donora	*The Valley Independent*	17,077	soir
Utah:	St. George	*The Daily Spectrum*	12,979	soir

Virginie:	Petersburg	*The Progress-Index*	20,433	soir
Virginie occidentale:	Fairmont	*The Times-West Virginian*	15,586	matin
	Weirton	*The Weirton Daily Times*	7,740	soir
Wisconsin:	Fond du Lac	*The Reporter*	20,363	soir
	Manitowoc	*Herald-Times-Reporter*	17,066	soir
	Waukesha	*Waukesha Freeman*	23,425	soir
	Wisconsin Rapids	*The Daily Tribune*	12,979	soir

NOTE : Le tirage est évalué selon les règles établies par l'Audit Bureau of Circulation. Préparé à partir des états financiers de la société Thomson Newspapers Ltd.

JOURNAUX DU ROYAUME-UNI
(le 31 décembre 1983)

Ville	Nom du journal	Tirage	Matin Soir Hebd.
ANGLETERRE			
Berkshire County	*Ascot Times*		hebd.
(Près de Windsor,	*Bracknell Times*	12,570 (vendus)	hebd.
à 45 km à	*Crowthorne Times*		hebd.
l'ouest de Londres.)	*Wokingham Times*		hebd.
Cheshire County	*Chester Chronicle*	36,159	hebd.
(A 65 km au			
sud-est de Manchester.)	*Crewe Chronicle*	26,610	hebd.
	Nantwich Chronicle		hebd.
	Middlewich Chronicle		(vendus) hebd.
	Northwich Chronicle	10,214	hebd.
	Winsford Chronicle		hebd.
	Runcorn Weekly News	9,500	hebd.
	Widnes Weekly News	10,000	hebd.
	Chester Mail	40,045	hebd.
	Ellesmere Port Mail	22,381	hebd.
	Frodsham and Helsby News	5,000	(gratuits) hebd.
	Penketh and Great Sankey News	10,000	hebd.

Lancashire County (À 45 km au nord-ouest de Manchester.)	*Evening Telegraph*	47,725	(vendu)	
	Blackburn and Darwen Mail	56,871	}	hebd.
	Burnley and Padiham Mail	35,559	} (gratuits)	hebd.
	Pendle Mail	34,250	}	hebd.
Middlesbrough (À 65 km au sud de Newcastle.)	*Evening Gazette*	81,568	(vendu)	
	Teesside Advertiser	173,000	(gratuit)	hebd.
Newcastle	*Evening Chronicle*	152,802	}	
	Sunday Sun	122,051	} (vendus)	hebd.
	The Journal	69,222	}	
	The Advertiser	150,756	(gratuit)	hebd.
Reading (À 80 km à l'ouest de Londres.)	*Evening Post*	41,823	(vendu)	
	Reading Standard	80,000	(gratuit)	hebd.
Shropshire County (ou Salop) (Frontière commune avec le pays de Galles. À 80 km de Birmingham.)	*Whitchurch Herald*	5,806	(vendu)	hebd.

IRLANDE
DU NORD

Belfast	*Ballymena Observer*	14,061	}	hebd.
	Belfast Telegraph	150,402	} (vendus)	
	East Antrim Times	15,932	}	hebd.

ÉCOSSE

Aberdeen	*Evening Express*	82,475	} (vendus)	
	The Press and Journal	112,080	}	
	The Citizen	84,133	} (gratuits)	hebd.
	Scene	40,000	}	hebd.
Édimbourg	*Evening News*	123,827	} (vendus)	
	The Scotsman (national circulation)	92,963	}	
	Edinburgh Advertiser	161,911	(gratuit)	hebd.

PAYS DE
GALLES

Cardiff	*South Wales Echo*	102,452	} (vendus)	
	Western Mail	79,435	}	

	Barry Post	16,490		hebd.
	Caerphilly Post	36,520		hebd.
	Cardiff Post	101,320	(gratuits)	hebd.
	Penarth Post	11,244		hebd.
Southern Valleys	*Aberdare Leader*			hebd.
	Mountain Ash Leader	11,703		hebd.
	Glamorgan Gazette	21,307	(vendus)	hebd.
	Gwent Gazette	8,282		hebd.
	Llantrisant Observer			hebd.
	Pontypridd Observer	23,886		hebd.
	Rhondda Leader			hebd.
	Merthyr Express	18,286		hebd.
	Rhymney Valley Express			hebd.
	Abergavenny Gazette	12,500		hebd.
	Bridgend Star	12,366		hebd.
	Merthyr Star	17,500		mensuel
	Neath Guardian		(gratuits)	hebd.
	Port Talbot Guardian	46,000		hebd.
	Newport and Cwmbran Post	56,111		hebd.

DIRECTEURS DES SOCIÉTÉS DE L'EMPIRE THOMSON

DIRECTEURS
Principales sociétés

International Thomson Organisation Ltd.

Membres de la haute direction :

NOM	POSTE	AUTRES FONCTIONS
Kenneth Roy Thomson *Titre :* Right Honorable Lord of Fleet of Northbridge in the City of Edinburgh *(Toronto)*	*Directeur :* International Thomson Organisation Ltd. (filiale au Canada) International Thomson Organisation P.L.C. (Royaume-Uni) International Thomson Holding Inc. (États-Unis)	Directeur : Abitibi-Price Inc. ; banque Toronto-Dominion Collectionneur d'art
John A. Tory, Q.C. *(Toronto)*	*Directeur adjoint :* International Thomson Organisation Ltd.	Directeur : Abitibi-Price Inc. ; Banque Royale du Canada

	International Thomson Holdings Inc. *Directeur :* International Thomson Organisation P.L.C.	Solliciteur honoraire, Association canadienne pour la Santé mentale
Gordon C. Brunton *(Londres)*	*Président :* International Thomson Organisation Ltd. *Directeur général et directeur administratif :* International Thomson Organisation P.L.C. *Président et directeur administratif :* International Thomson Holdings Inc.	Directeur : Sotheby Parke Bernet Group P.L.C.
W. Michael Brown *(New York)*	*Vice-président administratif :* International Thomson Organisation Ltd. *Vice-président exécutif et directeur général :* International Thomson Holdings Inc.	

AUTRES DIRECTEURS

International Thomson Organisation Ltd.

W.J. Des Lauriers *(Toronto)*	Associé de la firme Tory, Tory, Des Lauriers & Binnington

Charles Edward (Ted) Medland *(Toronto)*	*Président-directeur général :* Wood Gundy Ltd.	Conseil des Gouverneurs : Wellesley Hospital (Toronto)
James Whittall, D.S.O. *(Distinguished Service Cross ; Toronto)*	*Directeur :* Reed Stenhouse Inc.	Membre et associé : Insurance Institute of America

International Thomson Organisation P.L.C.

Claude Neville David Cole *(Westminster, Angleterre)*	*Directeur adjoint :* I.T.O.L., P.L.C. *Directeur :* Thomson Books Ltd. *Directeur général :* Thomson Information Services	Conseil des Gouverneurs : Université de Wales Auteur de plusieurs livres de poésie
James Donald Evans *(Darlington, Angleterre)*	*Directeur général adjoint :* I.T.O.L., P.L.C. *Directeur général et administratif :* Thomson Regional Newspapers Ltd.	
Joseph Darby *(Londres)*	*Directeur général :* Thomson North Sea Ltd.	
Roger Davies *(Londres)*	*Directeur général :* Thomson Travel Ltd.	
M.D. Knight *(Londres)*	*Secrétaire administratif :* International Thomson Organisation Ltd.	

M.S. Mander (Londres)	Directeur général : Thomson Information Services
A.J.B. Mawdsley (Londres)	Directeur financier : International Thomson Organisation P.L.C.
J.H. Sauvage (Londres)	Directeur : Thomson Travel Ltd.

Note : Gordon Brunton s'est retiré à la fin de 1984 ; Michael Brown lui a succédé au poste de président de la société International Thomson Organisation Ltd. et James Evans a pris le poste de directeur général de l'International Thomson Organisation P.L.C. et celui de vice-président administratif de l'International Thomson Organisation Ltd.

Thomson Newspapers Ltd.

NOM	POSTE	AUTRES FONCTIONS
Kenneth Thomson	Président et directeur	
John Tory	Directeur adjoint	
Brian W. Slaight (Toronto)	Vice-président administratif	
Peter T. Bogart (Toronto)	Vice-président aux finances et trésorier	
John H. Coleman (Toronto)	Président : J.H.C. Associates Ltd.	Directeur de vingt sociétés dont : Chrysler Corporation, Imasco Ltd., Banque Royale du Canada, Xerox of Canada Ltd.

John S. Dewar *(Toronto)*	*Président et* *directeur :* Union Carbide Canada Ltd.	Conseil d'administration, Queen's University (Kingston, Ontario)
Lorne K. Lodge *(Toronto)*	*Président et* *directeur :* I.B.M. Canada Ltd.	
St.Clair McCabe *(Clearwater, Floride)*	*Président :* Thomson Newspapers Inc. (É.-U.)	
Douglas J. Peacher *(La Jolla, Californie)*	*Ancien président :* Simpsons-Sears Acceptance Co.	Administrateur honoraire, Université Concordia (Sir George Williams) (Montréal)
David C.H. Stanley	*Ancien vice-président :* Wood Gundy Ltd.	Ancien président, Institut national canadien pour les aveugles

La Compagnie de la baie d'Hudson

NOM	POSTE	AUTRES FONCTIONS
Kenneth Thomson	(*Voir* International Thomson et Thomson Newspapers)	
John Tory	(*Voir* International Thomson et Thomson Newspapers)	
Donald S. McGiverin *(Toronto)*	*Administrateur et* *président :* Compagnie de la baie d'Hudson *Directeur :* Simpsons Ltd.	

359

Alexander J.
MacIntosh
(Toronto)

Directeur adjoint :
Markborough
Properties Ltd.

Gouverneur adjoint :
Compagnie de la
baie d'Hudson

Associé de la firme
d'avocats Blake
Cassels &
Graydon

Vice-directeur, John
Labatt Ltd.

Administrateur,
Brock University
(St.Catharines,
Ontario)

Ian A. Barclay
(Vancouver)

Directeur :
British Columbia
Forest Products Ltd.

Gouverneur, Lions de la
Colombie britannique
(club de football
canadien)

Marcel Bélanger, O.C. [1]
(Québec)

Président :
Gagnon & Bélanger
Inc.

C.W. (Wally) Evans
(Toronto)

Président :
La Baie

G. Richard Hunter,
Q.C., M.B.E. [2]
(Winnipeg)

Associé de la firme
d'avocats Pitblado
& Hoskin

Martin W. Jacomb
(Londres)

Vice-directeur :
Kleinwort, Benson
Ltd.

Josette Leman
(Montréal)

Conseiller :
McGregor Travel Co.

Directeur, Fonds de
recherche, Institut
de cardiologie
de Montréal

W. Donald C.
Mackenzie
(Calgary)

Président :
W.D.C. Mackenzie
Consultants Ltd.

---

1. O.C. : Officier de l'Ordre du Canada.
2. M.B.E. : Membre de l'Ordre de l'Empire britannique.

Dawn R. McKeag *(Winnipeg)*	*Présidente :* Walford Investments Ltd.	Infirmière, épouse de l'ancien lieutenant-gouverneur du Manitoba et fille de l'ancien Premier ministre Douglas Campbell
John H. Moore *(London, Ontario)*	*Directeur :* comité exécutif, conseil d'administration, London Life Insurance Co.	Ancien directeur et président, John Labatt Ltd. Ancien président : Brascan Ltd.
George T. Richardson *(Winnipeg)*	*Président :* James Richardson & Sons Ltd. *Ancien gouverneur :* Compagnie de la baie d'Hudson	Directeur, Banque Canadienne Impériale de Commerce
Rt. Hon. Lord Trend *(Oxford)*	*Recteur :* Lincoln College, Oxford	Vice-chancelier, Université d'Oxford Ancien secrétaire (1963-1973) du Cabinet britannique
Donald O. Wood *(Toronto)*	*Vice-président aux finances :* Compagnie de la baie d'Hudson	Membre du conseil d'administration, Toronto Arts Production ; Winnipeg Ballet
Peter W. Wood *(Toronto)*	*Vice-président administratif :* Compagnie de la baie d'Hudson	Directeur national, Société canadienne du Cancer

Scottish and York Holdings Ltd.

NOM	POSTE	AUTRES FONCTIONS
Kenneth Thomson	(*Voir* International Thomson et Thomson Newspapers)	
John Tory	(*Voir* International Thomson et Thomson Newspapers)	
R.W. Broughton *(Toronto)*	*Directeur général et administratif :* Scottish and York Holdings Ltd.	
R.D. Abbot *(Toronto)*	*Vice-président et secrétaire-trésorier :* Scottish and York Holdings Ltd.	
Sidney Chapman *(Toronto)*	*Directeur des services financiers (à la retraite) :* Thomson Newspapers Ltd.	Cofondateur de la société York Holdings Ltd.
Ian Croft *(Toronto)*	*Vice-président et trésorier :* The Woodbridge Co.	
St.Clair McCabe	(*Voir* Thomson Newspapers Ltd.)	
A.D. McEwen *(Toronto)*	*Directeur :* McEwen Easson Ltd. (courtiers en investissement)	

Deux principales sociétés de portefeuille de la famille Thomson

Thomson Equitable Corporation

ADMINISTRATEURS :
Directeur : **Kenneth Thomson**
Président : **John Tory**
Vice-président et trésorier : **Ian Croft**
Vice-président et secrétaire : **James Melville**
Secrétaire adjoint : **Miyoko Okino** *(secrétaire de John Tory)*

Membres du conseil d'administration : **Kenneth Thomson, Phyllis Audrey Campbell** *(soeur de Kenneth Thomson)*, **John Tory, Ian Croft**

The Woodbridge Company

ADMINISTRATEURS :
Directeur : **Kenneth Thomson**
Président : **John Tory**
Vice-président et trésorier : **Ian Croft**
Vice-président et secrétaire : **James Melville**
Vice-président : **Peter Mills**
Vérificateur : **William Dodds**
Secrétaire adjoint : **Miyoko Okino**
Membres du conseil d'administration : **Kenneth Thomson, John Tory, Ian Croft, Peter Mills**

Index

367

376

Thomson Organisation, 33, 35, 71, 72, 75, 109, 146, 151, 168, 229, 231, 244

Thomson Publications, 72, 146, 147, 150, 157, 169

Thomson Regional Newspapers (T.R.N.), 66, 71, 72, 241, 242, 243, 245, 246, 249, 250

Thomson Travel, 16, 62, 72, 93, 163, 164, 166, 167, 168, 169, 171, 172, 173, 174, 176, 177, 179

Thomson Vacations, 174, 177, 178, 179, 180, 181, 182

Thorne Riddell, 127

Thurston, Ted, 213, 214

Times, (de Londres), 19, 25, 28, 29, 30, 32, 36, 57, 60, 73, 77, 86, 89, 96, 97, 111, 188, 221, 222, 223, 224, 225, 226, 227, 228, 229, 230, 231, 232, 233, 234, 235, 237, 238, 239, 247, 312

Times Books, 311

Times-Herald (de Moose Jaw, Saskatchewan), 52, 189

Times Mirror Co., 258, 311

Times Newspapers Ltd., 25, 60, 71, 73, 111, 225, 228, 230, 233, 235, 236, 237, 239, 246, 250

Timmins (Ontario), 18, 27, 41, 83

Timson, Ray, 203

Titsch Communications Inc., 266

Todd, Alan, 168

Toni (ensemble pour mises en plis), 53

Tooling and Production, 270

Toronto-Dominion Centre, 13

Torontonesis, 101

Toronto Star, 85, 203

Toronto Sun, 187, 204

Tory, Elizabeth, 84, 102

Tory, James, 101, 301

Tory, Jeffrey, 102

Tory, John, 65, 75, 77, 97, 98, 99, 100, 101, 102, 126, 127, 189, 236, 244, 287, 292, 295, 301, 307

Tory, John III, 102

Tory, John S.D., 100, 102

Tory, Michael, 102

Tory, Tory Des Lauriers & Binnington, 100, 301

Touche Ross, 267

Trafalgar House, 312

Travailleurs unis de l'Acier d'Amérique, 212

Travailleurs unis de l'Automobile, 212

Tri-American Corp., 295

Trudeau, Premier ministre Pierre, 192

Unilever, 254

Union nationale des journalistes, 226, 231, 243, 244

Unitours, 178

Université de Cambridge, 82, 83

Université de Toronto, 82

Upper Canada College, 82

Table des matières

Lithographié au Canada
sur les presses de
Métropole Litho Inc.

Ouvrages parus aux ÉDITIONS DE L'HOMME

sans * pour l'Amérique du Nord seulement
* pour l'Europe et l'Amérique du Nord
** pour l'Europe seulement

ALIMENTATION — SANTÉ

Allergies, Les, Dr Pierre Delorme
* **Cellulite, La,** Dr Jean-Paul Ostiguy
Conseils de mon médecin de famille, Les, Dr Maurice Lauzon
Contrôler votre poids, Dr Jean-Paul Ostiguy
Diététique dans la vie quotidienne, La, Louise Lambert-Lagacé
Face-lifting par l'exercice, Le, Senta Maria Rungé
* **Guérir ses maux de dos,** Dr Hamilton Hall

* **Maigrir en santé,** Denyse Hunter
* **Maigrir, un nouveau régime de vie,** Edwin Bayrd
Massage, Le, Byron Scott
Médecine esthétique, La, Dr Guylaine Lanctôt
* **Régime pour maigrir,** Marie-Josée Beaudoin
* **Sport-santé et nutrition,** Dr Jean-Paul Ostiguy
* **Vivre jeune,** Myra Waldo

ART CULINAIRE

Agneau, L', Jehane Benoit
Art d'apprêter les restes, L', Suzanne Lapointe
* **Art de la cuisine chinoise, L',** Stella Chan
Art de la table, L', Marguerite du Coffre
Boîte à lunch, La, Louise Lambert-Lagacé
Bonne table, La, Juliette Huot
Brasserie la Mère Clavet vous présente ses recettes, La, Léo Godon
Canapés et amuse-gueule
101 omelettes, Claude Marycette
Cocktails de Jacques Normand, Les, Jacques Normand
Confitures, Les, Misette Godard
* **Congélation des aliments, La,** Suzanne Lapointe
* **Conserves, Les,** Soeur Berthe
* **Cuisine au wok, La,** Charmaine Solomon
Cuisine chinoise, La, Lizette Gervais
Cuisine de Maman Lapointe, La, Suzanne Lapointe
Cuisine de Pol Martin, La, Pol Martin
Cuisine des 4 saisons, La, Hélène Durand-LaRoche

* **Cuisine du monde entier, La,** Jehane Benoit
Cuisine en fête, La, Juliette Lassonde
Cuisine facile aux micro-ondes, Pauline Saint-Amour
* **Cuisine micro-ondes, La,** Jehane Benoit
Desserts diététiques, Claude Poliquin
Du potager à la table, Paul Pouliot, Pol Martin
En cuisinant de 5 à 6, Juliette Huot
* **Faire son pain soi-même,** Janice Murray Gill
* **Fèves, haricots et autres légumineuses,** Tess Mallos
Fondue et barbecue
* **Fondues et flambées de Maman Lapointe,** S. et L. Lapointe
Fruits, Les, John Goode
Gastronomie au Québec, La, Abel Benquet
Grande cuisine au Pernod, La, Suzanne Lapointe
Grillades, Les
* **Guide complet du barman, Le,** Jacques Normand
Hors-d'oeuvre, salades et buffets froids, Louis Dubois

1

DOCUMENTS — BIOGRAPHIES

2

Provencher, le dernier des coureurs de bois, Paul Provencher
Réal Caouette, Marcel Huguet
Révolte contre le monde moderne, Julius Evola
Struma, Le, Michel Solomon
Temps des fêtes au Québec, Le, Raymond Montpetit
Terrorisme québécois, Le, Dr Gustave Morf

* Treizième chandelle, La, T. Lobsang Rampa
Troisième voie, La, Me Emile Colas
Trois vies de Pearson, Les, J.-M. Poliquin, J.R. Beal
Trudeau, le paradoxe, Anthony Westell
Vizzini, Sal Vizzini
Vrai visage de Duplessis, Le, Pierre Laporte

ENCYCLOPÉDIES

Encyclopédie de la chasse au Québec, Bernard Leiffet
Encyclopédie de la maison québécoise, M. Lessard, H. Marquis
* Encyclopédie de la santé de l'enfant, L', Richard I. Feinbloom
Encyclopédie des antiquités du Québec, M. Lessard, H. Marquis

Encyclopédie des oiseaux du Québec, W. Earl Godfrey
Encyclopédie du jardinier horticulteur, W.H. Perron
Encyclopédie du Québec, vol. I, Louis Landry
Encyclopédie du Québec, vol. II, Louis Landry

ENFANCE ET MATERNITÉ

* Aider son enfant en maternelle et en 1ère année, Louise Pedneault-Pontbriand
* Aider votre enfant à lire et à écrire, Louise Doyon-Richard
Avoir un enfant après 35 ans, Isabelle Robert
* Comment avoir des enfants heureux, Jacob Azerrad
Comment amuser nos enfants, Louis Stanké
* Comment nourrir son enfant, Louise Lambert-Lagacé
* Découvrez votre enfant par ses jeux, Didier Calvet
Des enfants découvrent l'agriculture, Didier Calvet
* Développement psychomoteur du bébé, Le, Didier Calvet
* Douze premiers mois de mon enfant, Les, Frank Caplan
Droits des futurs parents, Les, Valmai Howe Elkins
* En attendant notre enfant, Yvette Pratte-Marchessault
Enfant unique, L', Ellen Peck
* Éveillez votre enfant par des contes, Didier Calvet

* Exercices et jeux pour enfants, Trude Sekely
Femme enceinte, La, Dr Robert A. Bradley
Futur père, Yvette Pratte-Marchessault
* Jouons avec les lettres, Louise Doyon-Richard
* Langage de votre enfant, Le, Claude Langevin
Maman et son nouveau-né, La, Trude Sekely
Merveilleuse histoire de la naissance, Dr Lionel Gendron
Pour bébé, le sein ou le biberon, Yvette Pratte-Marchessault
Pour vous future maman, Trude Sekely
* Préparez votre enfant à l'école, Louise Doyon-Richard
* Psychologie de l'enfant, La, Françoise Cholette-Pérusse
* Tout se joue avant la maternelle, Isuba Mansuka
* Trois premières années de mon enfant, Les, Dr Burton L. White
* Une naissance apprivoisée, Edith Fournier, Michel Moreau

LANGUE

Améliorez votre français, Jacques Laurin

* Anglais par la méthode choc, L', Jean-Louis Morgan

3

Corrigeons nos anglicismes, Jacques Laurin
* **J'apprends l'anglais,** G. Silicani et J. Grisé-Allard
Notre français et ses pièges, Jacques Laurin

Petit dictionnaire du joual au français, Augustin Turennes
Verbes, Les, Jacques Laurin

LITTÉRATURE

Adieu Québec, André Bruneau
Allocutaire, L', Gilbert Langlois
Arrivants, Les, collaboration
Berger, Les, Marcel Cabay-Marin
Bigaouette, Raymond Lévesque
Carnivores, Les, François Moreau
Carré St-Louis, Jean-Jules Richard
Centre-ville, Jean-Jules Richard
Chez les termites, Madeleine Ouellette-Michalska
Commettants de Caridad, Les, Yves Thériault
Danka, Marcel Godin
Débarque, La, Raymond Plante
Domaine Cassaubon, Le, Gilbert Langlois
Doux mal, Le, Andrée Maillet
D'un mur à l'autre, Paul-André Bibeau
Emprise, L', Gaétan Brulotte
Engrenage, L', Claudine Numainville
En hommage aux araignées, Esther Rochon
Faites de beaux rêves, Jacques Poulin
Fuite immobile, La, Gilles Archambault

J'parle tout seul quand Jean Narrache, Émile Coderre
Jeu des saisons, Le, Madeleine Ouellette-Michalska
Marche des grands cocus, La, Roger Fournier
Monde aime mieux..., Le, Clémence Desrochers
Mourir en automne, Claude DeCotret
N'Tsuk, Yves Thériault
Neuf jours de haine, Jean-Jules Richard
New medea, Monique Bosco
Outaragasipi, L', Claude Jasmin
Petite fleur du Vietnam, La, Clément Gaumont
Pièges, Jean-Jules Richard
Porte silence, Paul-André Bibeau
Requiem pour un père, François Moreau
Si tu savais..., Georges Dor
Tête blanche, Marie-Claire Blais
Trou, Le, Sylvain Chapdeleine
Visages de l'enfance, Les, Dominique Blondeau

LIVRES PRATIQUES — LOISIRS

Améliorons notre bridge, Charles A. Durand
* **Art du dressage de défense et d'attaque, L',** Gilles Chartier
* **Art du pliage du papier, L',** Robert Harbin
* **Baladi, Le,** Micheline d'Astous
* **Ballet-jazz, Le,** Allen Dow et Mike Michaelson
* **Belles danses, Les,** Allen Dow et Mike Michaelson
Bien nourrir son chat, Christian d'Orangeville
Bien nourrir son chien, Christian d'Orangeville
Bonnes idées de maman Lapointe, Les, Lucette Lapointe
* **Bridge, Le,** Vivianne Beaulieu
Budget, Le, en collaboration
Choix de carrières, T. I, Guy Milot
Choix de carrières, T. II, Guy Milot

Choix de carrières, T. III, Guy Milot
Collectionner les timbres, Yves Taschereau
Comment acheter et vendre sa maison, Lucile Brisebois
Comment rédiger son curriculum vitae, Julie Brazeau
Comment tirer le maximum d'une mini-calculatrice, Henry Mullish
Conseils aux inventeurs, Raymond-A. Robic
Construire sa maison en bois rustique, D. Mann et R. Skinulis
Crochet jacquard, Le, Brigitte Thérien
Cuir, Le, L. St-Hilaire, W. Vogt
* **Découvrir son ordinateur personnel,** François Faguy
Dentelle, La, Andrée-Anne de Sève
Dentelle II, La, Andrée-Anne de Sève
Dictionnaire des affaires, Le, Wilfrid Lebel

PHOTOGRAPHIE

PLANTES ET JARDINAGE

PSYCHOLOGIE

* **Se connaître soi-même,** Gérard Artaud
* **Se contrôler par le biofeedback,** Paultre Ligondé
* **Se créer par la gestalt,** Joseph Zinker
  Se guérir de la sottise, Lucien Auger
  S'entraider, Jacques Limoges
  Séparation du couple, La, Dr Robert S. Weiss
* **Trouver la paix en soi et avec les autres,** Dr Theodor Rubin

* **Vaincre ses peurs,** Lucien Auger
* **Vivre avec sa tête ou avec son coeur,** Lucien Auger
  Volonté, l'attention, la mémoire, La, Robert Tocquet
  Votre personnalité, caractère..., Yves Benoit Morin
* **Vouloir c'est pouvoir,** Raymond Hull
  Yoga, corps et pensée, Bruno Leclercq
  Yoga des sphères, Le, Bruno Leclercq

SEXOLOGIE

* **Avortement et contraception,** Dr Henry Morgentaler
* **Bien vivre sa ménopause,** Dr Lionel Gendron
* **Comment séduire les femmes,** E. Weber, M. Cochran
* **Comment séduire les hommes,** Nicole Ariana
  Fais voir! W. McBride et Dr H.F.-Hardt
* **Femme enceinte et la sexualité, La,** Elizabeth Bing, Libby Colman
  Femme et le sexe, La, Dr Lionel Gendron
* **Guide gynécologique de la femme moderne, Le,** Dr Sheldon H. Sherry
  Helga, Eric F. Bender

  Homme et l'art érotique, L', Dr Lionel Gendron
  Maladies transmises sexuellement, Les, Dr Lionel Gendron
  Qu'est-ce qu'un homme? Dr Lionel Gendron
  Quel est votre quotient psycho-sexuel? Dr Lionel Gendron
* **Sexe au féminin, Le,** Carmen Kerr
  Sexualité, La, Dr Lionel Gendron
* **Sexualité du jeune adolescent, La,** Dr Lionel Gendron
  Sexualité dynamique, La, Dr Paul Lefort
* **Ta première expérience sexuelle,** Dr Lionel Gendron et A.-M. Ratelle
* **Yoga sexe,** S. Piuze et Dr L. Gendron

SPORTS

ABC du hockey, L', Howie Meeker
* **Aïkido — au-delà de l'agressivité,** M. N.D. Villadorata et P. Grisard
  Apprenez à patiner, Gaston Marcotte
* **Armes de chasse, Les,** Charles Petit-Martinon
* **Badminton, Le,** Jean Corbeil
  Ballon sur glace, Le, Jean Corbeil
  Bicyclette, La, Jean Corbeil
* **Canoé-kayak, Le,** Wolf Ruck
* **Carte et boussole,** Björn Kjellström
  100 trucs de billard, Pierre Morin
  Chasse et gibier du Québec, Greg Guardo, Raymond Bergeron
  Chasseurs sachez chasser, Lucien B. Lapierre
* **Comment se sortir du trou au golf,** L. Brien et J. Barrette
* **Comment vivre dans la nature,** Bill Riviere
* **Conditionnement physique, Le,** Chevalier-Laferrière-Bergeron
* **Corrigez vos défauts au golf,** Yves Bergeron

  Corrigez vos défauts au jogging, Yves Bergeron
  Danse aérobique, La, Barbie Allen
* **En forme après 50 ans,** Trude Sekely
* **En superforme par la méthode de la NASA,** Dr Pierre Gravel
  Entraînement par les poids et haltères, Frank Ryan
  Équitation en plein air, L', Jean-Louis Chaumel
  Exercices pour rester jeune, Trude Sekely
* **Exercices pour toi et moi,** Joanne Dussault-Corbeil
  Femme et le karaté samouraï, La, Roger Lesourd
  Guide du judo (technique debout), Le, Louis Arpin
* **Guide du self-defense, Le,** Louis Arpin
* **Guide de survie de l'armée américaine, Le**
  Guide du trappeur, Paul Provencher
  Initiation à la plongée sous-marine, René Goblot

Imprimé au Canada/Printed in Canada

2